COMO MATEI MINHA QUERIDA FAMILIA
COMO MATEI MINHA QUERIDA FAMILIA
COMO MATEI MINHA QUERIDA FAMILIA
COMO MATEI MINHA QUERIDA FAMILIA
COMO MATEI MINHA QUERIDA FAMILIA
COMO MATEI MINHA QUERIDA FAMILIA

DARKLOVE.

HOW TO KILL YOUR FAMILY
Copyright © Bella Mackie, 2021
Todos os direitos reservados.

Design de capa © Caroline Young
Ilustração de capa © Anna Isabella Schmidt

Tradução para a língua portuguesa
© Lorena Pimentel, 2023

Diretor Editorial
Christiano Menezes

Diretor de Novos Negócios
Chico de Assis

Diretor de Planejamento
Marcel Souto Maior

Diretor Comercial
Gilberto Capelo

Diretora de Estratégia Editorial
Raquel Moritz

Gerente de Marca
Arthur Moraes

Gerente Editorial
Marcia Heloisa

Editora
Nilsen Silva

Adap. de Capa e Proj. Gráfico
Retina 78 e Arthur Moraes

Coordenador de Diagramação
Sergio Chaves

Preparação
Monique D'Orazio

Revisão
Carolina Rodrigues
Carolina Vaz
Retina Conteúdo

Finalização
Sandro Tagliamento

Marketing Estratégico
Ag. Mandíbula

Impressão e Acabamento
Ipsis Gráfica

DADOS INTERNACIONAIS DE CATALOGAÇÃO NA PUBLICAÇÃO (CIP)
Jéssica de Oliveira Molinari – CRB-8/9852

Mackie, Bella
    Como matar sua família / Bella Mackie ; tradução
de Lorena Pimentel. — Rio de Janeiro : DarkSide Books, 2023.
    336 p. : il.

    ISBN: 978-65-5598-252-7
    Título original: How to Kill Your Family

    1. Ficção inglesa I. Título II. Pimentel, Lorena

23-1330   CDD 823

Índice para catálogo sistemático:
1. Ficção inglesa

[2023, 2025]
Todos os direitos desta edição reservados à
DarkSide® *Entretenimento* LTDA.
Rua General Roca, 935/504 — Tijuca
20521-071 — Rio de Janeiro — RJ — Brasil
www.darksidebooks.com

COMO MATEI MINHA QUERIDA FAMÍLI

BELLA MACKIE

Tradução
Lorena Pimentel

DARKSIDE

*Para o meu pai, que leu centenas de histórias de assassinatos para me fazer dormir.
Para a minha mãe, que preferia as histórias alegres.
Prometo nunca matar nenhum de vocês.*

*Das ideias mortais; tirai-me o sexo:
Inundai-me, dos pés até a coroa,
De vil crueldade. Dai-me o sangue grosso.*

William Shakespeare, *Macbeth**

* Tradução de Barbara Heliodora. *Grandes Obras de Shakespeare, Vol. 1*. Rio de Janeiro: Nova Fronteira, 2018. (As notas são da editora.)

COMO MATEI MINHA ~~QUERIDA~~ FAMÍLIA

PRÓLOGO

A prisão de Limehouse, como você pode imaginar, é medonha. Se bem que talvez você não possa, não de verdade. Não há consoles de videogames, nem TVs de tela plana, como deve ter lido nos jornais. Não existe atmosfera comunitária, nem irmandade. Ao contrário: é tudo caótico, barulhento, com uma briga sempre prestes a estourar. Desde o início, tentei ficar na minha. Fico na cela o máximo possível — entre refeições que são, no máximo, ocasionalmente digeríveis — e tento evitar minha "colega de quarto", como ela insiste em ser chamada.

    Kelly é uma mulher que gosta de "bater papo". No meu primeiro dia aqui, há quatorze longos meses, ela se sentou no meu beliche, apertou meu joelho com as unhas horrivelmente longas e disse que sabia o que eu tinha feito e me admirava muito. Esse elogio foi uma boa surpresa, dado que esperava apenas violência quando me aproximei das portas ameaçadoras deste lugar decrépito. Ah, a inocência de alguém cuja única referência de prisão são as séries de baixo orçamento da TV... Depois dessa apresentação inicial, Kelly decidiu que eu era sua nova melhor amiga e, pior, uma colega de quarto de quem se vangloriar. No café da manhã, ela sempre se aproxima, enlaça o braço no meu e sussurra como se estivéssemos trocando confidências. Já a escutei falando com outras presas, a voz baixa em tom de conluio, dizendo que confessei a ela todos os detalhes do meu crime. Ela quer ser influente e ganhar o respeito das outras mulheres e, se tem alguém que pode lhe proporcionar isso, essa pessoa é a assassina Morton. Isso me deixa *exausta*.

Eu sei, falei que a Kelly diz que sabe tudo sobre o meu *crime*, mas talvez isso, de certa forma, atenue meus atos. Para mim, a palavra crime soa esfarrapada, deselegante e banal. Pessoas que furtam lojas cometem crimes. Quando se anda a 60 km/h em uma rua com limite de 30 km/h só para comprar um café morno antes de mais um dia chato no escritório, comete-se um crime. Fiz algo muito mais ambicioso. Concebi e executei um plano complexo e cuidadoso, cujas origens antecedem e muito as circunstâncias desagradáveis que permearam o meu nascimento. E visto que tenho bem pouco a fazer nesta jaula feia e nada inspiradora — uma terapeuta sem noção sugeriu que eu fizesse aulas de gramática, mas estou confiante de que a reação estampada no meu rosto a dissuadiu de futuras sugestões —, decidi contar minha história. Não é uma tarefa fácil, já que não tenho um laptop de última geração como estou habituada. Há pouco tempo, quando o meu advogado me apresentou uma tênue luz no fim do túnel, senti que devia registrar o tempo que passei aqui e escrever um pouco sobre o que fiz. Uma ida à cantina me rendeu um bloco de notas fino e uma caneta a um custo de 5 libras do meu limite semanal de 15,50 libras. Esqueça os artigos de revista que sugerem que você poupe dinheiro economizando no café caro para viagem; se quer mesmo aprender a viver dentro do orçamento, passe um tempo na cadeia. A escrita pode ser inútil, mas tenho que fazer algo para aliviar o tédio monumental deste lugar. E tenho esperança de que, se eu parecer ocupada, Kelly e seu interminável grupo de "damas", como ela insiste em chamá-las, vai parar de perguntar se eu quero ver algum reality show na sala de recreação com elas. "Desculpa, Kelly", vou dizer, "estou fazendo anotações importantes para a minha apelação. Nos falamos depois." Espero que a perspectiva de que eu possa contar a ela detalhes sórdidos do meu caso a deixe entusiasmada o bastante para me deixar em paz.

Claro que a minha história não é para Kelly. Duvido que ela tenha a capacidade de entender o que me motivou a fazer o que fiz. Minha história é apenas isso — minha —, embora eu saiba que os leitores a aprovariam, se algum dia eu viesse a publicá-la. É uma história impublicável, lamento, mas é bom saber que as pessoas iam curtir. Seria um best-seller, e as massas correriam para as livrarias, querendo saber mais sobre a tragédia de uma jovem bonita capaz de cometer um ato tão terrível. Os tabloides andam escrevendo sobre mim há meses, e o público não se cansa dos psicólogos que me diagnosticam à distância, nem dos comentários em minha defesa que são massacrados no Twitter. O público está tão entretido com a minha história que até engoliu um documentário malfeito e confuso sobre mim no Canal 5, com a participação de um astrólogo gordo dizendo que meu signo solar previa tudo. Ele só errou meu signo.

Por isso, sei que as pessoas correriam para ler o meu relato. Sem nenhum esforço para me justificar, o caso já se tornou notório. E, o mais irônico, sem que ninguém saiba dos meus verdadeiros crimes. O sistema judicial neste país é uma piada, e não há nada que demonstre isso melhor do que esta frase: matei várias pessoas (algumas de forma brutal; outras, com calma) e, no entanto, estou definhando na prisão por um crime que *não* cometi.

Os crimes que orquestrei, se descobertos, garantiriam minha posteridade por décadas. Talvez até séculos, se a humanidade durar tanto tempo. Dr. Crippen, Fred West, Ted Bundy, Lizzie Borden e eu, Grace Bernard. Na verdade, isso me desagrada um pouco. Não sou amadora ou imbecil. Se você me visse na rua, me admiraria. Talvez seja por isso que a Kelly grudou em mim em vez de me dar um murro, como eu esperava. Mesmo aqui, preservo certa elegância e uma frieza que intriga as mais fracas. Apesar dos meus crimes, dizem que recebi cartas aos montes: declarando amor, admiração, me perguntando onde comprei o vestido que usei no primeiro dia do julgamento (Roksanda, se estiver interessado. Infelizmente, a esposa do primeiro-ministro usou algo muito parecido no mês seguinte). Muitas cartas de ódio. Às vezes, umas paradas loucas em que o remetente acredita que estou me comunicando telepaticamente com ele. As pessoas parecem realmente interessadas em me conhecer, me impressionar, me imitar. Se não nos meus atos, nos meus looks. Não faz diferença, já que nunca leio nada disso. Meu advogado pega tudo e leva embora. Não tenho interesse em estranhos patéticos a ponto de pegarem caneta e papel para escrever cartas para mim.

Talvez eu esteja superestimando o público, pressupondo que sejam pessoas dotadas de um conjunto de emoções mais complexo do que têm. Talvez a razão para o interesse contínuo e frenético no meu caso seja melhor sintetizada pela teoria da Navalha de Occam: em geral, a resposta correta é a mais simples. Nesse caso, meu nome ficará célebre pelos séculos vindouros pelo motivo mais prosaico de todos: simplesmente porque a ideia de um triângulo amoroso parece dramática e obscena. Mas, quando penso no que *realmente* fiz, fico um pouco triste porque ninguém nunca saberá a operação complexa que organizei. Sair impune é muito melhor, claro, mas talvez, quando eu estiver longe, alguém abra um velho cofre e encontre esta confissão. O público ficaria chocado. Afinal de contas, quase ninguém no mundo consegue compreender como é que alguém, na tenra idade de 28 anos, pode ter matado friamente seis membros de sua família. E depois continuar feliz pelo resto da vida, sem nunca se arrepender de nada.

COMO MATEI MINHA ~~QUERIDA~~ FAMÍLIA

Saio do avião e me deparo com aquele ar deliciosamente abafado que sempre rende uma exclamação dramática dos britânicos quando chegam a algum lugar quente e se lembram de que grande parte do mundo desfruta de um clima que não oscila apenas entre o cinza e o frio. Gosto de andar depressa em aeroportos e hoje ainda mais, já que estou ansiosa para evitar o homem que infelizmente se sentou ao meu lado durante o voo. Amir se apresentou assim que afivelei o cinto. Um homem de trinta e poucos anos, usando uma camisa desesperadamente esticada sobre os músculos quase cômicos de seu peitoral e, sabe-se lá porque, uma calça brilhosa de traje esportivo. A pior parte do look, a cereja do bolo, era o par de chinelos que ele usava em vez de sapatos. Chinelos Gucci, com meias combinando. Jesus. Pensei em perguntar à aeromoça se podia mudar de lugar, mas ela não estava em lugar nenhum, e eu já estava presa entre o He-Man enfeitado e a janela quando o avião começou a taxiar.

Amir estava a caminho de Puerto Banús, como eu, embora eu não tenha lhe contado nada. Ele tinha 38 anos, trabalhava com algo relacionado a casas noturnas e repetia muito que "ia com tudo". Fechei os olhos enquanto ele falava do estilo de vida de Marbella e me contava sobre os desafios de ter seus carros favoritos entregues para a temporada de verão. Apesar da minha linguagem corporal, meu vizinho de assento não desistiu, fazendo com que eu, por fim, respondesse. Ia visitar minha melhor amiga, contei. Não, ela não estava em

Puerto Banús, estava mais para o interior, e era pouco provável que nos aventurássemos na cidade para experimentar as delícias da casa noturna Glitter.

"Precisa de um carro?", ele perguntou. "Posso te arranjar um irado para circular por aí. Me avisa que eu arranjo uma boa Mercedes para suas férias." Recusei com o máximo de educação que pude antes de anunciar firmemente que precisava trabalhar um pouco antes de aterrissarmos.

Quando começamos a descida, Amir agarrou a oportunidade e me lembrou de desligar o laptop. Mais uma vez, fui tragada para a conversa, e tive o cuidado de não mencionar o meu nome ou dar a ele qualquer informação pessoal. Estava irritadíssima com essa interação, tendo me vestido de propósito com calças pretas, uma camisa e nenhuma maquiagem, para chamar o mínimo de atenção possível. Nenhuma joia, nenhum toque personalizado, nada que alguém pudesse reter na memória se interrogado. Não que isso fosse acontecer: sou apenas uma jovem entre tantas outras que vai tirar férias em Marbella neste verão.

Aquele voo era o máximo que Amir conseguiria de mim, e mesmo assim, a contragosto. Então agora avanço apressada pelas pessoas, sorrindo enquanto forço passagem pela fila do controle de passaportes e vou direto à área de bagagem. Me escondo atrás de uma pilastra à medida que a sala se enche e dou uma olhada no celular. Alguns minutos depois, vejo a minha mala e a recolho, dou meia-volta e prossigo obstinada até a saída. Então algo me vem à mente.

Estou encostada nos corrimões do lado de fora do aeroporto quando Amir surge. Seu rosto se alegra enquanto ele encolhe a barriga e estufa o peito.

"Estava te procurando!", ele diz, e eu noto o brilhante relógio de ouro enquanto gesticula.

"Sim, desculpa, estou com muita pressa para chegar à casa da minha amiga a tempo do almoço, mas não queria ir embora sem me despedir", respondi.

"Vamos dar aquela saída hoje à noite? Me dá seu número, vamos combinar."

Nem pensar, mas tenho que manter seu interesse para conseguir o que quero.

"Meu número é novo, Amir, não consigo me lembrar de jeito nenhum. Me passa o seu e eu te ligo." Sorrio e toco seu braço. Depois de salvar o número e recusar sua oferta de carona, aceno para me despedir.

"Amir", eu chamo, enquanto ele se afasta, "aquela oferta de um carro ainda está de pé?"

* * *

Chego ao meu apartamento alugado pouco menos de duas horas depois, uma viagem bem tranquila. Encontrei o lugar no Airbnb e dei um jeito de pagar à proprietária em dinheiro, para não ter registros em meu nome. Ela não se importou com uma reserva particular quando avisei que pagaria o dobro. É absurdamente caro, ainda mais na alta temporada, mas só tenho esta semana de folga e quero seguir com o meu plano, então preciso investir dinheiro nele. O apartamento é pequeno e sufocante, a estética parece a de uma clínica de cosméticos dos anos 1980, mas com bonecas de porcelana de bônus. Estou desesperada para ver o mar e esticar as pernas, mas meu tempo é limitado aqui, e há trabalho a ser feito.

Fiz a minha pesquisa — o máximo que deu para fazer quando se procura dois velhos preconceituosos que quase não têm presença on-line — e tenho uma ideia de onde estarão esta noite. Parece, pelo pouco que pude apurar do perfil de Kathleen no Facebook (a coitada tem uma conta pública, benditos sejam os idosos que não entendem as configurações de privacidade), que, além de detestar a quantidade de espanhóis que vivem na Espanha, os idosos Artemis passam a maior parte do tempo entre um restaurante chamado Villa Bianca, localizado à beira-mar, e um cassino chamado Dinero, nos arredores da cidade. Reservei uma mesa no restaurante para o jantar.

Deixe-me ser franca aqui. Não tenho ideia do que estou fazendo. Tenho 24 anos, e há muito que venho elucubrando a melhor forma de vingar minha mãe. Este é o maior passo que dei até agora. Antes disso, tratei de subir na carreira, poupar dinheiro, pesquisar os familiares e tentar alcançar uma posição onde pudesse me aproximar deles. Tudo muito útil, mas insuficiente. Claro que estou disposta a fazer sacrifícios para alcançar meus objetivos, mas, meu Deus, é difícil fingir que me preocupo com as pesquisas de satisfação dos clientes e marcar presença nos *happy hours* opcionais (leia-se obrigatórios) do time às sextas. Se eu soubesse que teria que beber Jägerbombs com pessoas que trabalham no marketing por vontade própria, teria passado mais tempo pesquisando trepanação. Talvez seja por isso que estou apressando essa grande jogada, desesperada para provar a mim mesma que progredi e posso fazer o que planejo desde os 13 anos. E, ainda assim, estou longe de estar bem preparada. Pensei que, ao chegar a Marbella, já teria um plano bem esquematizado, uma rota calculada com cautela, um cronograma e um disfarce incrível. Em vez disso, estou escondida em um apartamento que cheira como se o hamster da família tivesse morrido debaixo de um guarda-roupa, e a mãe, louca sem saber de onde vinha o cheiro, tivesse passado meses jogando água sanitária na casa inteira. Tenho um plano em mente, mas não sei se vou conseguir executá-lo. Comprei uma peruca em uma loja de cosméticos em Finsbury Park, que me pareceu bem convincente na iluminação da loja, mas chamativa demais sob o sol espanhol. Apesar da ansiedade do despreparo, estou animada. Enquanto ajeito a peruca e faço a maquiagem, sinto como se estivesse me arrumando para um date promissor, e não indo matar meus avós.

* * *

Isso foi meio dramático, admito. Não vou matá-los hoje à noite, seria tolice. Preciso vê-los, ouvir a conversa deles, ver se deixam pistas sobre os seus planos para a semana. Preciso percorrer o caminho até a *villa* deles algumas vezes e, mais importante, pegar o carro emprestado com Amir. Ou esse carro é sinal de que sou caótica demais e preciso postergar meus planos, ou foi um presente do universo. Veremos em breve.

Decidi há muito tempo que Kathleen e Jeremy Artemis seriam os primeiros da lista. Tive muitos motivos, na verdade: o primeiro é que são velhos, então não importa tanto. Na minha opinião, idosos que não fazem nada a não ser torrar pensão e ficar largados em suas poltronas favoritas não são a melhor propaganda para a humanidade.

Muito legal o empenho para fazer com que pessoas vivam mais tempo com intervenção médica e estilos de vida mais saudáveis, mas infelizmente esses idosos serão pesos mortos inúteis que ficam mais e mais mesquinhos, até se tornarem verdadeiros fardos empatando um cômodo da sua casa.

Não fique tão chocado, sei que você também pensa assim. Desfrute da sua vida e bata as botas por volta dos 70 anos. Só gente muito chata quer viver até os 100 — a única recompensa é uma carta curta e impessoal da rainha. Estou fazendo um favor a todos. Meu avós são velhos, descartáveis e levam vidas inúteis. Vinho no almoço, cochilos, um passeio às lojas da cidade para comprar joias cafonas e relógios pomposos. Ele joga golfe, ela passa muito tempo injetando coisas no rosto, o que a deixa estranhamente parecida com uma criança muito velha. Um desperdício de vida, e olha que ainda nem comentei ainda como eles são racistas. Ah, foda-se, você pode imaginar. Os dois moram em Marbella e não falam uma palavra de espanhol. Não preciso dizer mais nada.

Claro que, no meu caso, é pessoal. Não sou Harold Shipman andando por aí e matando a maior quantidade de vítimas geriátricas que puder. Eu só quero matar dois deles, os outros podem continuar assistindo a *Emmerdale* e comprando presentes péssimos para netos que não suportam suas visitas chatas. Estas pessoas são tecnicamente meus avós, embora nunca os tenha conhecido e nunca tenham me comprado nem um Toblerone, mas eles *sabem* que eu existo.

Vou explicar. Eu não soube de nada disso por muitos anos, achando que meu pai, Simon, tinha conseguido me manter em segredo, mas Helene, amiga da minha mãe, me visitou em Londres e, com uma garrafa de vinho, confessou que os tinha visitado antes de se mudar para Paris, anos antes. Ela sentiu que, se me deixasse, decepcionaria minha mãe. A pobre finada Marie. Helene fez a única coisa que podia para aliviar sua culpa: ela os pesquisou na internet e encontrou o endereço em Londres. Quase pulei em cima dela no restaurante, de tão ansiosa que estava para ouvir aquele relato. Já vira a casa dos Artemis muitas vezes, antes de se mudarem para a Espanha. Passei horas do lado de fora, observando, esperando, de vez em quando seguindo seu carro quando saíam, mas falar com eles era outros quinhentos; fiquei meio impressionada com Helene e meio furiosa por ela nunca ter me contado desse encontro antes.

Ela visivelmente relutou em me contar o quão desastroso fora o encontro; não olhou nos meus olhos ao dizer que haviam batido a porta na cara dela quando se identificou. Mesmo assim, ela não foi embora, até que, por fim, eles a deixaram entrar e afirmaram com frieza que sabiam de mim e minha mãe "pavorosa". Meus ouvidos começaram a zunir à medida que eu assimilava aquela informação, e cocei o pescoço já pressentindo o nó na garganta que na certa apareceria a qualquer segundo. Eles sempre souberam da minha existência, explicou Helene, quando o "pobre" filho do casal apareceu sem aviso, tarde da noite, e confessou o que tinha aprontado. De acordo com Jeremy — que sustentou a conversa na maior parte do tempo, enquanto Kathleen ficou no sofá com ar de poucos amigos, bebendo um gim-tônica caprichado —, Simon queria saber a melhor forma de contar aquilo à esposa, Janine, e pediu ao pai que me dessem suporte financeiro.

"Ele até tentou agir de forma decente", disse Helene, quase como uma desculpa, enquanto bebia vinho e brincava com o cabelo. Ignorei o comentário e pedi que ela continuasse. Não tinha interesse em passar pano nas tentativas patéticas daquele homem de ficar em paz com sua consciência.

Jeremy orgulhosamente disse a Helene que ele e a esposa tinham passado horas dissuadindo o filho da ideia e que, por fim, convenceram Simon de que Marie estava apenas atrás de dinheiro. Disseram que Janine nunca se recuperaria do baque. "Simon cometeu um erro, como muitos homens fazem", disse ele a Helene. "Sinto muito que a menina tenha que crescer sem os pais, mas existem problemas mais graves. Eu mesmo perdi a minha mãe ainda jovem e não saí por aí pedindo esmolas a estranhos." Helene disse que tentou argumentar que Marie não queria segurar o filho deles, não fazia ideia do quanto era rico e só soube que ele era casado muito depois, mas eles não quiseram ouvir. "Aquela mulher tentou acabar com a reputação do meu filho por dinheiro!", gritou Kathleen, levantando-se do sofá. "Se acha que a filha dela vai começar com essa palhaçada novamente, é tão burra quanto ela." Foi basicamente isso. De acordo com Helene, que tinha terminado o vinho e estava agora gesticulando furiosamente, Kathleen de repente começou a soluçar e bater no peito do marido. Ele agarrou-lhe as mãos e a empurrou de volta para o sofá, antes de se virar para Helene, que estava de pé, um pouco atordoada, junto à porta. "Você aborreceu minha mulher e arruinou nossa noite. Quero você fora da minha casa, e nem *pense* em repetir essa idiotice com o meu filho. Nossos advogados te deixarão sem teto se tentar nos levar ao tribunal."

"Eu fiquei um pouco assustada", disse Helene, "porque de repente ele parecia insano. Os olhos ficaram inchados e o cabelo grisalho todo despenteado. E o mais estranho foi que o sotaque dele mudou completamente. Quando falou comigo pela primeira vez, parecia um autêntico cavalheiro inglês, mas, quando saí, a voz dele estava grossa e rouca. Me lembrou dos comerciantes que eu conheci na cidade onde cresci. Desculpa. Eu bem que tentei, achei que os pais dele fossem mais simpáticos, mais compreensivos. Achei que quisessem conhecer a sua linda neta, pelo amor de Deus! Mas não. Eles podem até estar bem de vida, Grace, mas por dentro são uns picaretas."

Ou seja, são velhos, malvados e ocupam um espaço precioso no mundo. E tudo isso seria razão o suficiente para ajudá-los a partir dessa para melhor de uma forma mais desagradável que a ditada pelo destino. Mas, para ser honesta, meu maior motivo é porque eles sabiam. Eles sabiam da minha mãe. Eles sabiam de mim. E não apenas lavaram as mãos e não fizeram nada, mas trataram de proteger o filho, culpando Marie, Helene, as festas e os amigos que o levaram para o mau caminho. Culparam todos, menos Simon. Ele se esquivou de suas responsabilidades como pai, e a família foi cúmplice. Pensei que viviam sem saber que o filho tinha rejeitado uma criança e abandonado uma mulher grávida passando dificuldades, mas foi de propósito mesmo. E, no fim, foi isso que selou a minha decisão. Eles morrem primeiro.

* * *

Chego ao restaurante da praia às 18h, presumindo que, como a maioria dos idosos, os meus avós jantem cedo. Reservei uma mesa no terraço, mas no fim das contas o restaurante é muito maior do que parecia na internet, e receio estar longe demais para conseguir algo útil. Peço uma taça de vinho branco (eu gosto de vinho; os Latimer sempre fizeram questão de beber bons vinhos e eu não sou exceção, então escolho um Rioja) e abro o livro que trouxe comigo para não dar na vista quando começar a bisbilhotar. Eu tinha escolhido *O Conde de Monte Cristo* — sim, um tanto óbvio —, mas achei engraçado quando fiz as malas. Não espero muito até a chegada dos Artemis. Pouco depois da primeira página, vislumbro algo de relance. Dois garçons estão escoltando quatro idosos pelo bar, a caminho do terraço. Fico quieta, me segurando para não erguer os olhos, mas sentindo que estão se aproximando. Uma voz feminina diz: "Não, essa mesa não, Andreas, está bem no sol. Prefiro ali". O grupo se vira e vai para o outro lado do lugar. Vá se foder, Kathleen.

Uma vez que eles se instalam em seus assentos e pedem bebidas, coisa que parece demorar uma eternidade — com queixas sobre o vento e debates sobre o que escolher —, eu me permito fazer uma rápida varredura da cena. Os Artemis estão virados para mim, seus amigos de frente para eles. O penteado de Kathleen causaria inveja à Joan Collins. Seu cabelo é loiro e tem uma estrutura, não um estilo, tão rígida que o vento não o desmonta. Os procedimentos estéticos no seu rosto são visíveis à distância e os olhos são intencionalmente arregalados. Acho que a ideia era um ar coquete, mas o efeito é demência. Ela veste uma túnica bege sobre uma calça bege, e sua bolsa Chanel enorme está apoiada na mesa. O pescoço é adornado por uma corrente comprida de... Não consigo identificar as pedras, mas sei que não podem ser zircônias. Me dou ao luxo de encarar um pouco, já que estão todos entretidos com o cardápio. Me pergunto se há alguma coisa de mim nessa mulher insatisfeita quando ela levanta as mãos e vejo suas unhas. Pontiagudas e pintadas com um vermelho clássico. *Touché*, Kathleen. Minhas mãos, segurando o livro esquecido, são longas e finas, ao contrário das dela, mas as unhas... as unhas também são vermelhas e pontiagudas.

Depois de alguns minutos fingindo estar absorta no livro, chamo o garçom e peço para sair do sol. Melhor não demorar mais, já que desconfio que a peruca vai derreter a qualquer momento. O terraço está cheio, mas não lotado, e sou levada para uma mesa bem atrás dos meus alvos. Ótimo. Quero saber o que dizem. Não vou aprender nada de perspicaz ou interessante sobre a personalidade do casal, eles são sem graça demais para isso, mas posso ao menos ter uma ideia dos seus planos para a semana. Só tenho mais cinco dias, o máximo de férias que pude tirar, por isso o tempo está apertado. Peço mais uma taça de vinho, uns *tapas* e abro meu livro de novo. Jeremy está olhando para mim de uma forma que todas as mulheres reconhecem. O bode velho está me encarando, apreciando minha juventude, sem perceber nem por um segundo o quanto parece patético. Sorrio por um breve momento, em parte porque é divertido ver o meu avô flertando comigo e em parte para fazê-lo pensar que estou lisonjeada. O momento é interrompido por garçons trazendo a comida deles. Nenhum pedido foi feito, mas não me surpreendo com os pratos. Bife e batatas fritas para o grupo todo. Deve ser a única coisa no cardápio que eles pedem. Bife e batatas fritas, nunca se aventurando em território estrangeiro, nunca fazendo nada diferente, sendo tacanhos, tornando-se desagradáveis. Se saquei tudo isso só pelo bife, imagine o que concluiria vendo suas estantes de livros? Brincadeira, duvido que tenham livros em casa.

Ficam de conversa mole falando sobre amigos no clube de golfe, sobre alguém chamado Brian que se desgraçou em um leilão beneficente (pobre Brian, imagine a vergonha de ser excluído da comunidade idosa expatriada). Kathleen e a outra mulher — que se parece muito com Kathleen, mas com mais cintura e uma Chanel menor — passam a falar sobre um cabeleireiro que demora demais e não conseguiu encaixar uma amiga delas na segunda-feira anterior. Minha mente devaneia. Quero descobrir tudo o que puder, mas, meu Deus, essas pessoas não facilitam.

Será que posso beber mais uma taça de vinho, ou isso vai sabotar a missão de reconhecimento? Que se foda. Peço outra taça e belisco o que restou dos meus *tapas*. Talvez o grupo que observo tenha feito uma escolha sensata com os bifes. A comida que pedi é estranhamente borrachuda e não parece algo que veio do mar, mas sim feito em uma beira de estrada qualquer. O grupo à minha frente pediu café, e Kathleen está preocupada com uma mancha na gravata de Jeremy, que parece ser uma gravata de algum tipo de clube. Aposto que Jeremy é maçom; isso faria *todo o sentido*. O marido da amiga gorda pergunta quando irão ao cassino e menciona um coquetel na próxima quinta-feira.

"Sim, estaremos lá", diz Jeremy, ríspido, desvencilhando-se do guardanapo de Kathleen. "Vamos jantar com os Beresford às 19h30 e passaremos lá na volta."

vão jantar onde?, quero gritar, mas eles não continuam o assunto. Em vez disso, Jeremy pede a conta, chamando bruscamente o garçom. O outro homem na mesa pega a conta assim que chega e faz um gesto com a cabeça para os meus avós.

"É por nossa conta, tenho certeza de que é nossa vez. Por favor, eu insisto." Ele joga o cartão *gold* na mesa, e Jeremy quase não reage; em vez disso, me encara novamente. Dessa vez, desvio o olhar. Não quero que ele se lembre do meu rosto ou me reconheça demais. Não estou preocupada, imagino que ele passe muito tempo olhando para mulheres com idade para serem netas dele. Talvez algumas até sejam, considerando o histórico de Simon, mas quem saberia dizer?

Quando estão indo embora, noto melhor a gravata de Jeremy. Eu estava errada, não é maçonaria. Uma impressão em verde e amarelo, com as letras "rc". Uma rápida pesquisa no Google me diz que é a gravata oficial do Regency Club, um estabelecimento exclusivo para membros em Mayfair, criado em 1788 para homens ricos e aristocratas socializarem sem suas esposas. Quase dou risada. Sei de onde você vem, Jeremy. De uma casa de dois cômodos em Bethnal Green, com uma mãe costureira e um pai que se mandou e acabou sabe-se lá onde antes do seu quinto aniversário. Simon falou sobre isso em entrevistas com orgulho, como exemplo de que a família tinha se esforçado para subir na vida. Então aqui está você, com uma gravata que acredita mostrar seu pedigree, ainda que comprado. Admirável para alguns, talvez. Até para mim, já que quero fazer a mesma coisa: sair da pobreza e me livrar do peso da história, mas eu te conheço. Conheço seu ódio por suas raízes, seja qual for a narrativa que tenha inventado desde então. Você viu isso em mim e, quando pediram a sua ajuda para ajudar quem era sangue do seu sangue a sair de uma situação igual, você fugiu. Helene tinha razão. Você é só um picareta e não há clubes exclusivos nem roupas caras capazes de disfarçar. Mas use a gravata. Quinta-feira não está longe.

Volto para o meu quarto, observando no caminho o que há no calçadão principal de Puerto Banús. As boutiques estão cheias de mulheres admirando vestidos bordados em frente ao espelho e conversando com amigas. Um grupo de meninas adolescentes passa, entretidas em uma discussão sobre seus bronzeados. Me questiono se eu teria sido uma dessas mentes vazias caso tivesse crescido com a família Artemis. Gosto de ler, acompanhar temas globais, tenho opiniões além de sapatos e golfe. Sou melhor do que essas pessoas, não há dúvida, mas elas parecem felizes apesar da sua ignorância. Talvez *por causa* dela. O que há para se preocupar? Nenhum desses idiotas está pensando nas mudanças climáticas; estão se perguntando o que vestir no iate amanhã. É fascinante observar, mas tenho pouco tempo para isso. Assim que fizer o meu trabalho, não voltarei a esse playground da classe abastada. Talvez deva comprar uma lembrancinha. Olho para a vitrine, com suas tralhas superfaturadas. Não tenho dinheiro ou a vontade de comprar um kaftan com gola de pele, nem de brincadeira. Além disso, acho que sei qual será meu souvenir, e vai sair de graça.

No dia seguinte, depois de uma corrida rápida pela praia, dirijo até a casa deles. É uma mansão em um condomínio seguro, escondida das massas sujas e guardada por grandes portões e um segurança entediado. Pensei que verificasse os visitantes, mas ele me deixa passar com um aceno quando digo que sou da boutique Afterdark e vim para deixar um vestido para a sra. Lyle, do número 8. Imaginei que houvesse uma alta frequência de entregas para senhoras entediadas em suas casas impecáveis, sempre comprando roupas novas ou pedindo que as manicures viessem atendê-las imediatamente. Não disse que ia para a casa dos Artemis. Não quero que haja uma ligação óbvia, caso façam perguntas mais tarde.

A casa deles, no número 9, é quase idêntica às dos números 8 e 10. Estuque branco, ladrilhos de terracota até a porta. Palmeiras de ambos os lados do alpendre. Grama verde perfeita, mesmo com esse calor escaldante. Acho que o racionamento de água não se aplica a moradores de condomínios fora da sociedade comum. Tiro o pé do pedal e passo pela frente, mas não há nada para ver. Não há ninguém à vista pelas ruas, nem um passeador de cães ou uma mãe com um carrinho. Todo esse dinheiro e só se pode comprar o silêncio. Não me entendam mal, eu aprecio o silêncio. Quando você cresce em uma rua movimentada de Londres, sonha com o dia em que vai viver em uma casa onde não possa ouvir seus vizinhos alternando entre sexo feroz e soluços emocionados com a trilha sonora de *Os Miseráveis*, mas essa calma é artificial — parece rasa e monótona, para pessoas que preferem neutralizar a realidade barulhenta da vida humana. Tudo o que a escolha da casa dos Artemis me diz sobre eles é que não diz nada. É uma casa construída para pessoas ricas que não se importam com o design, mas valorizam muito segurança e status. Lynn e Brian compraram uma casa neste condomínio? Então vamos comprar uma maior. É isso. Não há um vislumbre de personalidade, apenas conformismo asséptico. Vou embora me sentindo deprimida. Compartilho DNA com essas pessoas, será que algum dia ansiarei por carpete bege e uma empregada para maltratar? Uma empregada até que seria legal, mas acho que ficaria incomodada com sua inevitável tristeza. Por outro lado, deve ser um bônus para Kathleen. Alguém mais triste do que ela, disponível bem ali, todos os dias.

Do condomínio, sigo para o cassino, que fica a cerca de meia hora de carro por uma estrada bem perigosa. Um declive ao lado, formando um... desfiladeiro? Um barranco? Não sei. Como eu disse, cresci na área urbana e sempre tive certo receio (saudável, na minha opinião) de espaços abertos. O campo me deixa perplexa e, se estivesse em casa, não me daria ao trabalho de ir a qualquer lugar que ficasse a meia hora de distância de carro. Às vezes, fico com vontade de ter um encontro rápido com um homem (quero dizer sexo, não faça essa cara de surpresa), ou só de perder tempo vasculhando aplicativos de encontros. Passo por oportunistas posando na frente de BMWs, como se fosse um sinal de que são bem-sucedidos em vez de um indicativo claro de que são burros o bastante para achar que fazer uma compra dessas a prestação é uma boa jogada do ponto de vista financeiro. Apesar disso, um carro cafona e uma camiseta com gola V não são necessariamente um corta-clima. Afinal, não vou passar a minha vida com esses homens. Nem sequer me importo o suficiente para memorizar seus nomes, mas tenho um limite. Mais do que alguns quilômetros de distância? Não vai rolar. Meu humor é fugaz e não quero esperar você fazer baldeação na estação King's Cross, nem mandar mensagem dizendo que o trem metropolitano está em manutenção e você teve que pegar um ônibus. Ou seja, o interior da Espanha é um mundo alienígena para mim e, que porra é essa?, o declive virou um desfiladeiro. Não importa o nome, importa que é alto e que a encosta está repleta de arbustos espinhentos. Além disso, não há uma alma viva nesse percurso. Perfeito. O sol brilha e a brisa quente me atinge enquanto dirijo. Ligo o rádio e a estação local toca Beach Boys. "God Only Knows" enche o pequeno carro alugado enquanto eu percorro a estrada até o cassino. Não acredito em Deus, obviamente. Vivemos na era da ciência e das Kardashian, por isso acho que estou na esfera da sanidade aqui. Por outro lado, qualquer deus decente não teria me aparentado com essas pessoas e me imposto essa missão. Então, nada de Deus, mas sinto que alguém sorri para mim hoje.

Já que estou falando de Deus, há uma história na Bíblia (quero dizer, não está exatamente na Bíblia, eu a ouvi em um filme e envolve tecnologia moderna) mais ou menos assim: um homem vivia feliz em sua casa modesta por anos, até que um dia o serviço de emergência bate na porta e diz: "Senhor, uma tempestade está a caminho, precisamos evacuar". E o homem diz: "Obrigado, senhores, mas sou religioso, tenho fé. Deus vai me salvar". Os homens partem e a tempestade vem. As águas sobem em torno da casa dele, e um barco passa. "Senhor", diz o capitão, "venha conosco, a água continuará a subir." O homem, porém, diz: "Obrigado, senhores, mas sou religioso, tenho fé. Deus vai me salvar". Mais tarde, o homem tem que subir no telhado enquanto a casa inunda. Um helicóptero paira acima. "Senhor, suba esta escada, podemos levá-lo para um lugar seguro." O homem os manda embora: "Obrigado, senhores, mas sou religioso, tenho fé. Deus vai me salvar". Mais tarde, o homem se afoga.

Quando chega ao céu, ele encontra Deus e diz: "Pai, eu tinha fé, eu acreditei no Senhor, eu permaneci fiel. Por que deixou que eu me afogasse?". E Deus, parecendo exasperado (tem seus motivos, convenhamos, o homem é um idiota), diz: "David, eu enviei o serviço de emergência, um barco e um helicóptero. O que está fazendo aqui?!".

Alguém me enviou um grande e estúpido Amir com seus carros poderosos, a data certa em que os meus avós vão sair à noite e uma estrada perigosa onde venta muito. E, ao contrário do homem estúpido na fábula, eu vou aproveitar tudo isso.

* * *

Tenho pouco mais de 36 horas antes de concretizar os meus planos. Poderia passar o tempo seguindo o casal para aprender mais sobre eles, mas, honestamente, não são tão interessantes assim para fazer valer a pena. Então eu vou para a praia pelo resto da tarde e fico largada em uma cadeira, bebendo rosé enquanto leio um livro sobre uma mulher que mata o marido após sofrer anos de *gaslighting* e abuso emocional. Não consegui continuar com *O Conde de Monte Cristo* — os pontos em comum com os meus planos estavam me deixando meio bolada. Mas fui ler como termina. Um hábito terrível, admito, mas a minha natureza trapaceira foi recompensada com a frase: "Toda a sabedoria humana se limita a essas palavras: espera e esperança".

Espera e esperança. Tenho vivido essa frase desde que era adolescente e, afinal, a parte da espera está chegando ao fim. Coloco as mãos no peito quente e tento sentir se o meu coração bate mais rápido que de costume, mas não, respiro normalmente, como se hoje fosse apenas mais um dia e eu não estivesse prestes a cometer um crime terrível. Que estranho. Minha mente esmiúça o plano, a expectativa sobe como fumaça dentro de mim, prestes a explodir; no entanto, eis-me aqui, protegida atrás de óculos escuros, o coração se recusando a me denunciar ao irromper para fora do meu peito. Meu corpo está pronto, mesmo que a minha mente pareça com a de uma adolescente se arrumando para um primeiro encontro.

Mais tarde naquela noite, antes de ir para a cama, envio a Amir uma mensagem de texto pelo meu recém-comprado celular descartável. É assim que Edward Snowden se referiu a um celular usado por alguém que quer permanecer indetectável. Um pouco exagerado no meu caso, dado que não conheço nenhum segredo de Estado, mas uma boa dica, mesmo assim, e esse pitoresco celular antigo de flip me custou somente um trajeto de vinte minutos até um lado menos agradável de Londres e 60 libras em dinheiro vivo, além dos créditos que coloquei para mensagens. Não vai voltar para a Inglaterra, mas está cumprindo o seu papel. Pergunto a Amir se vai estar aqui amanhã e se pode me arranjar um carro pelos próximos dias. Digo que vou viajar para o interior e que me sentiria mais segura em um carro maior, o que é meio verdade, acho. As melhores mentiras têm um quê de verdade, o que facilita a manter a história e evitar incoerências. Meu amigo Jimmy não consegue mentir, os cantos de sua boca se contorcem em um sorrisinho quando ele mente. É meio fofo, mas é impossível confiar nele, já que, quando confrontado, costuma se entregar.

Quando acordo, verifico imediatamente o celular. Como eu suspeitava, Amir respondeu logo cedo pela manhã. Uma grande noite na Glitter, imagino. Respondi à mensagem, agradecendo o convite para sairmos uma noite dessas, mas explicando novamente que partiria esta tarde. Já vi que não vou conseguir só pegar as chaves, então sugiro que nos encontremos para um sorvete na Calle Ribera às 14h. Sei que ele não dará mais notícia até meio-dia, considerando a quantidade de champanhe que deve ter bebido ontem. Tomo um banho no chuveiro minúsculo e coloco um vestido de verão, que espero que me faça parecer um pouco desleixada para Amir. A peça não tem qualquer brilho ou *stretch* e é praticamente um trapo perto do que as mulheres daqui usam. No pouco tempo que estou aqui, percebi que um misto de lantejoulas, botões de ouro e estampas de zebra ou oncinha são praticamente um uniforme não oficial. Bem, isso e os lábios inchados que fazem essas mulheres parecerem estar sofrendo uma reação alérgica horrível ao café gelado que ficam bebericando deitadas ao sol.

Não pretendo voltar a este apartamento, apesar de tê-lo reservado até sábado. Posso estar sendo muito otimista, mas não quero deixar que a incerteza tome conta em um momento tão crucial. Ajeito tudo, jogo os lençóis na máquina de lavar e limpo as superfícies. Arrumo minha pequena mala e separo o que vou precisar para o resto do dia. Na bolsa a tiracolo (da Gucci, uma das primeiras coisas que comprei depois de conseguir meu novo trabalho; até as mulheres de Marbella ficariam impressionadas), eu coloco meu celular descartável, a peruca, alguns euros, um par de tênis de lona, uma lanterna, luvas de látex, um frasco de líquido tamanho viagem e uma caixa de fósforos. Todo o resto vai para a mala, incluindo o meu celular verdadeiro, passaporte e cartões de crédito.

Tranco o apartamento e levo a chave, por precaução. Em um surto paranoico, limpo a maçaneta da porta com a manga do vestido e percebo que preciso melhorar. Só uma passada de pano nas superfícies não vai ser o suficiente para que não seja pega. Bem. Este é só o ensaio. O carro está estacionado a uma boa caminhada daqui, longe da agitação da rua principal. Não queria que fosse registrado em um estacionamento e esse foi o lugar mais próximo que consegui parar sem que fosse guinchado.

Já estou fritando aqui fora, e o suor escorre pelo meu peito para dentro do sutiã. Largo a mala embaixo do assento do motorista e verifico para ver se está invisível de todos os ângulos. Depois volto para a cidade a pé, mas erro o caminho e acabo na frente do mar. Depois de fazer hora em uma cafeteria onde uma xícara parece custar 5 euros, Amir finalmente responde. *Oi gata, tô acabado depois de ontem à noite, cê perdeu uma noite e tanto! Mais estarei no Oceania às três pra começar de novo, me encontra pra um drink e eu cuido de vc! :)*

A resposta dele quase me faz mudar de ideia. Não consigo interagir com adultos que não parecem ser alfabetizados, mesmo em mensagens de texto. É uma falta de educação enorme e, no mais, implica um nível de ignorância tolerável em um adolescente, mas ridícula em um adulto. A culpa só pode ser de uma péssima instrução. Minha escola secundária estava longe de ser uma Hogwarts, mas ainda assim tive tempo para aprender a diferença entre *mas* e *mais*. Duvido que o Amir saiba. Me pergunto, não pela primeira vez, o que ele faz que rende tanto dinheiro. Duvido que seja totalmente ético, mas quem sou eu para dar lições de moral? Considero usar meu carro alugado, mas decido aceitar a oferta do Amir. Tenho que ser certeira, negar todas as ofertas de álcool e ir embora assim que conseguir as chaves. Argh. Odeio precisar da ajuda de homens (principalmente dos que usam óculos escuros estilo máscara) para coisas que deveria fazer sozinha, mas tenho que ser realista. E Amir não vai conseguir nada de bom com essa interação. Se tudo correr de acordo com o plano, ele não vai nem fazer ideia. Se der errado, vai ter um problemão. Isso me anima enquanto termino o café.

Chego ao Oceania pouco antes das três. O lugar é enorme, um palácio de futilidade. Presumo que na real não passe de um bar, mas um bar absolutamente pretensioso. A entrada está lotada de carros esportivos de cores berrantes, todos sendo levados por manobristas infelizes usando blazers brancos. Um Rolls Royce estacionado de qualquer jeito na porta tem a placa BO55 BO1. Espero na recepção enquanto uma moça com um bronzeado que o próprio sol admitiria ser impossível fala ao celular. Finalmente, ela se vira para mim. Imagino que não esteja lá muito impressionada com meu cabelo castanho sem apliques e minhas sandálias rasteiras. Estou usando batom vermelho, como sempre faço quando preciso de um escudo; mas, fora isso, meu look é meio sem graça. Zero problema em ser sem graça. Tenho um rosto bonito e não me sinto arrogante ao dizer isso. As mulheres sempre recuam quando cometem o erro de admitir que se acham atraentes. Uma vida inteira de homens dizendo para não "nos acharmos". Seja o mais bonita possível, mas faça com que pareça fácil e nunca, nunca mesmo, reconheça sua beleza. Fuja de qualquer homem que diga que você é linda, mas não sabe. Os mesmos homens querem que você esteja sempre pronta para transar, mas que nunca busque o próprio prazer. Sou bem atraente. Não alta, mas esbelta e proporcional. Cabelo escuro, feições simétricas, lábios carnudos, mas não exagerados. Gosto do que vejo no espelho, mas não fico obcecada com a minha imagem. Sei que a aparência me ajuda na vida, mas não sou a minha mãe, que dependia demais de sua beleza e ficou desconsolada quando isso deixou de ser suficiente. Meu visual deve ser bem sem atrativos para os homens de Marbella em comparação com as peruas daqui. Conta-se que Coco Chanel uma vez disse que devemos tirar um acessório antes de sair de casa. Essas garotas iam preferir arrancar os olhos da Coco com as unhas postiças do que aceitar esse toque. Digo à Miss Bronzeado que vim me encontrar com Amir, e seu semblante muda. Pelo visto, ele é um bom cliente, já que sou levada por corredores de mármore e passo por uma biblioteca-bar recheada de livros falsos e objetos que parecem antiguidades, mas aposto que são comprados no atacado de fornecedores que arranjam essas porcarias para clientes que querem *parecer* autênticos, mas estão se lixando para a procedência.

Emergimos do lado de fora, para o sol ofuscante e o que parece ser um parque temático para adultos. Há várias piscinas conectadas, cada uma com um bar no meio, onde as pessoas desfrutam de coquetéis sob guarda-sóis de palha. A música eletrônica ecoa, e os garçons avançam entre as espreguiçadeiras, enchendo os copos. Algumas pessoas têm camas inteiras dispostas sob tendas, onde convidados se deitam para conversar e fumar. Todos ostentam roupas de banho, exceto eu, mas não tenho intenção de me juntar a eles. No meio de tudo, vejo até um cinto de corrente, olha só. Joias para a cintura, quando você já não tem mais partes do corpo onde exibir seus diamantes. Coco Chanel ia cair dura no chão.

"O sr. Amir ainda não chegou. Por favor, relaxe e tome uma bebida." Sou praticamente empurrada para uma espreguiçadeira branca, onde apenas a minha solidão se torna chamativa. Peço uma água tônica e espero, torcendo para que Amir ache que já estou curtindo. Meu novo amigo chega só 45 minutos atrasado, tempo que passo vendo as garotas bronzeadas, que amarram os biquínis já minúsculos para pegarem mais sol, e encarando os homens de peito depilado e pochetes, que se pavoneiam e se exibem — principalmente, pelo visto, uns para os outros.

Vejo Amir avançando entre as espreguiçadeiras. Seria difícil não o ver, pois está usando uma bermuda laranja neon e rodeado de um grupo de caras, todos com pinta de que imitar o líder é seu maior objetivo na vida. Garçons aparecem por todos os lados, trazendo toalhas, copos, baldes de gelo e, por algum motivo bizarro, um coco.

Amir chega à tenda onde estou sentada e olha para mim por trás dos óculos de sol. "Oi, linda! Esses são o Stevie, o JJ, o Gordo, o Cooper e o Nige." Ele gesticula para o grupo, e todos acenam sem interesse, já sacando as meninas de biquíni ao nosso lado. Me pergunto por que o Gordo recebeu esse apelido, já que ele não parece ter nenhuma gordura corporal. Só consigo ver músculos, mais do que uma pessoa normal deveria ter, a menos que seja trabalhador braçal, e duvido que o Gordo tenha qualquer tipo de trabalho.

Amir pega o coco e joga na cabeça do tal Nige, que o atinge com um baque. Não satisfeito, Nige tenta novamente e a fruta se abre. Ele sobe na espreguiçadeira e levanta os pedaços no ar, enquanto as garotas de biquíni e os homens musculosos urram de alegria.

"É o melhor truque dele", diz Amir, orgulhoso. "Praticou isso durante oito verões seguidos até conseguir. Estamos tentando inscrever em um daqueles shows de talentos." Sinto um ligeiro pânico me tomar, vendo a tarde perdida observando essas pessoas em seu ritual de reprodução ao redor de uma piscina minúscula — provavelmente contaminada de óleos, autobronzeador e cinzas de cigarro. Preciso ser mais determinada e não deixar que Amir domine meu dia.

Com essa nova determinação, agarro seu pulso até que ele se vire para mim e me dê atenção. "Desculpe mesmo, mas vocês chegaram meio atrasados e só tenho uma hora antes de seguir viagem. Você trouxe o carro? É só que não tenho muito tempo."

Ele olha para mim por um momento, depois joga a cabeça para trás e dá uma gargalhada. O grupo bombado atrás dele ecoa seu riso, mesmo sem ter ouvido o que eu disse. Acho que quem paga as bebidas garante um público fiel o tempo todo.

"Querida, nem sei seu nome! Se acalme, apressadinha. Tenho um carro para você, mas vamos dar um tempo, conversar, socializar, ok?" Controlo o arrepio que sinto ao ouvir esse papo furado idiota e relaxo um pouco os ombros.

"O meu nome é Amy", digo, sorrindo, "e claro que quero dar um tempo aqui."

Acabo passando quase duas horas com o grupo crescente de Amir. Tento me misturar, mas não é fácil. Champanhe espirrando no ar, garotas sendo chamadas para mais perto e volume da música aumentando mais e mais a pedidos. A capacidade de concentração de Amir é limitada, para dizer o mínimo, e preciso esperar até que ele se sacuda várias vezes, gritando "Soooom" para ninguém em particular.

Digo a ele que trabalho com eventos corporativos e enfatizo que acabei de terminar um namoro, então não estou querendo romance. Para minha sorte, ele não parece estar interessado em nada assim. É o tipo de cara que coleciona amigos e quer se divertir a todo momento. Talvez nada além disso. É diferente. Olho no relógio várias vezes e, quando não aguento mais, digo a ele que meu tempo acabou e preciso ir embora. É verdade, não tenho muito tempo até a hora em que preciso estar a postos no Dinero.

Ele revira os olhos, mas levanta e chama JJ, que quase derruba uma das seminuas de biquíni na piscina com sua pressa. "Traz o Hummer, cara", ordena Amir, bebericando champanhe. "Você é peculiar, Amy. Não achei que tinha curtido nossa conversa no avião, achei que a gente nem fosse se ver de novo, mas ninguém consegue resistir ao Amir no final, haha." Ele me abraça pelas costas e me conduz pelo lugar, desviando de garçons. "Esse é um belo carro, gata, mas potente. É um monstro, tá ligada? Aguenta a pressão?" Asseguro a ele que tenho bastante experiência com carros enormes, o que é uma grande mentira. Não pergunto o que é um Hummer, uma decisão sábia. Esperamos o carro chegar e ele me diz para aproveitar e não me preocupar em devolver até domingo. Estará de volta *bem* antes disso, mas só sorrio e agradeço.

De repente, surge um tanque. O barulho é assustador e, por um instante, me sobressalto. Amir ri e faz um *high five* com JJ ao pegar as chaves. Esse carro é gigantesco. Com vidros escuros e rodas pretas foscas. Ele me obriga a praticar na portaria com ele algumas vezes, se gabando do cromado e da suspensão tripla, algo assim. Seguro no volante e pairo o pé sobre o freio, hesitante, na dúvida se é mesmo uma boa ideia. Mas quando me atrevo a pisar, noto que o poder do carro vai me ajudar. Digo a Amir como isso vai ser bom para a minha viagem e como a minha amiga vai amar o passeio.

"As garotas adoram carros grandes, não é? Ficam mesmo sexy. Só não detone o meu bebê, quero levá-lo para o sul da França na semana que vem." Me sinto um tanto culpada já que vou, se não detonar com o bebê dele, pelo menos causar sérios danos estéticos. Ainda assim, nada que um maço de dinheiro não resolva, e pelo que vi hoje, Amir não tem problemas nesse quesito.

Ele me pede para devolver o carro no clube quando eu terminar de usar, dá uma piscadela, me abraça e volta para dentro. Fico sentada no carro por um minuto, envolta pelo cheiro persistente do seu pós-barba amadeirado, admirada com a minha sorte. Um homem que não sabe nada a meu respeito me cedeu um carro sem perguntar sobre seguros, identidade ou nem mesmo se eu sei dirigir. O carrinho alugado ficou escondido em uma ruela e estou livre para seguir com meus planos, com ainda menos rastros. *Será que não é uma armadilha?*, penso, mas aí lembro que ninguém sabe dos meus planos e deixo para lá.

São 18h30. O tempo voa quando o álcool está envolvido. Jeremy disse que eles iriam para o cassino depois do jantar, então imagino que devem chegar por volta das 21h30. Não vou segui-los a noite toda — não quero que ninguém note o carro —, por isso dirijo bem devagar em direção a Marbella, na esperança de encontrar alguma comida que não seja *goujons* de frango ou batatas fritas molengas.

Enquanto aproveito minha tigela de sopa, respiro devagar e tento não bater os pés. Marie costumava me dizer para escolher os cinco melhores momentos do dia, "para nos lembrarmos de como temos sorte". Não faço isso desde sua morte, mas hoje parece um bom momento para tentar. Hoje, como dizem as pessoas dramáticas demais, é o primeiro dia do resto da minha vida. Talvez seja o dia em que a minha vida começará de verdade. Tanto tempo tentando chegar aqui. Minha infância foi curta; a adolescência foi uma sala de espera frustrante a caminho da idade adulta. Meus vinte e poucos anos foram funcionais, uma coisa meio os fins justificam os meios. Desculpe, Marie, mas não me senti tão sortuda. Você me deixou cedo demais e a sorte nunca sorriu para mim. Por isso, posso não conseguir enumerar cinco melhores momentos, mas talvez um seja suficiente por agora? Vamos começar aos poucos e ver o que acontece.

Às 20h45, pago a conta e volto para o tanque enorme estacionado em frente ao restaurante. Me pergunto se a quantidade de dinheiro é inversamente proporcional ao bom gosto — Amir e seu carro cromado parecem indicar que sim. Tal como a casa de Jeremy e Kathleen, aliás, mas essas pessoas têm dinheiro recente, os tais "novos ricos", como a mãe de Jimmy costumava dizer com uma espécie de culpa afetuosa. Quanto mais velho for o seu dinheiro, melhor será o seu gosto. Se eu conseguir fazer o que pretendo, ficarei mais rica que uma rainha, mas ainda assim, nova rica. Talvez desenvolva um apreço por bronze, bege e brilho, mas duvido. Provavelmente o bom gosto tenha mais a ver com você ser espalhafatoso ou não. A família Artemis sem dúvida seria um exemplo perfeito.

Não ponho o meu destino no GPS, caso Amir possa vir a checar, ou a polícia encontre o carro. Em vez disso, tenho um pequeno mapa que comprei no aeroporto por 6 euros. Já verifiquei a rota várias vezes e tenho tempo de sobra, caso me perca. Pego a peruca da bolsa e vejo o quanto ela estragou com apenas um uso. O barato sai caro, como diz a mãe do Jimmy. Da próxima vez, vou investir dinheiro em um disfarce. Dirijo por ruas escuras em silêncio, nunca acima de 30 km/h. Não há quase ninguém na rua, mas me pergunto se isso vai mudar quando chegar perto do cassino. Só vou ter uma chance, e se houver algum sinal de outro carro, não posso arriscar. Foda-se. Tem que funcionar. Tem *mesmo* que funcionar.

O cassino fica no meio do nada, mas é rodeado por um pequeno grupo estranho de restaurantes e bares, o que significa que posso estacionar sem medo de chamar atenção demais. Dou uma volta rápida para garantir que a Mercedes dos Artemis ainda não esteja aqui e depois vou até a entrada. Não vou entrar — primeiro, não sou membro, segundo, não quero ser pega pelas câmeras do cassino. Em vez disso, pairo na escuridão entre o clube e um bar chamado Rays. Esse lugar parece um centro comercial suburbano, e eu consigo imaginar uma loja de construção aqui. Não é nada glamoroso e me surpreende que os meus avós se dignem a visitá-lo, mas é bem verdade que escolheram passar a velhice em um condomínio fechado em Marbella, um lugar que faz a Flórida parecer a Itália Renascentista em termos de cultura.

Me arrependo de ter saído com tanta antecedência. Aposto que meus avós são o tipo de pessoa que precisa estar em casa às onze da noite, mas e se forem festeiros secretos? Não vou ter como ficar muito tempo escondida aqui atrás dos arbustos. Perco a coragem e volto para o carro a fim de me recompor e repassar os planos. Enquanto estou andando, um carro prateado se aproxima da entrada, com os faróis altos acesos. Prendo a respiração, tentando enxergar a placa, mas é desnecessário. Vejo a sra. Artemis, sua feição fechada e o penteado brilhante por trás dos vidros. Ouço uma risada e me escondo entre dois carros, até que percebo que o som veio de mim. Estou claramente mais animada do que pensava. Ao menos parte de mim está ansiosa para ver o que vai acontecer.

O casal de idosos sai do carro lentamente, Jeremy jogando as chaves para o manobrista sem nem olhar para a esposa, que sai do carro com cuidado, agarrada na bolsa Chanel como uma criança com um ursinho de pelúcia. Vão para o cassino sem sequer cumprimentar o manobrista e o porteiro. Para eles, são apenas duas estátuas silenciosas para reverenciar os ricos e poderosos. Ainda assim, estátuas não podem limpar o traseiro nos seus bancos de couro como um manobrista poderia fazer (e espero que limpe).

Nas duas horas e meia seguintes, fico sentada no carro. Como um cheeseburger nojento e resolvo parar de comer carne quando voltar para casa. Fumo três cigarros e prometo largar quando chegar em Londres. Escuto a péssima rádio espanhola e me divido entre batucar os pés de um jeito maníaco e checar obsessivamente os retrovisores para saber se os Artemis já saíram. Uns jovens começam a chegar; parece que o cassino fica mais animado conforme as horas passam. Suponho que os mais velhos vão embora antes e tenho razão. Logo, os degraus estão cheios de senhoras com echarpes Hermès e senhores abanando tickets de estacionamento. Todos trazem no rosto um misto de riqueza e soberba raivosa. Lá estão eles. Kathleen com uma sacola de presentes, tropeçando só de leve. Jeremy tem um charuto. Deve ter sido uma noite divertida. Fico contente. Não sou um monstro. É bom que deixem este mundo em um momento agradável. Marie não teve a mesma sorte, mas preciso ser generosa. Vou dizimar toda a família deles: não custa nada deixar que partam com uma sacolinha de brindes e alguns giros de roleta.

Os dois descem as escadas, e Jeremy entrega o ticket ao manobrista. É a minha deixa. Ligo o motor e saio do estacionamento. Não planejei muito, e isso não é falsa modéstia da minha parte. Tenho uma vaga ideia, que me pareceu bastante consistente em Londres, mas, agora que estou aqui, não me sinto de forma alguma confiante de que sequer terei a oportunidade de pô-la em prática. Enfim, mas cá estou, dirigindo rápido contra o vento ao redor do cassino, seguindo a provável rota dos Artemis para sua *villa*. Depois de alguns minutos, viro na estrada do penhasco, mais escura e rústica. Estimo que estou cerca de dez minutos à frente do casal, se eles forem cautelosos na direção, e preciso encontrar o lugar exato. Marquei no outro dia, mas a estrada escura parece ocultá-lo.

Estou indo rápido demais e consigo sentir o nó se formando na minha garganta. ONDE É ESSE MALDITO LUGAR? Respiro pelo nariz e falo para mim mesma em voz alta: "Você vai encontrar, Grace, relaxa. Está tudo bem".

Eu passo direto e freio, como nos ensinam nas aulas, como se alguém fizesse uma frenagem de emergência perfeita na vida real sem causar um engavetamento, mas não há uma vivalma na estrada e só consigo escutar as cigarras. Faço uma curva fechada, o que demora um pouco neste veículo absurdo, e paro no acostamento, esperando minha respiração se acalmar. Tenho uma vista clara da rua e, se tivesse perdido o ponto, não teria tempo de achar outro antes de eles chegarem. Espero, sentindo o silêncio.

Faróis. Um carro aparece e desaparece enquanto percorre a estrada em minha direção. Tenho dois minutos. Ligo o motor, como se este tanque precisasse de persuasão extra, e arranco, segurando o volante com os braços tensos. O carro surge. Eles são lentos, cautelosos e dirigem sem pressa. Quando eu giro o volante abruptamente e acelero na direção deles, vejo a boca de Kathleen se escancarar, antes de ela cobrir a cabeça e a luz do farol me cegar. O impacto me joga contra o assento, e eu freio rapidamente. O carro quase dá um pinote, como se irritado pela interrupção. Enquanto esfrego a cabeça e olho para cima, tudo o que consigo ver é poeira da estrada e um bem-vindo rombo nos arbustos na margem do penhasco.

Paro o carro no acostamento e desligo os faróis. Tenho um tempinho antes de precisar voltar, deixar o carro do Amir no clube, buscar o meu e ir para o aeroporto. Agarro a lanterna e, trêmula, calço as luvas de látex, rasgando o dedão esquerdo. Os fósforos e o frasco de perfume vão para o meu bolso. Atravesso a estrada e olho pela beira do precipício. Meus tênis não aguentam muito e não consigo ver até onde o carro caiu. Ligo a lanterna e vejo que está cerca de 15 metros mais abaixo na encosta, capotado, enfiado nos arbustos.

Eu deveria dar meia-volta, seguir para o aeroporto, deixar o local limpo. Aconteça o que acontecer agora, posso fugir, mas onde estaria a diversão na morte dos meus avós sem que eles saibam que fui a responsável? É vaidade, na verdade, e eu sou inexperiente na arte do assassinato — da próxima vez não vou ceder a esse capricho. Mas eu desço pelo penhasco, me agarrando a pedaços de plantas quebradas e me agachando para não cair no escuro. Chego ao carro. É difícil dizer o que está acontecendo lá dentro, já que os ramos parecem atravessar as portas. Me arrasto até o lado do motorista e inclino a cabeça, mirando a lanterna no vidro. Jeremy está suspenso, com a cabeça pendurada no cinto. Ele parece não ter ferimentos, além de estar sem sombra de dúvida inconsciente e de cabeça para baixo. Kathleen está visivelmente morta, nenhuma perícia forense é necessária aqui, já que você definitivamente precisa da cabeça presa ao corpo para estar viva, e um galho já fez esse serviço por mim.

Puxo a porta de Jeremy, mas nada acontece. Então tento a porta atrás do assento dele, e ela se abre o suficiente, de modo que consigo colocar a cabeça para dentro, bem atrás do encosto dele. Acaricio sua cara arrogante, agora magra e sangrenta, e ouço sua respiração irregular. Chego o mais perto que consigo, o que é difícil porque ele está de cabeça para baixo, e eu, retorcida como um pretzel. Sussurro o nome dele. Seus olhos se abrem um pouco e ele choraminga quando começo a falar.

"A Kathleen está morta, Jeremy, lamento. Acho que você também não vai sobreviver, mas não está sozinho aqui. Está me reconhecendo? Sou Grace, sua neta. A filha do Simon." Ele treme um pouco. "Sim, a filha da Marie. Sinto muito por nunca termos nos conhecido antes deste... dia triste, mas foi isso que você quis, não foi? Você não me queria perto da sua família. Não faz mal, Jeremy, acho que não teríamos nos dado bem, mas isso não foi nada gentil, não é mesmo? E agora você precisa partir. Não faço isso por mim, mas por minha mãe. Família é o mais importante... Sei que você compreende. Ah, e não serão só vocês dois, Jeremy. Essa é a melhor parte."

Puxando o frasco de perfume, viro a cabeça dele para mim o mais suavemente possível e olho para um único olho cinzento. "Vou matar toda a sua família." Enquanto digo isso, puxo a gravata e ele tomba para a frente. Eu a tiro do colarinho, enrolo com cuidado e coloco-a no bolso. Meu souvenir da Espanha. Depois abro o frasco e risco um fósforo.

COMO MATEI MINHA ~~QUERIDA~~ FAMÍLIA

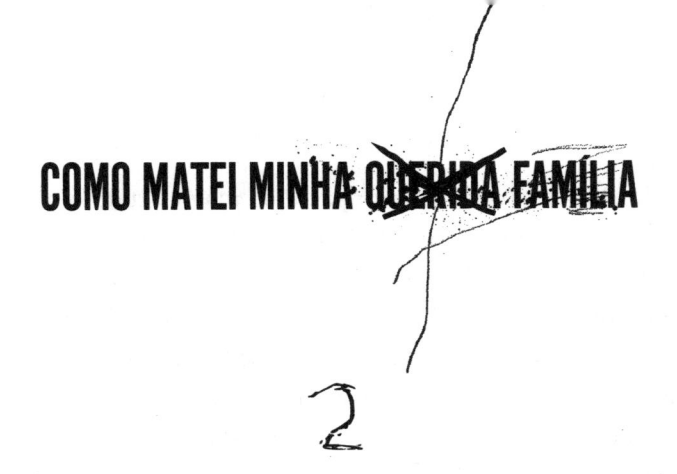

2

Os guardas batem nas nossas celas às 8h para deixar o café da manhã e ir embora. Obviamente não são ovos poché e café recém-passado. Nos dão saquinhos de chá, leite e duas fatias de pão branco tão fajutas que mês passado guardei uma para ver o que acontecia. Nada, como pude comprovar. Ficou um pouco enrolada nos cantos, mas de resto parecia intacta. Me lembrou da história que contavam na escola, sobre como se vendia pães para os pobres do século XIX: o alimento era feito de giz e outras substâncias não comestíveis para aumentar o peso do produto. As prisões, na sua maioria geridas por empresas privadas com nomes inventados ridículos e concebidos para soarem autoritários, provavelmente admirariam esses métodos e devem lamentar o dia em que as normas alimentares foram impostas. Não tenho muito apetite aqui. A dieta da prisão poderia sem dúvida ser divulgada para influenciadores no Instagram que promovem inibidores de apetite e vitaminas duvidosas. Coma apenas pão sem gosto três vezes por dia e troque qualquer coisa que reste por cigarros — logo, logo o agasalho do seu uniforme estará folgado.

Kelly me pergunta se quero conversar, inclinando a cabeça no que deve considerar um gesto amigável. Ela sabe que minha apelação final está se aproximando e, depois de suas recentes sessões de terapia de grupo, parece acreditar que tem um futuro brilhante em psicologia. Tenho que conter o impulso de explicar que nem a melhor terapia do mundo me ajudaria; duvido muito que a oferta de Kelly para dialogar com a minha criança interior resolveria em um passe de mágica tudo o que ela acha que há de errado comigo. Além do fato da Kelly ser uma completa idiota, acho que conversar não leva a nada. Como a minha mãe costumava dizer: "Quem fica na sua não se amua". Embora ela tenha morrido cedo demais e me deixado para vingar o que fizeram a ela, o que me trouxe aqui. Um pouco mais de reclamação talvez não fosse assim tão ruim.

Depois de Kelly entender a indireta e ir dar uma de *coach* para outra pessoa, eu me sento no beliche e começo a escrever minha história. Não tenho tempo se eu quiser deixar tudo claro — o resultado da minha apelação chegará logo, de acordo com o meu advogado carrancudo. Ele usa os ternos mais lindos quando vem me visitar, mas estraga tudo com mocassins cafonas e espalhafatosos. Deve achar que dão um quê de personalidade, mas na prática só demonstram que ele não tem nenhuma. Talvez uma segunda esposa novinha tenha comprado para fazer com que ele parecesse mais jovem. Seria melhor que não tivesse. A vaidade absurda não é uma característica que eu particularmente queira ver em um advogado que está tentando me tirar da prisão perpétua. Especialmente se ele compra essas monstruosidades com os honorários caríssimos que estou pagando.

Nasci há 28 anos, no Hospital Whittington, a única filha de Marie Bernard, jovem francesa que estava morando em Londres fazia três anos antes de ficar grávida. Depois de dar à luz sozinha, ela me levou de volta ao seu studio em Holloway, onde vim a conhecer o tédio e a claustrofobia de espaços pequenos e todas as alegrias limitadas de uma privada no meio do quarto. O nome "studio" é uma descrição enganosa de apartamentos que evoca uma imagem de espaços arejados e amplos onde as pessoas são criativas e, talvez, organizem reuniões chiques onde gente bonita fuma na varanda. Nosso apartamento ficava no quinto andar de um prédio com uma loja de frango no térreo. O proprietário, talvez como parte de uma complicada experiência social para ver quantas pessoas ele poderia abrigar em um velho edifício vitoriano feito para quatro, tinha dividido cada andar em três apartamentos. Minha mãe e eu morávamos em um quarto com uma pequena janela de sótão que não abria — se era por causa do acúmulo de merda de pombo ou porque o proprietário não queria que gritássemos por socorro para quem passasse, nunca soubemos. Parece algo saído de um romance do Charles Dickens, não parece? Mas não era. Não se esqueçam da loja de frango. Minha mãe dormia no sofá-cama e eu ficava na cama de solteiro. Ainda me sinto culpada quando penso no quanto ela trabalhava, em como ficava cansada, e ainda assim insistia em dizer que preferia o sofá desconfortável. Como uma criança egoísta, nem me passava pela cabeça oferecer a cama para ela. Já adulta, esbanjei em um colchão de espuma king size da John Lewis, mas nunca parei de pensar na minha mãe dormindo naquele sofá. Arruinou a extravagância, para ser honesta.

Marie tinha vindo para a Inglaterra porque disseram que ela era bonita o suficiente para ser modelo, e era mesmo. Minha mãe era deslumbrante, com pele bronzeada e cabelo castanho bagunçado que ela insistia em prender em coques, mesmo quando eu implorava para ela deixá-lo solto. Tinha aquela aura elegante e despretensiosa de garota francesa que toda influenciadora de moda tenta copiar hoje em dia, com doses variadas de sucesso. Sutiã, jamais. Calças largas de alfaiataria e uma longa corrente de ouro em que pendurava um retrato em miniatura de um velho, identidade perdida no tempo. Antes de eu aparecer, minha mãe tinha feito algumas pequenas campanhas, modelando para lojas de grife que já tinham desaparecido quando eu nasci. Kookaï, ela insistia, era a loja mais legal de sua época, e ela guardava um pôster da campanha de outono de que havia participado e que ficara pendurado nas vitrines. Nela, Marie está agachada no chão, um casaco marrom estendido nos joelhos, cobrindo um vestido curto e tênis plataforma, que hoje, infelizmente, está voltando à moda.

Minha mãe era baixa demais para ser modelo de passarela, e a carreira nunca deslanchou como ela sonhava quando veio para Londres viver com mais duas garotas europeias, mas ela se divertiu por um tempo. A vida noturna de Londres no início dos anos 1990 foi, em suas palavras, "uma era de ouro". As noites no Tramp, uma boate particular que abriu em 1969, eram quase tão glamorosas como quando Liza Minnelli costumava frequentá-la. À noite, quando eu não conseguia dormir, ela se deitava ao meu lado na cama estreita e contava sobre o champanhe servido com borbulhas e os banquinhos de couro do restaurante, onde ela comia com atores, atletas e dançava até a madrugada. Era permitido fumar lá dentro, ela costumava me dizer, e as mulheres ricas usavam casacos de pele sem pudor. A vida dela antes de mim parecia ter sido um longo redemoinho de festas e *castings*. Uma mulher abençoada com essa beleza não tem que se esforçar tanto, sempre me pareceu, e Marie nunca se preocupou muito com o dinheiro ou o futuro. Alguém sempre cuidava da garota francesa sem sutiã e sempre pronta para se divertir. Alguém sempre vai se aproximar da garota que não sabe o seu valor.

Além disso, a minha mãe já tinha conhecido o homem a quem daria todo o seu coração. O homem que se tornaria meu pai. O homem que lhe prometeria o mundo e lhe cobriria de presentes. O homem que eu cresceria jurando arruinar.

COMO MATEI MINHA ~~QUERIDA~~ FAMÍLIA

2

Mesmo agora, só de pensar naquele homem, eu fico tensa. Me obrigo a respirar fundo. Sou mestre no autocontrole. Não aconteceu de modo espontâneo. Quando era criança, costumava fazer grandes birras e me jogar no chão se algo me desagradava, enquanto a minha mãe olhava para mim achando graça e pedia desculpa aos que nos rodeavam. Esse potencial dramático vive dentro de mim, mas há muito tempo aprendi a mantê-lo sob controle. Se você pretende executar um plano para, bem, executar um monte de gente, não pode deixar as emoções à flor da pele. Seria uma bagunça e nada é pior para manter o controle do que pecar pelo excesso e ser pega por isso. Assim como na infância, sofro a indignidade de usar uma privada que fica a um metro da minha cama, mas pelo menos não foi porque me rendi a uma propensão tola para dramas.

Em um minuto, já estou respirando normalmente. Sabia que Hillary Clinton praticou respiração nasal quando perdeu as eleições de 2016 para Donald Trump? Ela também confiava no vinho, claro, mas perder para um ignorante daquele nível exigia mais. A respiração nasal exige que você inspire forte de uma narina e expire o ar profundamente através da mesma cavidade. Pode rir, mas me acalma rapidinho. E é útil ter técnicas assim na prisão, onde remédios de qualidade e um bom Merlot não estão disponíveis no fim do dia. À noite, quando não consigo dormir e os pensamentos voltam sempre para *minha obra*, penso na sra. Clinton diante daquele idiota laranja. Independentemente de sua inclinação política, ela enfrentou alguém que se recusou a respeitar a convenção ou a decência. Uma pessoa assim pode nos levar à loucura sem qualquer esforço perceptível, enquanto empregamos toda a nossa força apenas para manter a compostura e um fiapo da nossa humanidade. Hillary tinha uma vantagem sobre mim. Seu adversário era um homem que ela poderia deixar de lado após a derrota. O meu era o meu pai. Ok, talvez eu tivesse a vantagem. Hillary Clinton não podia matar Trump, por mais que provavelmente quisesse. Quem me dera que ela tivesse tido a oportunidade. Descobri que relaxa muito mais do que uma simples respiração nasal.

* * *

Marie conheceu meu pai em 1991. Ele se mandou antes de eu nascer. Ela fez de tudo para que eu crescesse rodeada de amor, mas já no ensino fundamental percebi que esse amor, por melhor que fosse, vinha de um lado só. Outras crianças tinham papais, eu dizia, enquanto Marie fazia meu jantar ou lavava o meu cabelo em água morna sobre a pia. No início, minha mãe tentava me distrair; mas, quando completei 9 anos, ela percebeu que minha natureza voluntariosa só ficava mais forte, até que um dia resolveu falar sobre meu pai. A maior parte do que sei, descobri ao investigar mais tarde, já que Marie obviamente tentou me dar a versão Disney do homem que doou seu material genético para me gerar sem pensar nas consequências.

Eles se conheceram (onde mais?) em uma festa. De acordo com ela, ele era um pouco mais velho (mais tarde descobri que era vinte e dois anos mais velho, na verdade. Como as mulheres jovens se têm em baixa conta...) e mandou um champanhe para ela do outro lado da pista de dança. Marie despachou o garçom aturdido, se divertindo demais com a dança para querer um balde de Veuve Clicquot. Estive em boates como esta e vi homens como o meu pai, noite após noite, sentados confortáveis em cantos escuros observando jovens mulheres na pista de dança se exibindo para quem quer que pudesse estar de olho, à espera daquele que ia convidá-las para drinques caríssimos em alguma mesa.

Se minha mãe fosse como todas as outras garotas, teria rolado uma dança, um sussurro, talvez até um jantar ou dois. E teria ficado por isso mesmo: só mais uma garota bonita e um homem rico mimado. Porém, minha mãe devolveu o champanhe. E nunca ninguém tinha feito algo assim àquele homem rico em particular. Evoco esse momento na minha mente de vez em quando. Gosto de imaginar que ele não aguentou vê-la dançando tão alegremente, sem ligar para suas investidas. Posso vê-lo agora — recalculando, usando seu cérebro reptiliano com mais força para encontrar um novo plano, uma forma diferente de chamar a atenção dela. Para seduzi-la de vez.

Duas semanas depois, encontraram-se na porta de outra boate. Estava chovendo, e Marie estava amontoada na fila, segurando o casaco junto a outros que tinham esperança de entrar na boate privê, desesperados pela extravagância prometida (ou, ao menos, para sair da chuva). Enquanto estávamos sentadas no sofá-cama, a minha mãe olhou para longe e suavizou a voz, descrevendo como um carro esportivo preto freou na frente do clube e encharcou a multidão. Quando me contou sobre meu pai, ele já a havia tratado com uma crueldade de revirar o estômago e, ainda assim, ela falava sobre ele com afeto na voz e um toque de admiração: "Ele saiu do carro e jogou as chaves para o manobrista. Só reparei nele por causa do barulho horrível do carro. E quando o vi atirar as chaves... Achei-o arrogante em excesso, parando no meio da rua assim".

Ela disse que desviou o olhar, enquanto os seguranças abriam as cordas vermelhas da frente da porta e o colocaram para dentro, deixando a multidão na chuva irritada. Foi quando a cutucaram, a chamando para se aproximar da corda. Uma mulher de aspecto severo com uma prancheta acenou rapidamente como se dissesse "sim, você", e Marie atravessou a multidão, se apresentando aos seguranças. Foi levada para dentro, contou ela, sem questionar e ouvindo as pessoas resmungando e vaiando atrás. Quando chegou ao pé da escada, foi recebida por *ele*, encostado na parede, braços cruzados, sorrindo. Já vi esse sorriso muitas vezes na imprensa. É sua expressão clássica. Uma combinação poderosa de arrogância e charme. Uma combinação irritante também, uma vez que você logo descobre que homens assim deixam a arrogância sobrepor o charme bem rápido. E aí já é tarde demais, porque a combinação inicial é inebriante e difícil de esquecer.

"Então você não quer meu champanhe, mas aceita minha gentileza?", disse ele, fitando-a de cima a baixo. Sinceramente, ainda penso mal dela por não ter dado meia-volta e ido embora. Mesmo aos 9 anos, quando ela me contou a história, me lembro de ter achado que era uma cantada patética. Se alguma vez tivesse imaginado que o meu pai poderia ter sido uma figura mítica que perdemos em um ato heroico de bravura, foi ali que qualquer suposição morreu. Meu pai era um charlatão cafona em um terno caro, e minha mãe caiu nessa.

Imagino que no começo ela não tenha se importado tanto, dando um gelo com toque francês nele; mesmo assim, não serviu de nada. No dia seguinte, ele tinha descoberto o endereço dela e aparecido com um conversível cheio de flores. Suas colegas de apartamento a acordaram às gargalhadas, me contou Helene mais tarde, fazendo piada do britânico de boina que buzinava e atrapalhava o trânsito. Uma semana depois, ele a levou para Veneza em um jato particular, para beber coquetéis na Praça São Marcos (que cafona, sério), e disse que a amava. As exibições extravagantes de afeto continuaram ao longo dos meses seguintes: eles jantavam fora, iam as boates que amavam, caminhavam pelo Hyde Park em dias ensolarados. Todas as barreiras de Marie foram ao chão; ela já não era desconfiada e desdenhosa com os homens londrinos e suas intenções. Marie deixou de ir aos *castings*, preferindo dedicar seu tempo a esperar que ele ligasse. E ele fazia isso com frequência, mas só entre segundas e sextas-feiras, e raramente passava a noite com ela, falando que precisava trabalhar, cuidar da mãe idosa e outras coisas.

Seus olhos se reviraram tanto que te deixaram tonta? Imagino que sim. Podemos perder tempo analisando a decisão estúpida da minha mãe de confiar em um homem que usava cintos de fivelas grandes e gostava de Dire Straits, ou podemos seguir em frente. Não tenho tempo para analisar a manipulação dele e a ingenuidade dela. Obviamente, o meu pai já era comprometido. Não apenas comprometido, mas casado e com um bebê. Morava em uma casa no norte de Londres com uma equipe de empregados, dois cachorros de raça, adega, piscina e vários hectares de terreno. Ele não estava apenas comprometido, estava enraizado em outra vida.

Essa parte da história ficou de fora quando ela me contou sobre ele. Não culpo Marie por encobrir detalhes mais delicados que eu provavelmente não teria entendido direito mesmo. Em vez disso, minha mãe tentou explicar por que é que meu pai nunca vinha me visitar, nunca mandava presentes de aniversário, nunca aparecia nas reuniões dos pais na escola. Acariciando meu braço, Marie disse que ele estava envolvido em negócios importantes que afetavam a vida de milhares de pessoas, então não podia nos ver. Ele viajava o mundo, disse ela. Nos amava muito e, quando fosse a hora certa, estaríamos todos juntos; mas, naquele momento, precisávamos deixá-lo trabalhar e se preparar para o nosso futuro em família. Ela acreditava nisso? Sempre tive essa dúvida. Minha mãe, inteligente e bondosa, era assim tão... estúpida? Talvez. Meu gênero é muitas vezes decepcionante — li certa vez sobre uma mulher que se casou com um cara que dizia ser um espião. Ele a convenceu a entregar as economias de uma vida inteira para ele, coisa de 130 mil libras, para que continuasse escondido em seu disfarce até que pudesse ter contato com os superiores. Ela nunca pediu provas, de tão desesperada que estava para que aquele romance absurdo fosse real. E, para agravar a humilhação, ela posou de bom grado para fotos em um tabloide, contando a história de forma deprimente. Era para eu ter pena dessa pessoa, uma adulta que sonhava com um amor de conto de fadas e não questionou por que aquele homem escolheu seduzir justo ela, uma mulher de cinquenta e poucos anos (e que aparentava ter essa idade, por sinal)? Marie era um tanto mais inteligente que essa mulher e outras como ela, mas também tinha a mesmíssima tendência a cultivar ilusões.

Apesar de todas as promessas ridículas que Marie me fez sobre meu pai e a nossa futura vida juntos, ela foi sábia o bastante para não dar muitas informações sobre ele. Respondia o suficiente para conter minhas perguntas, sem me oferecer nada de muito concreto, mas cometeu o erro de me apontar a casa dele depois de um passeio ao parque

Hampstead Heath, alguns meses mais tarde. Nos perdemos em uma área arborizada e começou a chover. Minha mãe agarrou minha mão e me puxou morro acima, tentando encontrar o caminho para a rua principal, onde poderíamos pegar um ônibus; mas, quando finalmente chegamos ao ponto, ela prosseguiu depressa, enquanto eu resmungava e segurava minha jaqueta impermeável com firmeza. Apesar da chuva torrencial, caminhamos mais dez minutos por uma longa rua particular, até que ela parou.

Estávamos em frente a uma casa, e Marie olhou para ela sem dizer nada por um momento, até que puxei sua mão, sem paciência. Digo que observávamos a casa, mas, na verdade, os enormes portões de ferro e as câmeras de segurança encobriam a maior parte da propriedade. Vivíamos em um sótão em uma rua movimentada. Nunca imaginei que uma casa pudesse ser tão importante que tivesse que ficar escondida. Minha mãe gesticulou em direção aos portões, quase com reverência. "Esta é a casa do seu pai, Grace", disse ela, ainda sem olhar para mim. Não sabia o que responder. Me senti desconfortável em frente àquele lugar grandioso, encharcada até o último fio de cabelo. Marie deve ter notado que eu estava recuando, tentando fazer com que ela me seguisse até a segurança do ponto de ônibus, então sorriu e disse: "Uma pena que ele não esteja, mas é linda, não é, Grace? Um dia você terá seu próprio quarto lá!". Assenti, sem saber mais o que fazer. Ela pegou na minha mão e nos viramos, descendo a colina a caminho de casa. Nunca mais mencionamos esse passeio, mas, ao longo dos anos, pensei muitas vezes naquele quarto que ela prometeu que seria meu. Imaginava uma cama de casal grande, papel de parede cor-de-rosa, talvez até um guarda-roupa cheio de roupas novinhas; mas, mesmo entrando cada vez mais nesse buraco, sabia que Marie estava mentindo: nunca haveria um lugar para mim atrás daqueles portões. E mesmo naquela época, lembro-me de sacar claramente que algo muito errado tinha sido feito a Marie e a mim.

Esse é meu pai. Não o que escolheria se tivesse sido consultada, mas aqui estamos nós. Algumas pessoas têm pais que as agridem, outras têm pais que usam Crocs. Todos temos as nossas cruzes para carregar.

Não contei muito da personalidade dele ou do passado, né? Vai chegar o momento. Mas, se quer mesmo entender por que fiz o que fiz, tenho que voltar à minha infância primeiro. Espero que não pareça muito autocentrado, mas, mesmo que pareça, bem, é a minha história. E neste momento estou deitada em um beliche nesta cela que cheira a uma mistura potente de tristeza e urina, por isso vou usar qualquer desculpa para fugir para as minhas memórias.

Aqui vão algumas lembranças iniciais: Marie sem dinheiro suficiente para comida, eletricidade e, em uma ocasião sombria, sequer para produtos sanitários. Me levantar às 6h para que Marie pudesse chegar no horário na cafeteria onde trabalhava, onde eu ficava sentada na sala dos funcionários e fazia a lição de casa. Ver minha mãe tão cansada que parecia amarela e oca dia após dia. Passar frio o inverno todo porque só usávamos o aquecedor no início do mês, quando o salário chegava. Até hoje tenho pavor de frio. Já adulta, paguei para instalarem aquecedores extras no apartamento, para a confusão do proprietário, e gastei dinheiro demais em um cobertor de pele (em retrospecto, medonho) só para ter certeza de que não acordaria tremendo como acontecia quando era criança. Usar pele pode ser antiético, mas é ótimo contra o corpo nu.

Marie lidou como pôde com a nossa falta de dinheiro e apoio. Seus pais, por desaprovarem suas escolhas de vida, como eles diziam, não lhe deram nada. Hortense nos encontrou para almoçar uma vez, em uma de suas viagens a Londres para, imagino eu, aterrorizar vendedoras e garçons como hobby. Minha mãe me vestiu com a minha melhor roupa, que consistia em um suéter da M&S que tinha me dado de Natal (que eu odiava, mas ela gostava porque era de lã de verdade e tinha colarinho) e calça de cotelê, que apertava minha barriga e tinha pertencido a outra criança na escola primária antes de vir para mim. Minha avó me cumprimentou, depois se virou para minha mãe e falou em francês durante o resto do almoço. Marie respondia em inglês, o que serviu apenas para tornar Hortense ainda mais determinada. Quando saímos do restaurante, Hortense se abaixou, puxou a manga do meu suéter em sua direção e o cheirou. Ela disse algo à minha mãe enquanto gesticulava para mim, e lágrimas brotaram nos olhos de Marie. Foi a última vez que vi a bruxa velha. Quando Marie morreu, Hortense me mandou uma carta, que não abri e preferi jogar na privada, pedaço por pedaço, na casa de Helene. Ela já deve estar morta, mas espero que não esteja. Espero que veja as notícias sobre mim. Espero que ela e o seu velho marido reprimido tenham sido atacados por jornalistas de tabloides sem ética durante meu julgamento e rezo para que os vizinhos olhem para eles com suspeita — ou pior, falsa compaixão.

Em resumo, éramos pobres e Marie não tinha ninguém, além de Helene. Bea, sua única outra amiga de verdade, voltara para a França depois de um caso de amor perdido e um agente malvado que sugeriu que ela desenvolvesse um transtorno alimentar se quisesse ganhar dinheiro como modelo. De vez em quando, minha mãe escrevia longas cartas à noite, enquanto eu fingia dormir. Ela se sentava à mesa, rasgando pedaços de papel e começando de novo. De manhã, as cartas estavam na mesa, prontas para serem levadas ao correio. Não reconheci o nome até ficar mais velha, quando vi uma tentativa descartada no lixo e peguei.

Meu querido, sei que não podemos nos ver novamente e sempre respeitei sua decisão. Você sabe o quanto eu te amava e que nunca faria nada para te magoar ou pôr sua família em risco, mas a Grace está crescendo, e desejo muito que a conheça, só um pouco. Não peço dinheiro, nem que um dia tenhamos a mesma intimidade, mas ela precisa do pai! Às vezes, ela inclina a cabeça e sorri de leve. É tão parecida com você, o que causa uma mistura de orgulho e dor que você nem imagina. Talvez possa nos encontrar um domingo no parque em Highgate, só por uma hora? Por favor, me escreva, nunca sei se você está lendo estas cartas.

Com essa carta, aprendi três coisas muito importantes. Primeiro, que vale a pena bisbilhotar. Segundo, que o meu pai era casado e não queria nenhum vínculo comigo, apesar das tentativas de Marie de me contar uma história diferente. E terceiro, e mais importante, descobri o nome do mulherengo que havia partido o coração da minha mãe e nos deixado na miséria. Eu já sabia o nome dele, no fim das contas. A maioria das pessoas sabe. O meu pai é Simon Artemis. E ele é um dos homens mais ricos do mundo. Era, aliás, quando estava vivo.

    É a campainha. Tenho que ir lavar a roupa. Lençóis cinzentos intermináveis para lavar e dobrar. Como podem ver, eis a minha rotina insuportavelmente glamorosa.

COMO MATEI MINHA ~~QUERIDA~~ FAMÍLIA

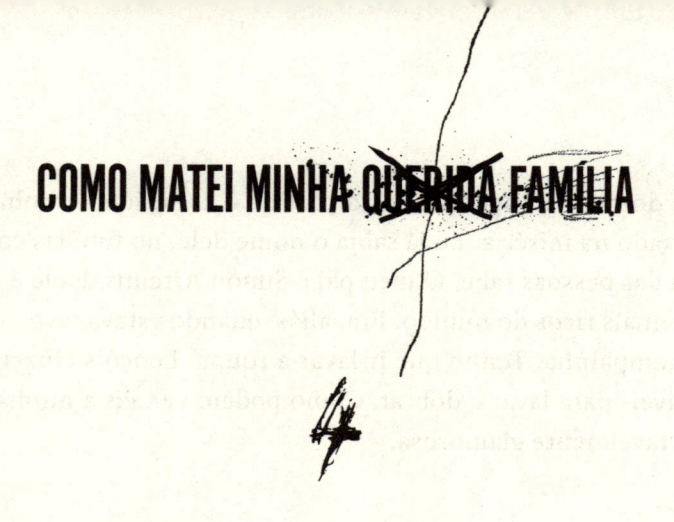

Minha infância não foi como aqueles livros terríveis que vemos no aeroporto, com títulos tipo "Papai, Para!" — histórias de sofrimento atroz, mas que vendem porque as pessoas gostam de ler sobre a tristeza alheia para se sentirem melhores consigo mesmas depois, tudo em prol de uma dose pífia de empatia ou horror. "Chorei no final, tão triste :(", dizem as resenhas em clubes do livro de mães na internet. Você leu sobre traumas, abuso infantil e se sentiu mal, não foi, Kate1982? (Kate me parece o nome ideal de uma frequentadora desses sites). Que bom que você pôde nos contar mais sobre como isso afetou *você*.

De qualquer forma, minha infância (a parte na qual Marie estava viva) teve alguns bons momentos. Eu era muito amada e sabia disso, apesar de receber o amor de uma só pessoa. As mães são capazes de fornecer tantos tipos de amor que muitas vezes você não percebe que está faltando o amor de outras pessoas até ficar mais velho. Marie comeu o pão que o diabo amassou, mas soube esconder muito bem de mim. Claro que eu sabia que ela sofria, as crianças sempre sabem, não é? Mas as crianças também são incrivelmente egoístas e, desde que ela escondesse a maior parte dos buracos, estava tudo bem. Minha mãe guardava seus salários — entre o emprego de barista em uma cafeteria em Angel, onde cafés e chás custavam pelo menos 3 libras e os bolos não levavam farinha para atender mulheres que não comiam glúten, e o bico de faxineira que fazia nas casas de Highgate, onde as mulheres nem bolo comiam. De três em três meses, tinha o suficiente para me levar em uma "viagem mágica", o que significava apenas uma ida ao navio-museu *Cutty Sark* ou um passeio de metrô até a Selfridges para ver as luzes de Natal. Uma vez, ela me levou a um parque de diversões em Hampstead Heath, onde comi algodão-doce pela primeira vez e ganhei um peixinho em um jogo de aros. Pusemos o peixe em um vaso na mesa da cozinha e demos o nome de AQUI JAZ, o que achei hilário, já que esses peixes nunca viviam muito mesmo. Marie achou que era maldade e cuidou do peixe, limpando o vaso dele todas as semanas e adicionando plantas e pedras. Logo perdi o interesse; mas, sob os cuidados dela, AQUI JAZ acabou vivendo dez anos. Inclusive sobreviveu à própria Marie.

Marie e eu seguimos aos trancos e barrancos. Fui para uma boa escola primária perto de Seven Sisters, onde fiz uma única amizade, com um menino chamado Jimmy, cuja família vivia em uma casa imensa com um excesso de tapetes, almofadas e livros empilhados até o teto em todos os cômodos. Sua mãe era terapeuta, o pai, clínico geral, e eles com certeza poderiam ter mandado o filho para uma escola classuda que não ficasse ao lado de uma loja de penhores (com uma renda extra em drogas pesadas), mas eles tinham um pôster enorme do Partido Trabalhista na janela e nutriam uma boa dose de culpa liberal por serem tão sortudos, então se redimiam na educação de Jimmy. Jimmy continua fazendo parte da minha vida. Na verdade, acho que se pode dizer que nossa relação amadureceu nos últimos tempos.

Podíamos ter continuado assim, Marie e eu. Fui para uma escola secundária na mesma rua (primeiro com Jimmy, que, no sétimo ano, sofreu bullying por ser chique e foi mandado para uma escola particular com cabras e aulas de arte — outra concessão dolorosa feita por seus pais) e fiz mais alguns amigos. Talvez se tivéssemos tido mais tempo, Marie acabasse arranjando um emprego melhor e, quem sabe, conhecido um homem simpático com quem dividir os fardos. Eu poderia ter ido para a universidade e depois ganhado o suficiente para cuidar da minha mãe, comprar um carro e um apartamento para ela. No entanto, se esse fosse nosso destino, eu não estaria aqui, escrevendo isto, à espera de Kelly e seu papo sobre as mechas que ela mesma pinta nos cabelos. Em vez disso, Marie ficou mais letárgica, mais pálida e mais sonolenta, dormindo tanto que eu saía para a escola antes de ela acordar. Perdeu o bico de faxina porque só acordou às 11h certa manhã, e a bruxa pomposa de uma casa com seis banheiros e zero alma a despediu por mensagem de texto às 11h30. Suas costas doíam, disse certa noite, enquanto conversava com Helene. Helene aconselhou procurar um médico, mas ela ignorou. "Quando não tive dores desde que viemos parar neste país úmido e frio?", riu.

Quem sabe quanta dor ela sentia? Eu não tinha ideia. As crianças são egocêntricas, e os pais, invencíveis. É esse o acordo, mas Marie o quebrou. Dois meses depois, ela me levou de férias pela primeira vez, para a Cornualha. Ficamos em um camping em frente ao penhasco, observando o mar vasto ao caminhar na orla, e eu me entupi de sorvete. Marie bebia vinho à porta da nossa van enquanto eu me deitava na grama e fazia perguntas sobre sua infância na França, sobre como eu poderia treinar para ser fotógrafa quando crescesse, sobre os meninos e se gostaria deles no futuro, ou se continuariam imaturos como os que conhecia. Essa despertou uma risada. Ela riu muito naquelas férias.

Eu tinha acabado de fazer 13 anos quando se tornou óbvio que suas dores não eram apenas um sinal de trabalho sem fim e preocupação constante. Helene foi me buscar na escola mais cedo um dia e me levou ao hospital. Marie tinha desmaiado no trabalho e, antes que eu pudesse vê-la, Helene se sentou comigo em um quarto de visitantes e disse que minha mãe estava com câncer. Ela adiou consultas médicas e, como tantas mulheres que cuidam dos outros, negligenciou completamente suas próprias necessidades. Ela não queria que eu soubesse, explicou Helene, mas eu merecia saber. Olhei para as luzes do teto e senti um zunido nos meus ouvidos enquanto Helene perguntava se eu podia manter a calma e a coragem na frente da minha mãe. Senti algo desligar no meu cérebro naquele momento, como se de repente entrasse em *standby*, funcionando com capacidade reduzida. Mais tarde aprendi que isso se chama dissociação, quando seu cérebro se desconecta para te proteger de estresse e traumas. É uma sensação horrenda, mas providencial nos momentos em que, bem, precisei fazer coisas não muito agradáveis. Hoje posso garantir que, diante de sangue escorrendo e alguém implorando para não morrer, é um alívio poder se desligar.

Marie nunca voltou para casa e, seis semanas depois, minha querida e exausta mãe estava morta. No curto espaço de tempo entre diagnóstico e morte, minha mãe e Helene acertaram que eu deveria morar com Helene a partir de então — como se houvesse outro lugar para onde eu pudesse ir. Meus avós nem sequer compareceram ao funeral, uma solenidade modesta composta por ex-modelos, colegas de trabalho e os pais de Jimmy, John e Sophie. Brindamos a ela na cafeteria local onde tomávamos chocolate quente nas manhãs de sábado para escapar do frio do nosso apartamento. E, com isso, a minha infância acabou. Me mudei para o apartamento de Helene em Kensal Rise, onde ganhei meu próprio quarto pela primeira vez na vida — um espaço onde ela costumava guardar suas roupas e velhos equipamentos de ginástica abandonados. O peixe foi comigo, seu aquário sobre a cômoda. Helene nunca havia imaginado ter uma adolescente sob sua responsabilidade, mas, justiça seja feita, ela fez o melhor que pôde por mim. Nunca faltou comida, e ela me dava dinheiro para transporte e roupas. Nunca disse isso em voz alta, temendo ser fulminada com um raio por alguma divindade vingativa, mas era um padrão de vida bem mais alto do que aquele ao qual eu estava acostumada. Me transferi para uma escola próxima e me tornei independente quase de imediato. Helene trabalhava em uma agência de modelos e ficava muito tempo fora, então eu passava horas caminhando no parque ou aproveitando um chá no Costa Coffee local. Qualquer coisa era preferível a voltar para o apartamento vazio e pensar em tudo o que eu tinha perdido.

Helene tinha esvaziado o apartamento da minha mãe e, embora não houvesse nada de muito valor para me dar, ela fez questão de me entregar o anel de opala favorito de Marie. Encaixou-se perfeitamente no meu polegar, e eu passava o dia todo mexendo nele. Ela também me deu uma caixa de cartas, documentos e fotos de quando Marie era mais jovem, incluindo seu querido pôster da Kookaï. Nunca abri. Fora o anel, não sou muito fã de relíquias sentimentais (admito que nunca resisti a guardar alguns suvenires depois de assassinatos, mas isso não é exatamente sentimental). Enfim, um dia, enquanto procurava a chapinha de Helene embaixo da cama, encontrei outra caixa. Essa era diferente da que eu tinha no meu quarto, toda decorada com flores e corações. Não, essa era como as que via na mesa dos professores — formal e robusta. E tinha algo escrito cuidadosamente na lateral com tinta vermelha: "Grace/Simon".

Obviamente, tive que bisbilhotar. Sequer hesitei. Continuo me lixando para a privacidade alheia — deixe algo perto de mim e vou olhar, analisar e guardar na memória. Acho que crescer contando com apenas uma pessoa me faz querer ter mais informações para confiar nos outros do que alguém normal. Ou talvez eu só queira mexer com a sua cabeça e tirar vantagem de você. Nem sempre funciona; leio o diário de Kelly desde que vim parar na prisão, mas é difícil extrair algo dos pensamentos íntimos de alguém tão desprovido de originalidade.

Apoiei as costas contra a porta de entrada de Helene, só para garantir caso ela chegasse em casa. A amiga da minha mãe havia testemunhado toda a breve relação dos meus pais, mas nunca me dera qualquer informação a respeito, nem mesmo depois que Marie morreu. Sabia que ela achava desnecessário e julgava estar me protegendo, então nunca insisti, mas aquela caixa podia me revelar até mais do que ela. Helene era gentil, mas não era muito inteligente, tendo um nível bem simples de discernimento. Seus programas de televisão preferidos eram todos de qualidade duvidosa.

Na caixa, encontrei um monte de papéis que pareciam desorganizados. Vi vários recortes de jornais, cartas e fotografias misturadas e comecei a separar em pilhas. Isso feito, comecei a olhar para as fotos de fato. Algumas eram da minha mãe e das suas amigas, à noite, em boates em Londres. Marie e Helene em vestidos curtíssimos, ambas fumando e dançando. Garotas que eu não conhecia estourando garrafas de champanhe. À medida que eu passava as fotos, as garotas iam aos poucos saindo de cena, remanejadas para cantos pouco nítidos para dar lugar a Simon. Havia fotos de Simon com outros homens, todos com camisas brancas, calças jeans rasgadas que custavam uma fortuna e grandes fivelas de ouro nos cintos. Tinham os braços à volta dos ombros uns dos outros, como os meninos na escola, mas fumavam charutos e seguravam shots enquanto encaravam a câmera. Depois, havia fotos da minha mãe e do Simon. Ele a rodopiando, sua saia de bolinhas meio borrada, mas a expressão nítida. Ela estava encantada, virando o rosto para não perder um segundo do meu pai. Já ele nem olhava para ela — sorria para a câmera. Ele não estava olhando para ela em nenhuma das fotos. Em vez disso, sorria para os amigos — fanáticos por ele, assim como Marie — ou se exibia para a câmera, virando shots, dançando sobre as mesas e dando um mata-leão de brincadeira em um garçom com cara de assustado, ao som de aplausos.

É estranho abominar seu pai antes de sequer conhecê-lo. Claro que eu sabia que ele tinha tratado minha mãe mal, mas era mais que isso. Com só algumas fotos, ele me deixava arrepiada. Seu rosto bronzeado e brilhante tinha um quê de vaidade que eu desconhecia. Era patético o quanto ele obviamente queria chamar a atenção de todos. Tomava o espaço de outras pessoas: as mulheres ficavam às margens, servindo apenas como belos adereços para Simon Artemis. Seu bando de amigos parecia tão asqueroso como seria de se esperar — com certeza do tipo que tentaria sumir discretamente na era pós #metoo. Tudo o que vi me deixou enojada. Esse homem, com as suas roupas espalhafatosas grotescas e a necessidade gritante de anunciar sua testosterona em qualquer ângulo, era parte do meu DNA, da minha personalidade, da minha existência. De novo me questionei se Marie tinha escondido algum traço de personalidade horrível de mim — de que outra forma ela poderia explicar esse homem, essa decisão? Como é que poderia ter cometido um erro tão grande?

Eu tinha 13 anos quando vi essas fotos pela primeira vez. Não sabia muito sobre as relações entre homens e mulheres, o conceito de patriarcado, de manipulação emocional, nem mesmo muito sobre atração sexual. Só vi aquele homem nojento mostrando seus defeitos abertamente para a câmera, enquanto minha querida mãe o admirava. E, naquele momento, eu a odiei também.

Ao colocar as fotos de volta na caixa, notei que meu punho estava cerrado; os músculos do meu pescoço, tensos, antecipando uma dor de cabeça, mas eu sabia que, se não continuasse, não teria outra chance tão cedo. Quem sabe o que Helene pretendia fazer com aquelas coisas?

A seguir, os recortes de jornal, mofados e desbotados. As manchetes eram uma mistura de negócios e notícias pessoais. "Simon Artemis compra rede de moda adolescente Sassy Girl", "Artemis é criticada por 'trabalho escravo'", "Simon e Janine mostram sua filhinha perfeita", "Simon Artemis, membro da Ordem do Império Britânico? Rumores de uma condecoração para o CEO da Artemis Holdings". O último era de uma revista chique e trazia fotos de Simon e sua esposa (que agora eu sabia se chamar Janine) rodeados de cachorros peludos, tapetes felpudos e posando ao lado de uma gigantesca árvore de Natal. Nos seus braços, Simon segurava a filha deles, que eu descobri se chamar Bryony. Parecia ter uns 3 anos. Verifiquei a data do artigo. Os músculos do meu pescoço ficaram mais tensos. Eu era treze meses mais nova que ela. Minha irmã era bebê quando Simon estava naquelas boates, flertando com minha mãe, prometendo a ela sabia-se lá o quê. As fotos mostravam a mesma casa que vi naquele dia de chuva em Hampstead. Até aos meus olhos jovens parecia medonha. Janine (presumo que tenha sido Janine, visto que os homens ainda acreditam que é o trabalho das mulheres manter a casa bonita) claramente tinha uma verdadeira paixão por cinza e prata. Você já viu uma lareira prata? Não digo metálica ou pintada, quero dizer feita de prata mesmo. Importada de Viena, descobri muitos anos mais tarde, quando fui brevemente autorizada a entrar na casa deles para uma festa de funcionários. Janine foi uma anfitriã graciosa, falando com todos como se fosse uma rainha. Eu me mostrei muito interessada em suas decisões, digamos, peculiares, em relação a design de interiores. Provavelmente não teria sido tão simpática se soubesse os meus planos para ela e seus entes queridos, mas ela estava tão orgulhosa daquela lareira horrível que não tenho tanta certeza.

Os recortes me contavam um pouco sobre o que Simon fazia. Ele era dono, entre outras coisas, da Sassy Girl, da companhia aérea *low-cost* Sportus e de cerca de 1.800 propriedades em todo o Sudeste da Inglaterra, fato que lhe rendeu o apelido engraçadinho de "proprietário da escória". Ele também tinha alguns hotéis e iates que podiam ser alugados por semana se você achasse que um hotel cinco estrelas insuficiente para suas férias. Além disso, em um surto de vaidade empresarial, em

1998 Simon e Janine também tiveram um vinhedo e produziram vinho que, suponho, só foi comprado por seus amigos e comparsas. Foi comercializado com o nome "Chic Chablis". Preciso dizer mais?

A última coisa na caixa era um envelope grosso cor de creme. Lá dentro estavam duas folhas de papel dobradas. A primeira que abri era uma carta do próprio Simon. Um rabisco apressado, escrito a tinta preta, as palavras quase rasgando a folha.

> *Marie, obrigado pela sua carta. Lamento saber que está doente, mas o que você sugere é impossível. Como te disse <u>muitas</u> vezes antes, a decisão de ter o bebê foi apenas sua. Você não tinha o direito de imaginar que eu arriscaria minha família e reputação pelo resultado de um casinho de seis semanas. Em vez disso, você escolheu ter a criança (que eu não tenho nenhuma prova de que é minha, aliás) e agora quer me obrigar a vê-la. Essa ilusão tem que parar. Sua filha não faz, nem nunca fará, parte da minha família. Eu tenho uma esposa, Marie! Tenho uma filha. Talvez consiga uma condecoração ano que vem. Você precisa parar de tentar se intrometer na minha vida. Anexei um cheque de 5 mil libras à carta, o que é mais do que generoso, mas, considerando sua saúde, parece o certo a fazer. Em troca, exijo que pare de escrever. Simon.*

A outra carta no envelope era a que a minha mãe tinha enviado, a causadora desses rabiscos dos horrores. Não queria ler sua súplica, identificar a vulnerabilidade e a tristeza na letra dela. Que vergonhoso ver como a minha mãe era fraca perante aquele homem. Mas, se ela era fraca, eu era forte. Então decidi ler e alimentar a raiva dentro de mim. Abri.

> *Querido Simon,*
> *Sei que me pediu para não escrever e tentei respeitar sua decisão, mesmo que isso me deixe triste. Devo dizer-lhe que não estou bem. Não vou viver muito tempo, de acordo com os bons médicos no Hospital Whittington (pertinho da sua casa). Estou conformada com isso, não por querer morrer, mas por estar exausta. Estou exausta e me sinto*

mal há muitos anos, e a vida desde que tive a Grace tem sido difícil e não há sinais de melhora, mas não pense nem por um segundo que a culpo por isso. Grace tem sido uma luz no meu caminho. Quem me dera que você a tivesse conhecido quando bebê, quando ainda era criança, quando tinha 6 anos e insistia em ser chamada de "Crystal". Quem me dera você tivesse estado presente na fase de sapo, quando ela ficou coaxando em vez de falar por uma semana, ou quando ganhou o prêmio de desenho na escola. Você perdeu tanto, mas não precisa perder o que está por vir. Eu vou. Vou perder tudo e fico tão ansiosa que não consigo dormir, embora, sinceramente, o monitor e o barulho da enfermaria não ajudem. Simon, você precisa acolhê-la. Você tem que contar à sua esposa sobre ela. Ela vai te perdoar por algo que aconteceu há tantos anos. Como mãe, ela certamente não deixaria uma criança viver sem ambos os pais, não acha? Tenho pouco dinheiro para garantir a adolescência dela, e meus pais nunca deixaram de sentir raiva das minhas escolhas — não vou deixar que a personalidade forte da menina seja esmagada por eles. Minha amiga Helene se ofereceu para ficar com ela, mas não seria o mesmo que ter a própria família ao redor. Não quero implorar, mas pedirei, pelo bem da nossa filha. Por favor, faça a coisa certa. Sei que é um bom homem e que não deixaria sua própria filha sozinha no mundo. Não vou mais voltar para casa, por isso, por favor, me responda no hospital, quarto andar, na ala Hummingbird.
Com amor e afeto,
Marie

Fechei a caixa, a empurrei de volta para debaixo da cama e dei uma olhada no chão para ver se não havia papéis soltos que pudessem me dedurar para Helene. Depois disso, devo ter saído do apartamento, porque me vi sentada no parque, tentando acalmar o coração. Esfreguei uma das mãos na outra, tentando evitar o nó que se formava na minha garganta. Sabia mais sobre o meu pai do que jamais soubera. Sabia que ele era mais rico do que eu podia conceber. Sabia que tinha uma família, uma casa, uma lareira horrível. Ele tinha negócios que eu conhecia.

Sassy Girl era uma marca que eu via as garotas da escola usando. Ele era uma pessoa pública. Minha mãe tinha pedido ajuda quando estava à beira da morte (e me humilhado no processo) e ele a rejeitou, a humilhou, a deixou no chão. Eu queria correr até a casa dele, pular em cima, dar porrada, enfiar os dedos em seus olhos e bater sua cabeça contra o piso horroroso de mármore. Respirei lentamente, tentando me concentrar no som das gangorras, mas a raiva não passou. Sabia que não desapareceria, por mais calma que eu tentasse parecer. Enquanto esteve viva, minha mãe me protegeu da rejeição, da frieza e do descaso daquele homem. E o carinho dela me manteve segura; porém, ao morrer, ela já não conseguia absorver essa dor por mim. Eu sabia que não podia ir à casa dele, tocar a campainha e exigir algum tipo de reparação pelo que ele tinha feito. Seria barrada nos portões de bronze. A família Artemis tinha o evidente hábito de erguer muros para desencorajar aqueles que os incomodavam: devedores, fãs, pedintes e filhos indesejados. Entendi que teria que esperar, ficar na minha e bolar um plano para quando fosse mais velha e tivesse mais chances de fazer contato. Esse pensamento me reconfortava. Faltavam cinco anos para eu chegar aos 18. Cinco anos para pensar em como destruir a família Artemis. Ainda me lembro bem desse momento. Pensei nisso muitas vezes desde então, sempre com um sorriso. Porque, mesmo aos 13 anos (uma época em que eu era boazinha demais para pensar nisso abertamente), me reconfortava saber que um dia, quando fosse mais velha, faria com que eles entendessem de verdade a dor que tínhamos sofrido.

COMO MATEI MINHA ~~QUERIDA~~ FAMÍLIA

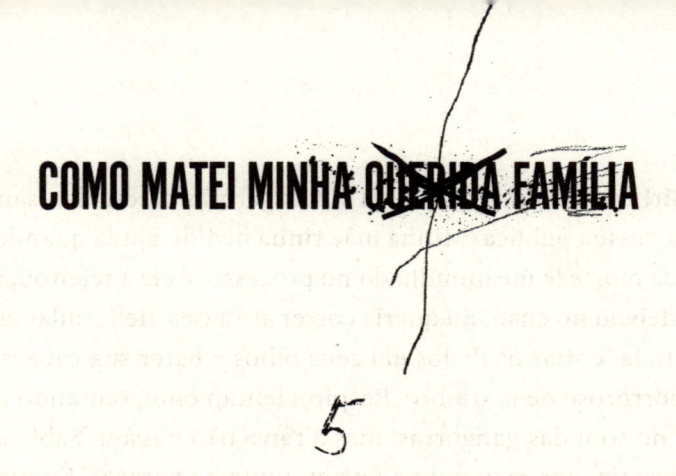

5

Eu não estava muito animada para matar Andrew Artemis. Era inevitável, claro, eu sabia disso e me mantive firme, mas não estava preparada para que um deles fosse tão... bem... simpático. A pesquisa que fiz sobre os parentes de Simon tinha sido detalhada, meticulosa, diria que até um pouco obsessiva. Graças a ela, eu sabia o quanto a família inteira era podre. Isso me ajudou a focar na tarefa, sabendo que não estaria privando o mundo de ninguém decente. Na minha cabeça, comecei até mesmo a justificar minha missão pessoal como um favor para a sociedade. A família Artemis era a personificação do capitalismo tóxico, um vácuo de moralidade, um totem de ganância. Meu Deus, como eu era insuportavelmente jovem.

A facilidade com que matei Jeremy e Kathleen me deu coragem. Na real, tive sorte. Bastou uma virada dramática do volante e lá se foram eles penhasco abaixo, sem sequer um arranhãozinho no carro do Amir. Tantas coisas poderiam ter dado errado que estremeço ao pensar. E, se algo tivesse sido diferente, eu poderia ter perdido a coragem, reavaliado os meus planos, ou pior, ter sido pega. Mas não fui. Eu tinha um *full house* na mão naquela noite. Para ser franca, o jeito rápido com que meus avós morreram me deu gás para continuar. Eis enfim um motivo para ser grata aos dois.

Andrew era filho do irmão de Simon, Lee, mas não encontrei muitas informações confiáveis a seu respeito. Ele não estava presente em nenhuma das festas grotescas da família, com garçonetes vestidas de pavões (agradeço às colunas sociais por essa fofoca) e anões de cartola que ofereciam simétricas carreiras de cocaína em bandejas de prata. Não frequentava o iate da família no verão, refestelado sob o sol com Bryony e suas amigas magras e bronzeadas. Nem mesmo tinha um empreguinho-para-constar no QG Artemis, o prédio imponente da Great Portland Street, onde um imaculado Bentley cinza ficava estacionado à mostra sempre que Simon estava no escritório, em uma versão atualizada de erguer a bandeira para sinalizar que a rainha estava em casa. Nem mesmo Tina, minha informante dos Artemis, uma amizade feita a contragosto na época em que trabalhei lá (chegaremos nisso em breve), não pôde me ajudar muito quando tentei sondar sobre ele. Respondeu vagamente que Andrew tinha "seguido o próprio caminho" quando mandei uma mensagem perguntando porque ele não fora mencionado na cobertura midiática do baile filantrópico anual dos Artemis. Como sempre, não podia pressionar muito. Tinha que deixá-la conduzir o assunto para não levantar suspeitas, mas era evidente que meu primo não a interessava nem um pouco.

Senti que havia algo errado quando Andrew não apareceu no funeral de seus avós (um evento estranhamente delicioso de testemunhar à distância). Perseverei. Quando nem o Facebook conseguiu localizá-lo, criei um alerta do Google sobre meu jovem primo e esperei, paciente. Uma hora, seu nome surgiu em um periódico local, no perfil do trabalho que um velhote fazia sobre sapos nos pântanos do leste de Londres. Quando descobri exatamente o que era um pântano, percebi que talvez Andrew fosse mais deslocado dos Artemis que eu mesma. O que é um feito e tanto, visto que minha própria existência foi negada desde o nascimento.

Andrew não estava tentando destruir os pântanos para construir uma fábrica que usaria trabalho infantil na confecção de roupas infláveis de poliéster — nem cogitando usar a pele dos sapos para fazer bolsas de grife, como seus parentes teriam sugerido se vissem algum lucro no empreendimento. Não, ele era *voluntário*, ajudando a observar o comportamento de acasalamento, garantindo que essas criaturas hediondas tivessem um lugar para viver e prosperar. E o salário era ridículo. Sério, se eu não tivesse atirado seus avós do precipício em Marbella, acho que eles mesmos teriam se jogado ao saber o que o neto fazia da vida.

Logo percebi que meu trabalho na empresa Artemis de nada adiantaria para me aproximar de Andrew. Muito pelo contrário. A partir das investigações casuais feitas quando eu trabalhava no QG Artemis (com pouco resultado, devido ao meu cargo júnior deprimente), tudo levava a crer que o meu primo tinha se separado da família havia algum tempo e que mal falava com os pais. Irônico, de fato — na definição Alanis Morissette de "Ironic" (quem entende de verdade o que é ironia, não é mesmo?) —, que eu tenha passado tanto tempo tentando me infiltrar nos Artemis enquanto meu primo teve a mesma determinação para sair de perto da família.

Mas, apesar das intenções óbvias de levar uma vida diferente, ele continuava sendo um deles. Provavelmente seria recebido de braços abertos caso cansasse de ajudar sapos asquerosos a tornar o leste de Londres um lugar mais nobre — o que, cá entre nós, era capaz de acontecer. E o mais importante, era um potencial beneficiário caso o resto da família morresse (coisa que eu estava tentando apressar naquele dia, como você já sabe). Por isso, fiz o que tinha de fazer. Pesquisei sapos, comprei uma jaqueta corta-vento horrorosa e me inscrevi no projeto voluntário dos sapos no pântano de Walthamstow.

Certo domingo à noite, assisti a um daqueles filmes "baseados em fatos reais". Era sobre uma mulher de sucesso da cidade que largou tudo para viver uma vida simples cuidando de cabras nas colinas. Ela renunciou a suas bolsas de grife e (claramente o olhar masculino do diretor falou mais alto aqui) a sua vida "fútil". Viu a pureza na terra, na natureza, em voltar para o campo. Era bonito, e a protagonista usava macacões impecáveis sob o sol — e, por um momento, fui seduzida (até me lembrar dos meus planos de extermínio), mas onde eu estava tentando chegar com essa tangente é: o projeto dos pântanos de Walthamstow jamais seria o cenário de uma dessas histórias. Ninguém sai dessa parte da natureza com uma história motivadora. Ninguém jamais aprenderá que o maior amor da vida é amar a si mesmo enquanto usa uma rede de cabelo e luvas de borracha para não contaminar a área sagrada dos sapos.

A apresentação para o trabalho voluntário aconteceu em um dia sufocante de maio. Fui de trem pela King's Cross, usando óculos de grau falsos, sapatos práticos, uma parca e um chapéu estilo pescador. Me senti invisível, o que foi desconcertante e interessante ao mesmo tempo. Ninguém olhou para mim, nenhum homem sorriu. Até trouxe um almoço comigo, coisa que sempre achei suspeita em pessoas acima de 8 anos. De acordo com o Google Maps, os pântanos não ficavam perto de nenhuma cafeteria familiar, e eu não ia arriscar consumir uma comida que talvez estivesse contaminada com qualquer coisa que fosse remotamente selvagem *e* localizado na periferia.

O centro de visitantes era deprimente. Essa descrição já é muito — não imagine um complexo iluminado com placas amigáveis e um banheiro funcional. Era uma cabana com um telhado corrugado de metal e, por dentro, pôsteres infantis ilustravam ervas rabiscadas e um ou outro pássaro abstrato. Roger, o homem que dirigia o projeto, estava lá para dar as boas-vindas aos dois voluntários que tinham aparecido. Fiquei um pouco chocada por outra pessoa ter vindo trabalhar em um pântano por vontade própria, sem a motivação de homicídio, mas aqui estava uma. Lucy, como se apresentou a Roger e a mim, era uma mulher de 30 anos que trabalhava em TI, mas sempre quis passar mais tempo em contato com a natureza. Ela parecia ter déficit de vitamina D, pois era pálida e tinha olhos fundos. Lutei para manter a minha expressão neutra, vendo os olhos do Roger brilharem com entusiasmo com tudo o que ela falava.

"Você veio ao local certo, Lucy!", disse ele. "Podemos não ser um Patrimônio Histórico da UNESCO, mas costumo dizer que esses pântanos são a oitava maravilha do mundo!" Seus olhos desapareceram em seu rosto vincado com a risada. Imaginei que ele devia dizer isso pelo menos uma vez por dia e me perguntei se tinha uma esposa que daria graças aos céus se eu decidisse me livrar dele também.

Minha capa era perfeita. Lucy usava uma semelhante, mas Roger parecia estar um passo à frente e vestia algo que só posso descrever como um pijama à prova d'água. Uma garrafa térmica de chá surgiu enquanto Roger se apoiava na mesa e descrevia quais seriam as nossas tarefas. Embora ele dissesse que estávamos prestes a entrar no incrível mundo da conservação ambiental, nossas tarefas pareciam estar restritas a tirar mato. Isso é muito importante, segundo Roger, para manter o delicado equilíbrio ecológico do local. Da recepção, seguimos para um tour dos pântanos, coisa que durou uns 25 minutos no máximo. Talvez pântano, no singular, seja o melhor termo aqui.

Foi uma tarefa ingrata, sem nenhuma beleza à vista. Havia uma garça desamparada à frente e um grupo de moscas pairava perto dos juncos, mas, além disso, nada de vida selvagem. Também não estava repleto de visitantes. Em determinado momento, Roger disse algo sobre financiamento e sobre como o centro de lazer recebia uma verba desproporcional. Seu rosto até ficou mais sombrio. Imagine o que é ter um centro de lazer como inimigo.

Lucy parecia sinceramente entretida na explicação, perguntando coisas sobre compostagem. Fiquei calada, assentindo e procurando por um homem que poderia ser Andrew. Das poucas fotos que o mostravam em uma fase mais jovem, era um tipo alto e magro, com cabelo cor de areia e dentes simétricos. Moderadamente bonito, podia chamar a atenção em um bar, padrão o suficiente para Londres, mas tirando Roger e uma velhota — que me fez lembrar do filme *A Senhora da Van* — removendo plantas, não havia ninguém por perto.

Curiosamente, Roger não nos deixou fazer nada prático no primeiro dia, dizendo que o trabalho era delicado e que precisávamos passar uma hora na cabana revendo critérios de saúde e segurança. Isso significava repetidas advertências sobre os lagos, que para mim mais pareciam poças estranhas, mas que Roger afirmava serem mais fundos do que pareciam, ocultos pelos juncos. Devemos ter muito cuidado quando trabalhamos perto deles, pois um passo em falso pode ser fatal. Nem Lucy pareceu muito convencida disso.

Quando a palestrinha chegou ao fim, Roger parou, olhando para cima como se pedisse permissão para falar. "E agora o momento que sei que mais esperavam", sorriu. "SAPOS! Só há dois tipos nativos de sapos neste país: os comuns e os de lago. Eles são comumente encontrados em águas rasas e jardins, mas temos aqui um cliente mais exótico. Sim, temos o sapo do pântano!" Ele esperou um murmúrio de aprovação, que

Lucy prontamente emitiu, e continuou: "O sapo do pântano é um carinha muito especial. Um sujeito chamado Edward Percy Smith trouxe doze deles da Hungria em 1935 e eles escaparam dos confins do jardim dele e se multiplicaram. Inteligentes, os danadinhos", disse, como se os sapos tivessem um plano maquiavélico de colonizar as Ilhas Britânicas.

Fomos guiadas para as margens do lago principal e instruídas a ficar em silêncio. Roger devia pesar muito mais do que eu, mas se movia com a habilidade de um gato de rua.

"Não devemos assustá-los", disse ele, examinando a cena. Enquanto estávamos ali, me questionei se essa seria realmente a melhor abordagem para encontrar Andrew. Pensei nos finais de semana gastos com Roger, esperando silenciosamente essas criaturas com a lama entrando nas minhas botas e a chuva esfriando meus ossos. Me sentia derrotada, mas não tinha opção. Andrew era a próxima pessoa da minha lista e não gosto de me desviar quando tenho um plano, isso atrapalha todo o resto.

Depois de cerca de quinze minutos de silêncio constrangedor, enquanto Roger rondava de vigia e Lucy ficava parada, seu corpo quase zumbindo com expectativa, algo se moveu. O velho nos chamou com a mão. Percorremos os juncos pé ante pé para observar os animais. Pela descrição, imaginei que iríamos ver uma coisa gigante multicolorida, com pele brilhante, saltando com alegria. Em vez disso, olhamos para baixo para ver uma pequena mancha verde na lama: seu único adereço eram linhas brilhantes nas costas. Era a coisa mais superestimada que já tinha visto, e olha que a mãe do Jimmy, Sophie, tinha nos obrigado a assistir *A Vida É Bela*.

O sapo afundou (será que sapos afundam?) nos juncos quando nos aproximamos e Roger nos olhou com profunda decepção, como se tivéssemos tentado fisgá-lo com flechas.

"Bem, vocês ainda tem muito o que aprender. Semana que vem talvez até vejam um acasalamento! Estamos na temporada." Resoluta a nunca aprender os costumes desse sapo sem graça, acompanhei Roger e Lucy até o centro de visitantes para pegar minhas coisas. Quando partimos, eu notei um painel com fotos de funcionários e voluntários, com legendas em Comic Sans que diziam quem era quem. Ignorando Roger e Lucy, me precipitei nessa direção. E lá estava ele. Demorei um pouco, os meus olhos à procura do príncipe que tinha visto nas matérias, mas, naquela foto, ele usava rabo de cavalo e... um brinco grande feito de concha. Nem o mercado de Camden vende cafonices hippies desse jeito hoje em dia. Que desgraça terrível pode ter acontecido a Andrew para ele optar por aquela vida? Ele tinha caprichado, porém, com um alargador na outra orelha e um colar de madeira que sugeria que ele havia tirado um ano sabático e, sem dúvida alguma, o desperdiçara.

Encarei a foto por mais tempo do que seria aceitável antes de tentar perguntar a Roger sobre seus colegas.

"Ali está Linda, que você deve ter visto lá fora arrancando mato." Ele baixou a voz: "Ela é solitária, pobrezinha, cuidando do marido com demência".

Será que era melhor tirar mato do *habitat* do sapo? Concluí que sim. Melhor isso do que ajudar o homem por quem você se apaixonou a usar a privada.

"Depois tem Phyllis... A gente a chama de Phil. Tem a língua um pouco afiada, mas é ótima com as excursões escolares. E depois temos o jovem Andrew. Faz pesquisa sobre a vida selvagem e sabe muito sobre conservação. Temos sorte em tê-lo. Ele formou-se em Ecologia em Brighton e ganhou uma bolsa para identificar espécies não documentadas na Austrália no ano que vem. Eles já têm 240 tipos conhecidos lá", disse, animado.

"Ele está por aí?", perguntei despretensiosamente.

"Hoje não. Está em um seminário sobre fungos na população em geral." Minha surpresa deve ter sido visível, porque ele logo acrescentou: "De sapos", e riu com entusiasmo.

Finalmente liberta do dia, peguei minhas coisas e, fingindo ter um compromisso, disse que precisava ir embora logo. Temi que Lucy pudesse tentar ir embora comigo, apavorada com a ideia de passar 45 minutos em um trem revisando os momentos do dia com uma pessoa tão estranha, mas ela ficou, e Roger parecia animado, oferecendo outra xícara de chá e perguntando o que ela sabia sobre salamandras. Esperando que essa não fosse a ideia que Roger de flerte, fugi.

Então foi isso. Todos os sábados, ia servir Roger em seu pequeno reino monótono. Todos os sábados tirava ervas daninhas, limpava trilhas e tentava não me sentir insultada porque Lucy trabalhava com Roger no cuidado dos sapos enquanto eu fazia o trabalho duro. Entreouvia algumas palavras e risadas e via suas cabeças juntas enquanto ele a ensinava a capturar e marcar os sapos. Para quê, jamais saberei. Desde então, aprendi que essa espécie de sapo não é nada especial, ameaçada de extinção ou valorizada. Não havia anfíbios que precisassem dos cuidados do Roger, esses monstros do pântano ficariam bem sem seu olhar enxerido.

A única coisa que me impediu de matar deliberadamente alguns daqueles animais e deixar o centro para sempre foi Andrew. No meu primeiro turno de verdade, eu o vi logo de cara, limpando o caminho até os lagos, cantarolando a música que soava em seus fones de ouvido e que eu não conseguia escutar, mas imagino que fosse uma banda de reggae tipo UB40 ou algo assim. Esperei pela apresentação inevitável e, claro, na hora do intervalo, Roger o trouxe para nos conhecer. Demos oi, e Lucy começou a tagarelar sobre o trabalho, enquanto eu o observava. O cabelo comprido, quase até os ombros, era maltratado e bagunçado. Ele usava calças cáqui e um colete cinza antigo, tinha as unhas cheias de terra e sujeira, mas era alto e forte, com músculos de trabalho braçal, não de academias chiques. Se estivesse limpo, dava para vê-lo como um Artemis. Tinha o rosto gentil, mas os mesmos olhos cinzentos do meu pai. E quando virou de lado, notei também o perfil. Teria a mesma arrogância? Difícil dizer.

Contei a ele a mesma história vaga que contei a Roger e Lucy. Eu me chamava Lara, era uma corretora do norte de Londres, tinha acabado de terminar com o meu namorado de longa data, estava à procura de um novo desafio e tinha um fascínio por conservação e renovação ambientais desde a universidade. Eu deliberadamente tinha escolhido usar o nome da mãe dele, para ver se causava alguma reação, mas ele nem piscou. Em vez disso, balançou a cabeça e me contou que também tinha começado a se interessar por esse tema na universidade. Pelo menos, tinha começado bem.

Naquele primeiro dia, Andrew estava ocupado com uma cerca caída, o casal esquisito cuidava dos sapos e eu limpava o centro de visitantes. Devo dizer que não tinha visto nenhum visitante ainda, mas Roger estava animado para uma excursão na segunda-feira. "É disso que nossos jovens precisam, de contato com a natureza. Nada dessa porcaria de centro de lazer", falou ele.

Vi Andrew trabalhar, reconstruindo a cerca sem esforço, engajado na atividade. Se ele não se parecesse tanto com o avô, chegaria a pensar que tinha seguido a pessoa errada. Aquele era um homem despreocupado, simples, trabalhador. Aposto que ninguém na família Artemis sabia o que era um dia de labuta desde 1963, a menos que você conte pisar nos outros como trabalho duro.

Tive que inventar um pretexto para falar com ele, mas pedir conselhos sobre como limpar adequadamente a cozinha minúscula não parecia convincente. Esperei até que todos parassem para almoçar e levei meus sanduíches para onde ele se sentava, de olhos fechados, absorvendo o sol da primavera.

"É tão bom trabalhar ao ar livre...", arrisquei. "Estou tão cansada de trabalhar em um escritório onde só se pensa no lucro e em como ludibriar os clientes." Ok, meio exagerado, mas consegui a reação que queria. As pessoas geralmente só querem que você tenha as mesmas opiniões que elas. Principalmente os homens. Andrew podia fazer aquele tipo justiceiro engajado com o meio ambiente, mas não era imune.

"Nossa, isso é muito VERDADE", disse ele, virando para mim e sorrindo. "Esse lugar é o meu santuário. Não suporto como nós, enquanto sociedade, fomos enganados por gente privilegiada a viver assim, buscando ganhos inatingíveis só para que grandes corporações ganhem ainda mais em cima do trabalho alheio."

Ok, então isso ia ser mais fácil do que eu pensava. Depois de quinze minutos de conversa sobre o capitalismo e os males do imperialismo, falei um pouco sobre a minha família, os Latimer. Claro que não usei seus nomes verdadeiros nem expliquei que Sophie e John não eram os meus pais reais. Ignorei essa parte e contei a ele sobre a minha família liberal que marchou contra as mudanças climáticas e vota no Partido Trabalhista, dando brecha para ele falar dos próprios parentes.

"Imagino que você tenha um passado parecido, não é?", falei, me servindo do pote de azeitonas dele. Ele endireitou o corpo e coçou o pescoço.

"Não. Na verdade, descobri tudo isso sozinho. Meus pais não me supriram muito em termos de base ideológica. Estavam muito ocupados se divertindo, ganhando dinheiro... bem, gastando dinheiro, para falar a verdade. Tive a melhor educação particular, babás adoráveis, uma boa casa e, por um tempo, acho que segui aquele caminho. Fiz um estágio para trabalhar com investimentos aos 16 anos, aproveitei as coisas boas que minha família tinha, mas mudei na universidade. Foi lá que vi mesmo a desigualdade pela primeira vez. As pessoas acham que só gente rica estuda na Brighton, sabe? Mas, na verdade, tem pessoas bem pobres e os outros alunos... bem, se envolviam e eram engajados com o mundo lá fora, sabe? Fiquei com vergonha de mim mesmo, sabe?"

Fiz uma concessão e considerei os "sabe?" constantes como um tique nervoso, então deixei para lá.

"Que bom", falei, apertando seu braço. "É preciso coragem para abrir os olhos." Bem, na verdade não tanta, já que um fundo multimilionário vai estar te esperando quando cansar de viver com a ralé, mas ele apreciou o comentário, passando a mão no local em que eu tinha acabado de encostar.

A partir daí, foi fácil. Após mais algumas semanas removendo ervas daninhas, sugeri um drinque depois do trabalho, e ele aceitou. Infelizmente, Lucy também. E, pior ainda, Roger. Fomos parar em um pub meio triste perto do centro, que teria lá o seu potencial se não tivesse sido recentemente cercado por uma rotatória (e, sejamos honestos, se a clientela fosse completamente diferente e a carta de vinhos oferecesse mais do que um Chardonnay australiano morno). A conversa versou sobre os malditos sapos, com Andrew falando animado sobre sua coleção particular.

Roger fez cara de enfado. "O sujeito acha que os locais não são interessantes o suficiente, não é, amigo? Sempre à procura de algo um pouco mais... exótico", disse, como se um sapo estrangeiro fosse perigoso e atraísse Andrew para longe dos trabalhadores de bem encontrados nos pântanos. Com certeza Roger tinha sido a favor do Brexit. Fingi interesse para manter meu primo falando. Enquanto isso, Roger se virou para Lucy e tentou conversar sobre solo. Andrew baixou a voz e inclinou a cabeça para mim.

"O centro é um lugar encantador, e o Roger tem boas intenções, mas ele tem razão, eu *tenho* mais interesse pelos 'exóticos', como ele diz. Pode parecer loucura...", continuou ele, enquanto eu fitava com interesse, "mas tenho pesquisado sobre o que sapos podem fazer contra a depressão. Já ouviu falar do Kambo?"

Não, Andrew, claro que não, cacete. Pessoas normais não pensam em sapos e depressão. Pessoas normais não passam os dias em pântanos deprimentes de beira de estrada esperando visitantes hipotéticos. Por outro lado, pessoas normais não tentam aniquilar toda a família, por isso, eu devia aprender a julgar menos e a ouvir mais. Arregalei os olhos.

"É a secreção de um tipo de sapo e já tem um acervo imenso de pesquisa sobre como ajuda a curar a depressão e o vício. Somos todos dependentes demais da medicina ocidental que as grandes farmacêuticas nos enfiam goela abaixo, mas está cada vez mais claro que a natureza nos oferece maneiras melhores de enfrentar nossas lutas humanas. O Kambo, cara..." Ele fez uma pausa. "Fez milagres em tantas pessoas." Andrew olhou para Roger para ter certeza de que ele não estava ouvindo e voltou a atenção para mim. "É por isso que tenho esses sapos em casa. Estou tentando aperfeiçoar a dosagem. Um pouco demais gera vômito descontrolado. É um processo complexo. Eu crio esse tipo de sapo para aumentar o estoque e ajudar mais pessoas."

Já não precisava fingir interesse. Que caminho estranho o Andrew tinha seguido, se dopando com suco de sapo. Não é possível que não tivesse um bom terapeuta na Harley Street para lidar com os seus problemas de uma forma menos louca, não? Por outro lado, gente rica sempre tenta criar os próprios caminhos, frustradas pela falta de motivação e pelo conforto que torna o trabalho desnecessário. Alguns viram promoters de baladas. Outros, artistas que fumam maconha. Por que não um traficante de sapos?

Bombardeei Andrew com perguntas e falei que o achava corajoso. Não tenho vergonha de dizer que me abri sobre a minha própria luta pessoal contra a depressão e mostrei vulnerabilidade. Não importava que fosse tudo mentira e que, apesar de ter bons motivos para sentir uma tristeza profunda, eu tinha conseguido me desviar dela. Os homens gostam que as mulheres sejam vulneráveis. Eles gostam de achar que, sob uma camada superficial de confiança, precisamos de ajuda.

Quando saímos do bar, senti que o tinha desvendado. No entanto, também senti os ombros e os punhos tensos ao andar em direção à estação. Ele era um bom homem, ainda que meio perdido. Não senti a garganta queimar de ódio ao pensar nele, como acontecia com seu pai ou avô. Nem aquela sensação de raiva incessante que fez com que matar Jeremy e Kathleen fosse fácil. Tinha sido isso que tornara tudo divertido. Não experimentei aquela sensação corrosiva depois. Como gostar daquele novo desafio sem invocar o ácido?

No turno seguinte, tínhamos trocado números de celular (um dos perigos de um celular falso é nunca saber o seu número de cor) e mensagens durante a semana com links para artigos de pesquisa que interessassem um ao outro. Não li nada do que ele sugeriu, mas foi fácil reagir depois de passar os olhos rapidamente pela conclusão. Deus abençoe esses acadêmicos inúteis que passam anos fazendo pesquisas tediosas que ninguém vai ler, mas deixam uma nota de rodapé que resume tudo em dois minutos. Mandar mensagens podia parecer que estava dando em cima do cara, mas acho que Andrew só curtia mesmo ter alguém interessado em seus anfíbios alucinógenos. Qualquer sugestão de romance teria acrescentado uma dimensão horrenda ao que eu esperava que fosse apenas um episódio descomplicado de captura e morte.

Quatro semanas depois, já éramos amigos do peito. Eu sabia onde ele morava (uma república em Tottenham com quatro outros caras, todos no pós-doutorado), qual era seu romance favorito (algo de William Boyd, mas não lembro) e que ele era um vegano ferrenho. Começamos a ir ao pub deprimente depois do trabalho, no sábado, onde nos embebedávamos e eu fazia piadas sobre o Roger até ele me mandar parar. Nessa altura, eu já sabia como o mataria. Como no caso dos meus avós, o plano era vago e tinha algumas falhas, mas eu estava mais segura depois da minha primeira incursão, e Andrew confiava demais nos outros. No sábado, depois do pub, sugeri que voltássemos para o centro com uma garrafa de vinho. Era uma noite quente, e as estrelas estavam visíveis, uma raridade nessa cidade coberta de névoa. Ele estava um pouco nervoso, mas topou.

"O Roger ia enlouquecer", riu ele, "mas acho que não há mal nenhum."

Meu primo não era nenhum rebelde subversivo e transgressor, apesar de suas crenças radicais. Acho que isso é a maior garantia que quatorze anos de educação particular têm para oferecer. Os pais não desembolsam quase 250 mil libras para que seus filhos quebrem deliberadamente as regras implícitas da sociedade britânica.

A segurança no centro dos pântanos era... inexistente. Não havia segurança. Nenhum circuito interno de TV (o que alguém roubaria? Alguns peixinhos?), nada de arame farpado. Andrew pegou sua chave e entramos. Descemos para o lago principal e nos sentamos no deque que Roger tinha instalado para observar os sapos. Abri o vinho e bebi direto da garrafa. Ao dividirmos a bebida, comecei o assunto que rondava a minha mente.

"Posso experimentar a droga do sapo, Andrew? Você fala tanto sobre isso, e parece uma aventura imperdível." Após um breve silêncio, ouvi-o suspirar.

"Melhor não, Lara. Ainda não sou especialista e estou tentando aperfeiçoar a dosagem. Na semana passada, tomei muito e fiquei inconsciente por alguns minutos. É muito impreciso. Não quero te usar como cobaia."

Assenti, tranquilizando ele com suspiros. "Compreendo. Não quero pressionar você de forma alguma. É que achei que talvez pudesse me ajudar com os ataques de pânico..." Deixei a frase no ar, na esperança de fazer bom uso do seu constrangimento tipicamente inglês. Ele suspirou outra vez.

"Não sabia que você tinha ataques de pânico. Eu também, desde criança. Eu dizia à minha mãe que não conseguia respirar, mas não conseguia explicar muito bem. Eles voltaram com força total ultimamente." Andrew me olhou com empatia e acariciou meu dedão.

"O que aconteceu?", perguntei, olhando para ele com a dose certa de preocupação. Descobri que os homens adoram ser encarados. Acham que você está realmente fascinada pelo que dizem.

"Meus avós sofreram um acidente..." Ele olhou para baixo e soltou a minha mão. Eu não insisti, peguei o vinho de novo e molhei os dedos no lago.

"Ei, essa água é muito funda? O Roger sempre age como se o Monstro do Lago Ness estivesse escondido aqui."

Ele riu e afastou o cabelo do rosto, mostrando o brinco de concha horroroso. A tensão dissipou. "Este lugar é a vida do Roger. Ele só gosta de imaginar que tudo aqui é maior e mais arriscado do que talvez seja. As lagoas são todas muito rasas, embora eu tenha ficado surpreso com esta ao atravessar. No meio, chega até a cintura. E você não vai querer que o Roger te pegue fazendo isso... Tem que tomar cuidado com os sapos, Lara", imitou ele em um tom falso de ultraje. Acabamos a garrafa, e eu disse que era melhor chamar um táxi. Andrew me ajudou a levantar — eu estava mais bêbada do que pensava — e voltamos para o portão da frente, rindo. Ofereci uma carona, mas ele disse que preferia o ar fresco, e eu entrei em um Toyota Prius, cujo motorista escutava um medley de trilhas sonoras de musicais. Alguns minutos antes de pararmos do lado de fora do meu apartamento, ouvi o bip do meu celular no bolso. Desbloqueei a tela e olhei.

Ok, vamos nessa. No próximo sábado, depois do trabalho. Traz o vinho. Acho que o rosé seria bom, mas é ULTRASSECRETO. *Ninguém sabe que eu faço isso.*

Apesar de a versão de "All That Jazz" que tocava ser horrível, senti um sorriso se formar no meu rosto quando cheguei ao meu destino. Te peguei.

* * *

A semana seguinte foi dura. Rolou uma dificuldade para dormir, trabalhar, fazer muita coisa, exceto pensar no que vai acontecer no sábado. Lembro-me de um momento, aos 17 anos, em que eu e o Jimmy fomos convidados para uma festa de aniversário de um cara na escola, em uma casa noturna em Finsbury Park. Ah, o glamour! Passamos semanas arranjando identidades falsas e pensando no que íamos vestir. Inventamos uma mentira eloquente para contar à Sophie e praticamos os detalhes para não sermos descobertos, como tantos adolescentes idiotas acabam sendo. A propósito, esse era um talento exclusivamente meu; Jim teria sido pego na hora. Faz uma cara péssima quando mente. Na segunda-feira anterior, estávamos tão entusiasmados que eu mal conseguia dormir. Meu estômago dava voltas e a adrenalina penetrava meus membros, e eu me revirava avaliando se ia funcionar ou não, se chegaríamos à boate e teríamos a noite que tínhamos previsto. Era patético. Nós conseguimos e tudo correu lindamente no final, mas a festa foi uma grande desilusão e acabamos presos esperando o ônibus à uma da manhã, debaixo de uma chuva gelada, com Jimmy tentando não vomitar e eu tentando não ficar perto dele caso ele vomitasse. Toda essa preocupação e ansiedade por nada. O sentimento é semelhante, exceto que as apostas são muito mais altas, e hoje em dia eu me recuso a pegar ônibus noturno.

Agora a questão não é escolher a roupa, mas levar um vinho fácil de abrir e luvas discretas. Consigo as coisas até segunda-feira. Depois, aguento cinco dias de pés batendo, pensamentos vertiginosos e uma imagem de Andrew sorrindo se intrometendo na minha mente. Para falar a verdade, não me lembro de Patrick Bateman ter tido momentos fugazes de culpa ou um sentimento de transgressão moral. Realizar esse plano com indiferença é muito mais difícil do que imaginei.

No entanto, sábado chega, e em vez de pegar o trem para o centro como normalmente faço, percorro o caminho todo a pé na esperança de acalmar meus nervos com o ritmo dos meus passos. Funciona bem, na verdade, e chego com um sorriso, disposta a começar a pintar a porta do banheiro acessível, como Roger tinha pedido. Andrew chega tarde e, durante minutos estressantes, fico preocupada que ele não venha, mas lá está ele, com o cabelo amarrado com um trapo antigo, usando short de patchwork que, indícios apontam, foram feitos com pijamas de flanela antigos. O pai dele deve ser cliente de um alfaiate chique na Jermyn Street, coitado. Que desperdício trágico. Aceno, mas não paro a pintura. Não preciso mostrar ansiedade, principalmente se ele estiver incerto sobre o que virá depois. Com o passar do dia, fica mais quente. Roger, Lucy e a velha senhora que está escapando do seu decrépito marido em estado vegetativo sentam-se em cadeiras dobráveis igualmente decrépitas do lado de fora do centro de visitantes e anotam nomes de plantas em plaquinhas para fincar na terra, como se estivéssemos em propriedade do serviço nacional de preservação ambiental. Graças a Deus está sol. A chuva certamente nos manteria do lado de dentro, e o plano que tenho em mente iria por água abaixo.

Acho que nunca trabalhei tanto como hoje. Duas camadas de tinta à prova d'água e um bom esfregão nas paredes internas. Nada como a promessa de um homicídio para aumentar a produtividade. Às 17h, Roger faz chá, largamos as ferramentas e bebemos no deque. Na verdade, a sensação é boa. Como se eu fizesse parte de alguma coisa. Algo mundano e totalmente inútil, mas significativo para quem nunca sentiu esse tipo de coisa. Houve alguns momentos como esse na minha jornada, momentos em que me perguntei se Deus estava me dizendo para abraçar uma vida diferente, mas depois lembro que não acredito em Deus e que, se Ele existe, então foi Ele que me deu essa vida. O que é que Ele sabe?

Vamos para o pub às 18h. Roger e Lucy estão conosco. Lucy realmente se revelou no tempo em que estivemos no centro. Aquele leve nervosismo tinha sumido de sua voz. Hoje ela está usando um lenço e uma jardineira, e seu rosto está bronzeado pelo trabalho ao ar livre. Roger é apenas uma figura paterna para ela? Não consigo ter certeza. Para o bem de todos, espero ansiosamente que sim.

O pub está bastante calmo, com apenas algumas mesas de desajustados, e um jovem bebendo uma cerveja sozinho com um livro, parecendo um pouco deslocado. Esse não é bem o tipo de estabelecimento em que você vem para ler e refletir. Andrew e eu tomamos uma garrafa de vinho branco rançoso, enquanto Roger e Lucy bebericam coquetéis. A conversa segue aos solavancos. Nem nos melhores momentos formamos um grupo espontâneo, especialmente agora que estamos contando os minutos como amantes desesperados para chegarem em casa e irem para a cama. Ansiosa para continuar, peço outra garrafa e faço uma demonstração exagerada de que preciso de coragem para um encontro que tenho mais tarde. Roger fica contente com isso, me diz para "fazer o rapaz pagar" e começa a dar conselhos sobre como iniciar uma conversa. Um deles, juro, era perguntar sobre jogos de tabuleiro.

"O meu favorito é... controverso. Monopoly!" Ninguém pergunta por que é controverso, e seu olhar de decepção já é uma recompensa.

Andrew começa a bater os pés e fico preocupada, pensando que talvez ele desista. Por isso, decido ser ousada. Viro minha taça, me levanto e abro um largo sorriso.

"Me desejem sorte. Tenho de estar no Angel às 20h30. Espero que ele valha a pena." Penduro a bolsa no ombro e dou tapinhas nas costas do Andrew com entusiasmo. Roger levanta o copo para mim e Lucy acena, desanimada. Saio do pub, deixo a estrada principal e volto para o centro. Decido não mandar mensagem, dando a oportunidade para que ele tome as rédeas. Em vez disso, eu me sento na calçada e bebo do frasco que trouxe.

Não costumo beber de frascos na rua, algo que grita "me ajude pelo amor de Deus" de forma tão óbvia, mas tive que trazer meu próprio vinho separado. O que escolhi para o Andrew está batizado com bastante vodca, mas preciso manter a mente lúcida. Agora você percebe por que preciso da garrafa de rosca: para não ter que lidar com rolhas. Um terço da garrafa entrou no meu frasco, e eu completei o resto com o melhor destilado que consegui encontrar. Não que ele vá ter uma ressaca amanhã, mas achei mais honesto do que lhe dar o tipo de bebida que parece solvente. Última refeição, sabe como é. Embora, pelo que fiquei sabendo, últimas refeições sejam coisa do passado nos Estados Unidos. Parece que um cara pediu toneladas de comida e se recusou a comer. Os guardas ficaram tão furiosos com essa exibição de poder que agora ninguém mais recebe o agrado do "último pedido". Os outros criminosos vão xingá-lo até o fim dos tempos, mas admiro sua determinação em irritar todo mundo.

Depois do que estimo ser meio copo, vejo uma figura se aproximando. Há homens que andam tão destrambelhados que parecem ter sido desenhados por uma criança. Andrew é um deles. Se restasse alguma dúvida, o conheceria de longe pelo cabelo. A ligeira oscilação sugere que ele terminou a segunda garrafa de vinho. Me levanto, rindo, e aceno para ele.

"Vai se foder por ter me deixado lá", disse ele, batendo em meu ombro. "O Roger ficou falando sobre o plano de reciclagem e a Lucy não fez nada para mudar de assunto. Parece que ela quase acha encantador." Ele solta a mochila e procura as chaves. Entramos. Uma vez lá dentro, larga a bolsa na mesa principal e eu vou à cozinha procurar por canecas. Não posso deixá-lo ver que vamos beber coisas diferentes, afinal. Quando encontro as canecas, ele já foi lá para fora e começou a se preparar. Observo que ele está usando luvas, ironicamente. Pelo visto, nós dois vamos tomar precauções esta noite.

"Vou te dar o líquido com um conta-gotas, está bem? Imaginei que você não fosse querer lamber um sapo." Ele ri, mas vejo que ainda está ansioso.

"Não se preocupe com isso agora, vamos deixar tudo pronto e tomar mais um drinque. Podemos fazer isso mais tarde", falo, sorrindo, e lhe dou uma caneca com "Sapotástico!" escrito. Ele aceita com gratidão e bebe um gole. Fico tensa, imaginando se vai notar a intensidade incomum, mas ele apenas toma outro gole e apoia a caneca ao lado, no deque.

Enquanto ele decanta a pasta de sapo, falamos sobre o seu trabalho de campo e os lugares aonde quer ir depois da Austrália. Como não tenho nada a perder, pergunto se os pais dele apoiam as suas ambições.

"A gente não se fala", diz ele, sem rodeios. "Já faz alguns anos. É melhor assim. Minha família é tóxica." *Não é mesmo verdade?*, penso, acariciando seu braço.

"O que aconteceu?"

"Ah, nada. Tudo. Nasci na família errada. Eu costumava brincar que tinha sido trocado na maternidade e que o verdadeiro filho dos meus pais estava dirigindo pelo litoral em um Bentley. Não são más pessoas... bem, minha mãe não é. Ela é adorável, na verdade, mas as expectativas que tinham para mim eram todas centradas em dinheiro e nos negócios do meu tio e era tudo terrível e cruel. Depois de desistir de trabalhar para a família, mantive o contato por um tempo, mas ficou muito difícil. Eles insistiam, diziam que eu estava tomando uma decisão estúpida e que me comportava como uma criança mimada." Ele dá mais uma golada no vinho. Todos deveriam beber vinho de uma caneca. É mais fácil exagerar.

Andrew se abre para mim enquanto relaxa. Sirvo mais vinho com vodca e ele explica como seu pai foi consumido por inveja do irmão mais velho, como a mãe foi emocionalmente negligenciada e a irmã tinha morrido aos 9 meses, fazendo-o sempre sentir que ele tinha que viver por ambos. Me faço de amiga compreensiva, enquanto agradeço internamente ao universo por só ter que lidar com um primo. A essa altura, já comecei a beber água, mas Andrew está tão bêbado que nunca notaria. Está totalmente em modo confessional, pensa que pode confiar a mim os seus pensamentos mais profundos e complexos. Os terapeutas merecem cada centavo. Eu não quero apressá-lo, mas a conversa de família não é detalhada o suficiente para me ajudar muito, e quaisquer perguntas específicas só recebem respostas vagas e enroladas. Está na hora da gosma do sapo, antes que ele fique bêbado demais para funcionar e eu tenha que esperar mais uma semana. Não aguento mais uma noite no pub com o Roger.

Felizmente, a boa educação da escola particular com a qual ele foi incutido não parece desaparecer com o álcool, e quando lembro Andrew do plano original, ele está preparado. Os conta-gotas surgem e Andrew explica que precisa queimar um pedaço da minha pele para ajudar o sérum a penetrar o corpo mais facilmente.

"Onde quer ser marcada?", ele pergunta. "A maioria das pessoas escolhe um lugar fácil de cobrir." Escolho o pé, já que não quero ter que me lembrar de cobrir ou explicar uma marca no meu corpo. Tiro os tênis e as meias, enrolando-as dentro dos sapatos. Analiso o deque, me certificando de que nenhuma das minhas coisas esteja por ali. Não terei muito tempo para ficar depois que chegarmos ao fim. Depois que ele chegar ao fim. A garrafa de rosé está vazia, e coloco-a perto da minha bolsa, enfiando a caneca em um bolso lateral para levar de volta para a cozinha.

"Você tem que fazer comigo, Andrew", lembro. "Sou covarde demais para fazer sozinha. Faça ao mesmo tempo. Você pula, eu pulo." Ele coloca o dedo no meu rosto e sorri, colocando um dread para trás da orelha.

"Não se preocupe, Lara, estou habituado. Vou te guiar nessa jornada." Argh. Jornada. Não é uma jornada a não ser que vá do lugar físico A para o lugar físico B. O que acho que ele vai fazer, de certa forma. Ele escolhe usar um ponto no braço abaixo de uma tatuagem que parece muito com um apanhador de sonhos. Devemos agradecer por não ser um símbolo chinês? Ele acende dois fósforos e toca a sola do meu pé esquerdo com eles. A sensação é quente, mas não dolorosa. É claramente um sinal de que preciso de uma pedicure melhor. Então ele aplica o líquido.

"Deita", ele instrui. "Espere alguns minutos e respire." Olho para o céu noturno, vendo-o queimar a própria pele de relance. Depois de um suspiro, ele se deita ao meu lado. "Se precisar vomitar, me avise que viro você. Ainda bem que há um lago aqui." Ele ri por um tempo, depois fica em silêncio. Ficamos lá no escuro e esperamos. Não sei quanto tempo ficamos assim. Sinto um calor rastejar sobre mim, um sentimento de conforto se infiltrando pelo meu corpo, como se fosse abraçada pelo ambiente, abraçada pelo vento.

"Estou sentindo alguma coisa", sussurro, e me viro para ele. Andrew geme suavemente de olhos fechados. Decido que não quero me mexer. Não quero parar a ligação que sinto a tudo à minha volta. As conversas constantes na minha cabeça ficam silenciosas e só consigo ouvir meu coração. Será que Andrew também consegue ouvir? Devagar e sempre. Pulsando através da pele. Sinto um animal passar pelos meus dedos e olho para baixo. É a mão dele, se ligando à minha. Solidariedade. Uma espécie de afinidade. E é bom.

NÃO.

Me viro e uso a força de nossas mãos entrelaçadas para jogá-lo na água. O corpo dele está relaxado, mal tenho que aplicar força, o que é útil porque me sinto muito zonza. Enquanto ele cai, seu corpo escorregando, nossos olhos se fixam e ele sai de seu devaneio por um segundo. O rosto dele se transforma em choque e a boca se abre como se estivesse prestes a gritar, mas ele não tem forças. O vinho e o sérum de sapo fizeram o seu trabalho, e ele cai de cabeça no lago. Me sento no deque, ponho os pés na água e afundo a cabeça dele, usando o peso do meu corpo e o deque de madeira como apoio. Consigo ver as minhas unhas dos pés brilhando sob o luar. Embora os seus próprios pés chutem por um breve momento, logo a agitação dele diminui e a água fica calma de novo. Não sei quanto tempo demora, mas sinto que estou vendo a cena de certa distância. Por isso me inclino e olho para o corpo na água, à procura de qualquer sinal de vida. Não parece aconselhável cometer homicídio sob influência de uma droga anfíbia não testada. É um desleixo, na verdade, mas, na vida, precisamos trabalhar com o que temos.

Quando tenho a certeza de que ele não vai sair da água, como é de praxe na maioria dos filmes de terror, me inclino e passo as mãos em seu pescoço. Jogo água no rosto e me levanto, calço os sapatos outra vez, pego uma toalha da bolsa e seco o deque, deixando a garrafa e um frasco do sérum. O resto coloco em um saco plástico. Pego o celular dele, que eu o vi destravar com sua data de aniversário (até os hippies têm iPhones), e apago o nosso histórico recente de mensagens. Tive o cuidado de não ser específica sobre os nossos planos por mensagens, mas ele mencionou nosso encontro e não quero perguntas. Eu observo a cena com a lanterna do meu celular enquanto Andrew flutua atrás de mim e fico satisfeita por ter dado tudo certo. Parece acidental. Parece trágico, mas não suspeito — o equilíbrio perfeito.

Levo minha caneca de volta para a cozinha, lavo, seco e volto a colocá-la no armário. Depois saio do centro, ponho o capuz e ando em direção à estrada principal, onde um Uber está à minha espera. Paro por um segundo na estrada e olho em volta, com a impressão de que alguém está me seguindo, mas as drogas fazem com que eu imagine coisas que não estão lá, então ignoro a sensação. O carro atravessa as ruas tranquilas antes de chegar às principais, cheias de pessoas se divertindo no sábado à noite, as figuras girando e se misturando como um borrão. No caminho de volta, respiro profundamente pela janela para me estabilizar e giro as contas do colar que removi do pescoço do Andrew enquanto ele estava na água. Outro suvenir, suponho. Um capricho, na verdade, algo retirado de filmes sobre assassinos em série, mas eles eram principalmente homens solitários fazendo isso por diversão sexual, e eu, por outro lado, tenho um fim em mente. E não é um fim que termine com a minha foto em um programa de TV sobre assassinos sexy.

Saio do Uber a minutos do meu apartamento e deixo o saco com as toalhas e as luvas em uma lata de lixo. Paro e prendo a respiração por um segundo, sentindo que não tenho ar suficiente nos pulmões, antes de decidir que vou me permitir caminhar pelo resto do trajeto de volta e me deixar ficar triste. Durante precisamente nove minutos, deixo as lágrimas rolarem pelo meu rosto e suporto o arrependimento que me inunda os pensamentos. Quando destranco a porta de entrada, esfrego os olhos e balanço a cabeça. É o suficiente. Uma taça de vinho e dois episódios de *Golden Girls* mais tarde, sinto que o efeito da droga diminuiu o suficiente para eu poder dormir. Recordo brevemente o arrependimento que senti no caminho para casa, mas meu último pensamento antes de dormir não é sobre o meu doce primo, agora emborcado em um lago lamacento. Enquanto coloco a ponta do edredom por baixo dos pés e posiciono um travesseiro embaixo de uma das coxas em um ângulo específico para ficar confortável, meu penúltimo pensamento é que preciso me dar ao luxo de comer um bom *brunch* no dia seguinte. Decido também por uma pedicure, só para me livrar dos restos de pasta de sapo. O autocuidado é a última tendência consumista imposta para as mulheres como forma de empoderamento, mas não significa que não seja gostosinho. Além do mais, é importante cuidar de si mesma depois de uma semana difícil no trabalho.

COMO MATEI MINHA ~~QUERIDA~~ FAMÍLIA

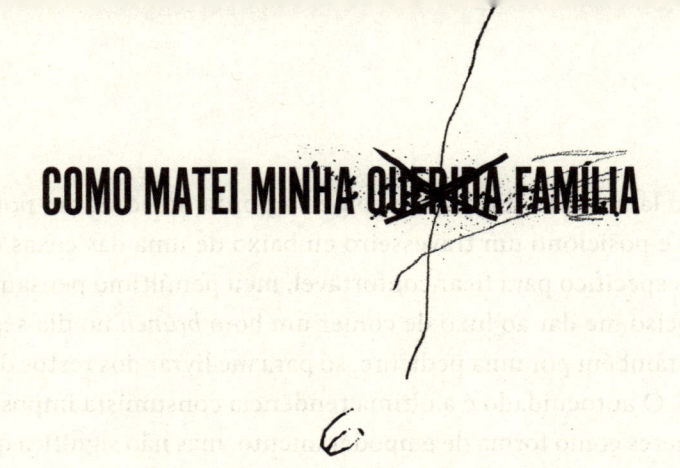

A pior parte da prisão não são as horas de espera na sua cela, a comida, ou os cortes de verbas e privatizações que fizeram com que idiotas incompetentes de uniformes baratos se encarreguem de criminosos perigosos. Não são os edifícios antigos e gelados onde ratos fazem a festa, como imaginava que fizessem em Marshalsea.[*] Sinceramente, eu poderia relevar tudo isso com a esperança de um dia ser liberta e nunca mais ter que dividir beliche com uma mulher que coloca corações nos pingos dos is. O pior da prisão é que, às vezes, um diretor ou um político cisma que nós, prisioneiras, precisamos de algo para enriquecer as nossas almas, para nos aprimorarmos, para deixarmos de ser tão brutas e aterradoras. Desse pensamento repentino, surge um plano. Isso geralmente envolve algum esquerdista cafona (um conservador jamais ia querer nos mostrar como lidar com a raiva fazendo cerâmica) se voluntariando para dar uma aula (que é sempre obrigatória) na qual somos incentivadas a pintar os nossos sentimentos ou algum absurdo do tipo.

Eles costumam vir uma vez e depois ou ficam impressionados demais para voltar, ou sentem que fizeram o bastante para proclamar sua virtude pelo ano inteiro. Se forem realmente empreendedores, escrevem

---

[*] Famosa prisão londrina conhecida, entre outras coisas, pelas más condições em que abrigava prisioneiros por dívidas, piratas e traidores da nação. Extinta em 1842, foi imortalizada por Charles Dickens em *Little Dorrit*.

um artigo para o *The Guardian* sobre como os prisioneiros só precisam de respeito e educação, como se trabalhassem nas prisões há quatro anos, em vez de uma hora em um período de trabalho tranquilo.

Hoje fomos todas para a sala de aula, onde sofremos por uma hora aprendendo a fazer colheres. Na verdade, nem mesmo um só homicídio justificaria essa punição. O único ponto alto foi pôr as mãos em uma faca pela primeira vez depois de um bom tempo. É uma pena que as funcionárias as contem com tanto cuidado depois. Kelly está com inveja por eu ter sido escolhida como parte do grupo forçado a essa atividade sem sentido e admira a colher de pau que eu fiz. Ela teria adorado a aula de hoje, ela confidencia quando a encontro depois, e "que lindo presente de Natal aquela colher seria para sua mãe". Olho para Kelly, impassível, me perguntando quanto tempo ela vai demorar para se lembrar de que minha mãe está morta. Pelo visto não vai. Então, em vez disso, jogo a colher para ela e lhe digo para fingir que foi ela que fez e dar de presente para a mãe. Kelly fica encantada, e eu me pergunto, não pela primeira vez, que tipo de mulher é a mãe dela. Para ficar emocionada com uma colher torta feita em uma prisão pela sua filha adulta condenada, não deve esperar muito da vida. A mãe dela pode juntar esse presente ao pássaro bordado que ganhou na Páscoa e ao açucareiro horrível feito de algum tipo de massinha que recebeu de aniversário. A única diferença é que a colher tem algumas marcas especiais nela. Parecem hieróglifos, mas são as iniciais de todas as pessoas que matei, embora ninguém fosse examinar com atenção. Não foi uma jogada muito sofisticada, mas eu já tinha acabado o entalhe muito antes das outras idiotas da turma e não queria desperdiçar meu tempo com a lâmina. Será que a mãe da Kelly vai apreciá-las?

Na cela, tiro papel e caneta de dentro de um par de meias enroladas. Não há privacidade aqui, especialmente com uma companheira de cela como a minha. Todas tentam pegar as coisas das outras, tentam usar os seus segredos como vantagem, querem saber as suas histórias. Kelly nem se dá ao trabalho de esconder o diário. Essa mulher te diria tudo sobre a vida dela caso você fosse estúpida ou estivesse entediada o suficiente para perguntar. Quando você faz uma pergunta à Kelly, é provável que jamais cometa esse erro de novo. Já te disse por que é que ela está aqui? Não por violência ou roubo, como algumas de nós. Kelly era uma chantagista. Tinha um bom esquema para fazer com que homens casados enviassem fotos a ela, fotos que suas esposas podiam não gostar muito. Ela começou devagar, em aplicativos de encontros, então ficou mais ousada quando descobriu o Twitter e escolheu homens com perfis de mais status. Ela é atraente, a Kelly. Lábios grandes e cheios, que desconfio serem resultado de um preenchimento barato, mas bons o suficiente à distância, e cabelo ruivo volumoso. Infelizmente, sua inteligência limitada a tornou um alvo fácil quando um homem finalmente teve coragem de parar de lhe enviar dinheiro e contatar a polícia. Ela havia mandado o dinheiro para a conta do namorado, burra que só, e acabou por cumprir uma pena de meses. Não é um crime refinado, admito, mas também não tenho empatia pelas vítimas dela. Se você é iludido o suficiente para acreditar que alguém quer ver uma foto do seu amiguinho flácido tirada pelo iPhone, você merece ser chantageado por isso.

Desenrolo o papel e me sento para escrever um pouco antes do jantar. Não sabia se ia gostar de revisitar meu passado, mas calhou que eu fiquei bem feliz de repassar tudo. Se tem algo que posso dizer é que escrever faz com que eu me sinta orgulhosa. Me lembro da urgência das minhas emoções juvenis e da forte necessidade de corrigir um erro. Nos anos que se seguiram, eu não senti muito de nada; na verdade, a tarefa exigia muita disciplina.

Para um observador casual, não aconteceu muito entre a morte da minha mãe e o momento em que coloquei o meu plano em ação. Uma pessoa que cruzasse meu caminho naquela década teria imaginado que eu era só mais uma *millennial* medíocre. De certa forma, era. Vivi um ano com Helene, o que foi bom, já que ela ficava fora e eu tinha muito tempo para mim. O fato de ela achar ok deixar uma adolescente enlutada sozinha por tanto tempo comprovava sua inabilidade como tutora, mas nunca reclamei. Gosto de ficar sozinha; outras pessoas me irritam com tentativas de bater papo e de interação. Quando eu tinha 14 anos, Helene me disse que tinha recebido uma oferta de emprego em Paris e achou que estava na hora de voltar para casa. Ela segurou a minha mão e insistiu que ficaria se eu quisesse, mas que os pais do Jimmy tinham oferecido um quarto para mim e ficariam encantados em me receber. Ela parecia mesmo angustiada, e senti que seria impróprio agarrar a oportunidade e começar a arrumar as minhas coisas na mesma hora. Então forcei uma choradinha e disse a ela que deveria aceitar o emprego. Eu sentiria a falta dela, falei, mas não conseguiria viver com a culpa se a impedisse de aproveitar uma nova oportunidade. Na verdade, a Helene era uma mulher bem legal, e eu gostava do elo que nos unia com a minha mãe, mas eu estava louca para seguir a vida e começar a investir no meu plano. E Helene, com conexões e recursos limitados, não seria capaz de me ajudar de qualquer maneira significativa. Por outro lado, os pais do Jimmy, apesar do seu desconforto com o seu próprio privilégio, viviam em um mundo onde as portas podiam se abrir se você conhecesse as pessoas certas. Eu tinha certeza de que poderiam me ajudar de alguma forma. Eu não tinha nada a perder, já que não conhecia ninguém importante e não tinha privilégio nenhum.

Um mês depois, minhas malas estavam prontas. O peixe e eu pegamos um táxi para a casa do Jimmy. Helene estava bem agitada organizando sua vida para a mudança para a França, por isso aproveitei a oportunidade para pegar a caixa que ela havia escondido debaixo da cama. Imaginei que ela nem daria falta, mas eu não estava preocupada com isso. Os arquivos falavam de mim e da minha família, e duvidei que ela quisesse criar confusão — quando percebesse, ela já estaria do outro lado do canal e imersa em uma nova vida. Jimmy e Sophie me receberam à porta, e o cão deles, o Angus, quase derrubou o RIP das minhas mãos enquanto saltava para lamber minha cara.

"Fizemos um jantar de boas-vindas, Grace. Lasanha de legumes, e a Annabelle fez sobremesa." O Jimmy fez cara feia para a mãe.

"Ela pode ao menos ver o quarto antes de ser obrigada a se sentar e comer essa porcaria de bolo?" Ele pegou minhas malas e saltou os degraus, dois de cada vez, enquanto eu agradecia à Sophie e acenava para Annabelle, ocupada na cozinha com um saco de confeiteiro. A irmã caçula dele era uma menina ansiosa de 11 anos. Não a via há algum tempo, mas Jimmy me contou que ela já estava fazendo análise. Sophie era uma entusiasta da terapia juvenil, o que me causou zero surpresa. Eu esperava que ela não fosse sugerir isso para mim, e já havia pensado em dar a desculpa de que a escola já me oferecia um terapeuta.

Meu quarto era no último andar, debaixo dos beirais e em frente ao de Annabelle. Jimmy estava no andar abaixo (era o primeiro sobrado em que eu morava, e a subida da cozinha ao quarto já parecia longa demais), o que ele disse não ser acidental. Annabelle e ele haviam trocado de quarto na semana anterior, depois de Sophie e John terem entrado em pânico com a ideia de Jimmy e eu dormirmos no mesmo andar. Embora nada tenha sido dito explicitamente, eu podia imaginá-los com uma garrafa de vinho debatendo sobre consentimento, hormônios e se sua casa seria um ambiente seguro para uma garota vulnerável. Eles não precisavam se preocupar. Embora eu achasse Jimmy um cara legal e valorizasse imensamente sua amizade, sempre achei que, a depender do ângulo, ele se parecia um pouco com uma batata (a semelhança com tubérculos sumiu mais tarde na vida, felizmente). E, de qualquer forma, as distrações adolescentes normais como o sexo e o álcool não me agradavam. Eu não ia ser uma daquelas vagabundas que fumavam, hesitavam sobre qual universidade frequentar e iam viajar de mochilão para atrasar as escolhas da vida adulta. Queria resolver tudo isso logo.

Depois de ter largado minhas malas e conversado com Jimmy, descemos para comer. John tinha acabado de chegar em casa e estava servindo uma taça de vinho tinto com uma das mãos e distraidamente puxando a gravata com a outra. Ele se virou para me cumprimentar, beijou minha testa e esfregou meus ombros antes da Sophie lhe dar um monte de pratos para colocar na mesa. O abraço causou uma estranheza em mim. A família do Jimmy era muito carinhosa, a mãe e o pai estavam sempre se abraçando ou de mãos dadas e ninguém parecia achar isso invasivo ou irritante. Havia sempre alguém em casa, algo cozinhando, o barulho constante da vida diária. Não me importei com o abraço do John; na verdade, foi agradável, caloroso, gentil, mas incomodou, talvez porque percebi que tinha perdido essa experiência. Pensar nisso me irritou. Normal — eu não estava habituada ao normal, por mais que Marie tentasse me dar estabilidade. Me perguntei se aprenderia a amar essa forma de vida em família, se eu também abraçaria e beijaria por instinto, se me esqueceria do tempo que havia passado com a minha mãe e me entregaria a uma vida assim. A ideia era interessante, mas eu precisaria evitar perder minha dureza. Os Latimer eram pessoas ótimas, e eu estava feliz por viver lá, mas, se abraçasse seu modo de vida com muito entusiasmo, corria o risco de acabar lendo o *Guardian*, trabalhando com artes e comprando vinho britânico orgânico de presente de Natal para as pessoas. Uma vida bela e confortável, apesar do sentimento de culpa e da hipocrisia que Sophie exibia tão bem, mas que não fazia sentido.

Apesar do medo de me permitir relaxar demais, eu me adaptei rápido à vida com os Latimer. Sophie passava muito tempo tentando me deixar confortável.

"Pode se sentar onde quiser, querida. Por favor, coma o que quiser."

A ênfase constante em fazer com que eu me sentisse parte da família servia para me mostrar que eu definitivamente não era, mas percebi que essa era a única maneira que Sophie conhecia de ser Uma Boa Pessoa. Voltei para minha antiga escola e me esforcei para ir bem nos meus exames nacionais, tirando notas máximas e recebendo uma condecoração da professora por meu sucesso "frente aos desafios vividos". O olhar de pena que ela demonstrou ao me dar o papel com meu nome foi desconfortável. Joguei o certificado no lixo a caminho de casa.

Jimmy e eu passávamos quase todo o nosso tempo livre juntos. Eu me dava bem com os outros alunos da escola, mas não estava preocupada em ter um grupo de amigas, passar o tempo com garotas que analisavam com precisão forense o que um rapaz *realmente* queria dizer. Jimmy tinha um grupo de amigos com quem andava desde a escola primária — jogavam futebol no parque e participavam de competições nos finais de semana —, mas, quando me mudei, eles foram deixados de lado. Sophie estava preocupada com isso, eu podia ver. Ela sugeria um jogo de tênis ou oferecia uma noite de pizza para "todos os nossos amigos", o que na verdade significava apenas os amigos do Jimmy, mas ele desconversava e dizia que ficava para a próxima. Eu não estava assim tão ansiosa quanto Sophia para recebê-los. Os amigos do Jimmy eram monossilábicos, a menos que estivessem fazendo piadas uns dos outros e nenhum deles fazia contato visual comigo quando falava. Como se fazer contato visual com alguém do sexo oposto significasse um compromisso sério e eles fossem ser forçados a ceder o Xbox em um término inevitável. Além disso, Jimmy e eu nos dávamos bem, não precisávamos de mais ninguém. Gostávamos de conversar durante horas, de ficar deitados em silêncio e até de fazer as tarefas juntos. Jimmy nunca me pressionava sobre o luto, mas eu sabia que ele entendia quando olhava para mim. Sem nenhum quê de pena na sua expressão.

Entrei em uma rotina na casa dos Latimer. Sophie e John me tratavam quase como uma filha, só que, às vezes, com ares de triunfo, me empurravam para a frente de amigos, como se eu fosse uma refugiada que eles heroicamente acolheram. Embora, de certa forma, eu fosse. O acordo era esse, afinal. Eu era alegre, útil e fazia o Jimmy feliz, e os Latimer me davam comida, teto e amor. Ambos concordamos em ignorar quaisquer perguntas desconfortáveis sobre por quanto tempo eu seria parte da família. Apesar dos meus protestos, insistiram em pagar para que eu conversasse com uma terapeuta amiga deles. Elsa, uma mulher atarracada que usava óculos de armação grossa e colares de contas de madeira, que mal falava. Contei que estava animada em relação ao futuro e ela me deu alta depois de seis semanas.

Em cerca de um ano ou dois, eu entendi totalmente a riqueza que os Latimer tinham. Não era chamativa como a do meu pai. Era implícita, mas óbvia. A comida chegava em entregas enormes de delicatessens de luxo. Havia flores em todos os cantos da casa, buquês mais lindos do que qualquer um que se visse no supermercado. Sophie gastava centenas de libras em almofadas decorativas das lojas iranianas de decoração em Crouch End e as chamava de pechincha sem sarcasmo algum. Eles falavam sobre como era importante viver na "Londres de verdade", mas estavam isolados de qualquer coisa remotamente real. Eu nem sabia o que eles queriam dizer com isso. Acho que nem eles sabiam. A mansão

Artemis era protegida por enormes portões. Os Latimer teriam achado isso horrível, mas não eram diferentes. Eu reconhecia como a vida deles era absurda, mas era difícil não gostar dela. Aos 15 anos, eu usava os cremes caros da Sophie e analisava três tons diferentes de verde para pintar as paredes do meu quarto. Nunca pensei que tivesse gostos caros. Nunca tive a oportunidade de saber, mas descobri depressa.

No verão anterior ao último ano na escola, eu e o Jimmy pudemos sair de férias sozinhos pela primeira vez. Fomos para a Grécia com seu amigo Alex e a namorada dele, Lucy. Ela frequentava uma escola particular no oeste de Londres e adorava expressar choque toda vez que eu confessava não conhecer algo. Era um CRIME que eu nunca tivesse estado na Grécia antes, como eu poderia nunca ter bebido um *macchiato* em TODA A MINHA VIDA, nossa, era tão HILÁRIO que eu nunca tivesse nadado no mar. Foi um grande alívio quando ela ficou doente com algum tipo de intoxicação alimentar no segundo dia de viagem e não voltou a me incomodar até o sexto dia, pouco antes de voltarmos para casa. Bem, eu chamo de intoxicação alimentar, mas foi bem menos aleatório que isso. Algumas doses de xarope de ipeca administradas com o café da manhã (que eu insisti em fazer por essa mesma razão) deram conta do recado. Acho que ninguém me culparia, afinal, é impossível passar muito tempo com alguém que caça aos finais de semana e realmente chama a mãe de "mamãe". Alex também parecia feliz com a ausência dela, então as férias foram ótimas. Lucy ainda estava frágil no voo para casa e estremeceu bem de leve quando passei a mão por cima da perna dela para pegar minha mala. Ninguém mais reparou. Ela e o namorado terminaram algumas semanas depois, o que foi melhor para todos, dadas as circunstâncias.

Em Londres, eu tinha escolhido quais exames prestar para a faculdade e me decidido por inglês, francês e administração. Jimmy passava muito tempo analisando os prospectos universitários com os pais e discutindo os méritos de diferentes faculdades de Oxbridge à mesa, enquanto Annabelle e eu fazíamos uma grande performance suspirando em voz alta. Eu não ia para a universidade, para a grande consternação de John e Sophie, que pareciam não entender que havia outra opção.

Aos olhos deles, terminar a educação formal aos 18 anos era uma via de mão única para um emprego empacotando caixas em armazéns, gravidez, drogas ou algo possivelmente pior — afinal, isso talvez significasse se mudar de Londres e morar longe demais de alguma loja de queijo artesanal, mas eu não queria desperdiçar mais três anos em estudos, me endividando e gastando tempo com outros alunos, que eu suspeitava que falariam sobre espaços seguros e organizariam protestos em dias chuvosos. Eu tinha mais o que fazer.

COMO MATEI MINHA ~~QUERIDA~~ FAMÍLIA

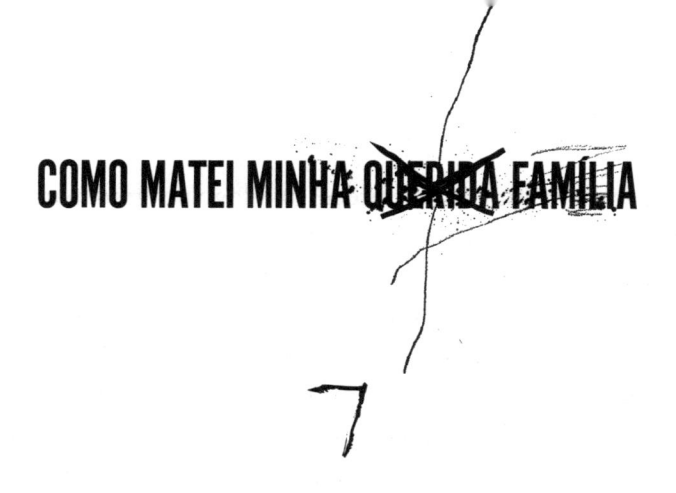

7

Para a surpresa de ninguém, as atividades na prisão são obrigatórias. Algumas delas são organizadas como se fossem escolha sua. "Hoje vai acontecer um quiz na sala de TV, precisamos que vocês formem duplas!", mas, se você tentar escapar educadamente, um guarda vai dizer: "Seis horas, Grace, espero te ver lá com uma dupla". Daí Kelly vai puxar minha mão e anunciar que vamos jogar juntas, enquanto eu tento me dissociar do meu corpo. Hoje há uma palestra não opcional sobre como ser uma líder. A manhã toda, a Kelly tem cantado "Who run the world? GIRLs!" a plenos pulmões, como se o seminário fosse o primeiro passo para gerir uma empresa multinacional e não um exercício inútil para marcar um xis na caixinha de um plano governamental qualquer. "Empodere essas mulheres", alguém deve ter dito, "precisamos incentivá-las a canalizar suas habilidades específicas para trabalharem em empregos mais tradicionais!" Como se a Kelly e as outras mulheres na ala fossem ser orientadas a usar chantagem, roubo, fraude e outros crimes de uma forma mais respeitável. Para ser justa, algumas delas seriam ótimas banqueiras em outra vida, mas mesmo os banqueiros costumam desaprovar homicídios. Tenho algumas horas antes do horror da palestra, por isso vou voltar a escrever.

Quando deixei a escola e me recusei a ir para a universidade, arranjei um emprego na Sassy Girl, em Camden Town. Um enredo óbvio para nossa heroína, imagino que você esteja pensando, mas eu tinha 18 anos, precisava começar de algum lugar e achei que trabalhar em um dos negócios de Simon me traria vantagens. Comecei no depósito, descarregando entregas e fixando etiquetas de preço, mas logo progredi para os caixas. Os dias eram longos e frenéticos. A mercadoria voava das prateleiras. A marca sabia exatamente como fascinar adolescentes naquela época, vendendo o que tinha sido usado por alguma celebridade poucos dias antes. Esse processo era um mistério para mim — lembro-me de achar que os estilistas da marca tinham tanta perspicácia que seu trabalho se alinhava com as tendências da alta costura. Mais tarde compreendi a realidade: a Artemis Holdings tinha mulheres infelizes em sua sede alterando os designs da alta costura com sutileza o suficiente para passar pelo departamento legal. Uma vez autorizadas, as roupas eram confeccionadas com qualquer tecido sintético que tivessem por perto. As adolescentes não davam a mínima. Shorts jeans de glitter iguais aos de sua cantora favorita por 15 libras, quem liga se cheiram levemente a borracha?

Me surpreendi ao gostar da experiência na loja. Eu não tinha um minuto para parar e pensar, trabalhava muito e fazia o que me pediam. Dobrar poliéster manchado e amarrotado que tinha sido largado nos provadores me afastou das roupas baratas pelo resto da vida, mas minha dedicação foi notada pela chefe, uma mulher magra que parecia muito mais velha, mas devia ter menos de 30 anos. Ela me indicou ao programa de formação de gerentes da Artemis, um cargo que me permitia ter acesso aos lucros diários. Aos 19 anos, eu era uma funcionária com um crachá de pendurar no pescoço e o poder de disciplinar novos funcionários.

Jimmy foi para a universidade, assim como a maior parte dos nossos colegas. Alguns chegaram a Oxbridge, mas a maioria foi para Sussex, onde drogas e festas eram a ordem do dia, ou Manchester, que fazia os jovens do norte de Londres acharem que estavam vivendo algum tipo de vida "real". Sophie, bendita seja, tinha conseguido transformar a rejeição de Jimmy por Oxford em um trunfo moral.

"Bem, o sistema de Oxbridge é para gente metida demais. Sussex é um campo *muito* vibrante e bem progressista. Os alunos aprendem muito mais sobre o mundo do que nós no St. Hilda's College. Sorte do Jim!"

Fiquei na casa dos Latimer durante mais oito meses, o que foi uma experiência muito estranha para todos, exceto Annabelle, que acredito que tenha gostado de ter alguém em casa que não fosse um Latimer. Com

Jimmy fora e Sophie percebendo que mais um desfalque a deixaria com o ninho vazio, sua necessidade de cuidar ficou ainda mais intolerável. Todos os dias ela fazia um smoothie de linhaça para Annabelle no café da manhã ("pobrezinha, não tem corpo ainda, nem precisa de sutiã") e ficou obcecada em fazer a filha meditar com ela. Para uma terapeuta, ela era bem obtusa sobre a raiz dos problemas da filha neurótica, mas talvez os filhos de outros terapeutas diriam que isso é bastante normal.

Ficou claro para todos nós que o acordo difícil que tínhamos feito quando a família me acolheu estava nas últimas. Eu tinha chegado à casa tarde demais para ser um deles, e Jimmy era a cola que nos mantinha unidos. Sem ele, nossas interações diminuíram muito, e eu passava mais tempo fora de casa ou no meu quarto. Ganhar meu próprio dinheiro pela primeira vez significava que eu era menos propensa a seguir as regras implícitas de Sophie. Trocava comida caseira por McDonald's e cortei o cabelo em um chanel sisudo, que até eu admito ter sido um erro. Não tenho queixo para isso. Se eu não jantasse com a família à noite, Sophie dizia que estava preocupada comigo. Ela nunca ficava zangada, uma emoção que teria achado medíocre demais. Só expressava preocupação constante. Sobre o meu cabelo, minha ambição, minha falta de amigos. Ela estava certa sobre a falta de amigos. Jimmy também era a minha cola nesse aspecto. Nunca tive facilidade para criar laços. Em parte parecia uma habilidade que eu não tinha, mas, principalmente, porque eu tinha decidido cedo que os adolescentes eram terríveis. Queria virar adulta logo e poder ficar sozinha o quanto eu quisesse. Gosto de estar por minha conta e nunca entendi a fraqueza das pessoas que anseiam pela companhia dos outros o tempo todo. Talvez tenha sido por isso que Sophie e eu nunca tenhamos nos conectado. John era como eu, podia ficar no escritório ou trabalhar até tarde todas as noites da semana, mas Sophie queria todos à sua volta: isso mostraria que ela era uma pessoa de sucesso com uma família que a via como um elo vital.

Então, eu me mudei. Eles protestaram, o que foi entendido por ambos os lados como uma formalidade. Então John pagou uma van de mudança e um colchão. Eles também subsidiaram parte do meu aluguel, o que eu achei desconfortável no início, mas passei a aceitar. Afinal, pessoas como John e Sophie precisam compensar sua culpa. Patrocinar uma criança estrangeira desconhecida é o nível básico. Ajudar uma (semi)órfã é jogo sério. Eu fazia meu papel: por que não os deixar ajudar a longo prazo? Encontrei um apartamento de um quarto em Hornsey, a apenas quinze minutos a pé do sótão que eu dividia com a minha mãe, e suportei uma última refeição com os Latimer. Jimmy veio da universidade para isso, sob insistência de Sophie e, depois de uma absurda *moussaka* (ela jamais cozinharia algo que não parecesse exótico), ele foi ao meu novo apartamento comigo, trazendo uma garrafa de vinho roubada da família. Transamos naquela noite, um acontecimento estranho, mas inevitável. O sexo era uma forma de intimidade sobre a qual estávamos cada vez mais curiosos à medida que crescíamos, à medida que nos aproximávamos. Foi um jeito de nos unirmos ainda mais — algo que mais ninguém poderia ter de nós. Talvez houvesse um elemento de controle para mim também, abrir outra parte de mim para ele e apenas para ele, sabendo que Jimmy valorizaria nossa relação ainda mais. Mas não foi apenas um ato calculista da minha parte. Passei anos alternando entre amar Jimmy como irmão e desejá-lo como parceiro. Às vezes, ele é apenas um edredom confortável que eu sei que sempre vai estar lá, mas também é a única pessoa que conheço que pode partir meu coração. Acho tudo muito confuso, sempre nos aproximando e nos afastando. Não fico surpresa por não ter deixado que ele passasse a noite lá. Não queria encontrá-lo ao meu lado quando acordasse em minha nova casa. Queria que fosse só minha; mas, ainda assim, abri os olhos naquela manhã esperando vê-lo deitado na cama.

    Trabalhava, corria e às vezes encontrava amigos da escola que estavam de visita durante alguns dias de folga da universidade. Cozinhei muito, algo que nunca tinha feito antes. Lia livros sobre abrir seu caminho no varejo, um dos textos mais chatos que uma pessoa pode ter a infelicidade de ser obrigada a ler; mas foram úteis, ainda que apenas pelo jargão que me ajuda até hoje. Se você introduzir algumas frases bem escolhidas, é visto como competente. "A persona vai adorar esse desconto" comunica a um gerente de varejo que você entende o que é um cliente sensível a preço. E também te faz querer dar de cara em uma parede.

la à casa dos Artemis quase todas as semanas, só para me lembrar do meu objetivo final. Esse objetivo parecia mais próximo quando me pediram para me candidatar a um emprego na equipe de marketing. Eu trabalhava na Sassy Girl havia quase um ano e não tinha qualificações para trabalhar na sede, mas importunei minha gerente quase sem parar pedindo para ela me avisar se alguma coisa surgisse fora da loja e ela deve ter ficado com pena de mim. Ela me recomendou pelo meu trabalho esforçado e pelo interesse em aprender sobre a marca e elogiou minhas vitrines, o que deve ter ajudado. Quem diria que juntar uma parka de corino com uma bolsa fluorescente fosse contar como experiência? Era um emprego no degrau mais baixo, mas era na porra da escada. E isso significaria trabalhar no mesmo edifício que o Simon. Cinco andares e um mundo de mármore de distância; mas, ainda assim, uma ligação que significava algo para mim naquela época.

Aguentei exatamente treze meses. O trabalho era, ao mesmo tempo, ineficiente e vergonhoso. Eu não tinha interesse em "exercitar a criatividade" nas reuniões sobre displays e escutar alguém dizer "produtos que desestruturam o cliente" fazia com que eu me sentisse artificial ao extremo. Tirei três coisas boas da experiência. A primeira foi que ganhei muito dinheiro para uma garota de 20 anos e o guardei com zelo obsessivo. A segunda foi que eu pude visitar a casa de Simon quando ele deu sua festa anual para a equipe. Eu teria dado tudo o que tinha para ter um vislumbre daquela mansão na colina e lá estava ele, me recepcionando. Uma víbora, por assim dizer, deslizando para o seio da família.

Recebíamos os convites aleatoriamente. Dizem que eles convidavam as pessoas tirando nomes de um chapéu todos os anos, para que o sistema não favorecesse alguns mais que os outros. Deve ter sido uma coincidência que a festa estivesse cheia de gerentes de alto escalão e jovens bonitas que trabalhavam em cargos juniores. Gary, o gordo designer do site que se sentava a três mesas de mim, nunca tinha sido um dos sortudos. Por outro lado, sua aparência e sua vaga aura de "cansei de viver" também não eram algo que eu fosse querer em uma festa. O homem passou um ano tomando sopa instantânea com a mesma colher de plástico todos os dias. Havia muitas outras colheres disponíveis na cozinha comunitária. Era algo desconcertante.

A festa de funcionários da Artemis foi um evento sem graça no jardim, com canapés e espumante quente servido por estudantes entediados. Havia uma máquina de algodão-doce montada ao lado de um minilabirinto, e algumas pessoas tinham cometido o erro de aceitar a coroa de flores feita por uma mulher com aspecto natureba que estava completamente deslocada naquele palácio da ganância. Posso atestar em primeira mão que um homem ligeiramente suado usando um terno cinza e uma coroa de flores é o retrato da perda da dignidade. Mesmo com as atividades deprimentes ofertadas, dava para ver que era um evento para ticar uma lista de afazeres. Levantar o moral dos colaboradores ao fingir valorizá-los o suficiente para convidá-los para sua casa. No entanto, não fomos valorizados o bastante para termos acesso aos banheiros da casa. E uma empregada com fisionomia severa ficou plantada na escada, caso alguém ousasse pensar em subir para dar uma bisbilhotada. Mas, para mim, foi uma maravilha. A casa para onde a minha mãe tinha me levado, que eu vira de fora, sabendo que nunca seria chamada para entrar. Eu estava ali. Fui convidada a entrar com uma taça e um sorriso morno. Passei uns bons vinte minutos observando uma empregada seguir as pessoas discretamente e desinfetar tudo aquilo em que tocavam. Foi fascinante.

Bryony claramente não tinha a menor intenção de se misturar com os funcionários e não estava à vista. Simon ficou em um canto com os homens da gerência, a fumaça de charuto formando uma esfera em torno de suas cabeças. Ele não interagiu com a esposa nem uma vez, pelo que vi. De vez em quando, uma jovem da equipe era chamada para perto deles e uma risada ecoava pelo gramado. Imagino quantos crimes de RH estavam sendo cometidos no espírito de "brincadeira" por aquele grupo de homens de mocassins bege e colarinhos abertos. Dei algumas voltas, com a bebida em mãos, como se procurasse alguém, e entrei na sala de estar. Janine passou logo depois, seu cabelo penteado como um capacete, suas joias de ouro tilintando como uma armadura. Imagino que ela estivesse em alerta: a ideia de alguém mexer em suas bugigangas era insuportável demais.

Virei a cabeça e fingi que olhava para uma pintura de dançarinas de flamenco e ela passou por mim, na direção da cozinha, seguida por uma mulher ansiosa que usava avental e luvas brancas. Obviamente, ela não me viu: pessoas como Janine não têm uma visão normal. São cegas para as pessoas que consideram irrelevantes. Não me ressinto, é um talento que admiro. Por que perder tempo com pessoas desprovidas de valor? O corredor estava vazio, então continuei caminhando até alcançar uma escadaria espiral larga que devia levar a um espaço mais privado. Fiquei pensando no que aconteceria se fosse pega vasculhando o quarto conjugal. Seria expulsa e demitida? Fariam uma investigação sobre mim? Provavelmente não valia o risco, por mais tentador que fosse.

Em vez disso, tentei a porta à direita e acabei no que era visivelmente um quarto de estudos. As paredes eram forradas de estantes, recheadas com volumes de couro comprados para serem exibidos. Duvidei que alguém naquela família tivesse lido as obras completas de Dickens, que dirá um volume de Derrida. Para completar, por ordem alfabética. Sobre a mesa de mogno havia uma caneta tinteiro, uma pilha de papel creme espesso e um imenso enfeite de coração de prata que reconheci como um clássico Tiffany. Havia duas molduras douradas, ambas mostrando o trio Artemis: uma do batismo de Bryony; a outra era mais recente, e olhando mais de perto, mostrava a família em uma festa no Jardim do Palácio de Buckingham. O enorme chapéu de Janine não tapou a construção atrás. Eles devem ter aproveitado aquele momento ao máximo, como se fosse um encontro íntimo de companheiros e não uma reunião de mil pessoas que a família real provavelmente acharia deplorável se pudesse expressar opiniões sinceras e se furtar de seus deveres. Peguei a fotografia e deixei-a cair no chão. O carpete creme espesso amorteceu a queda, claro. Então pisei nela com o salto até ouvir um pequeno estalo, depois a recoloquei na mesa. O vidro partido tinha se soltado, e usei um fragmento para arranhar ligeiramente a cara do Simon. Depois me dirigi cautelosa para o corredor.

Não queria voltar correndo para a área externa, por isso fiquei na sala principal, acompanhada da minha bebida. Janine voltou da cozinha e me senti pronta para fazer contato visual. O rosto dela exibia uma expressão muito amarga, a insatisfação permanente das mulheres ricas gravada na pele, mas ela se sentiu obrigada a se aproximar, ou talvez só quisesse ter certeza de que eu não estava tentando roubar a prataria.

Quando ela chegou bem perto, senti uma pontada de pânico. Sophie comentou muitas vezes que meu rosto nunca demonstrava nenhuma emoção. Ela parecia quase ofendida por eu não deixar transparecer todos os meus pensamentos mais profundos com um olhar, mas naquela fração de segundo, imaginei que Janine pudesse ver as intenções no meu rosto. Comecei a falar sobre a casa dela, usando adjetivos para descrever o seu estilo, sem, no entanto, expressar uma opinião positiva. Tivemos uma breve conversa sobre a lareira, a única coisa de que lembrei para me concentrar. Sua postura relaxou um pouco enquanto eu fazia perguntas sobre a grande variedade de mármores diferentes usados na sala de estar, mas seu sorriso permaneceu rígido. Talvez fosse consequência de procedimentos estéticos, que congelaram o rosto a ponto de dificultar expressões espontâneas, mas era difícil dizer. Ela falou sobre como era complexo decorar uma casa daquele tamanho e disse que seus ornamentos mais amados ficavam na residência de Mônaco, como se eu fosse capaz de entender o problemão que era esquecer onde deixei meus castiçais dourados favoritos.

"Vocês sempre moraram aqui?", perguntei, enquanto passava a mão pela lareira, deixando deliberadamente uma marca na prata. Sua mão se contorceu em reação, e eu percebi que usava toda a sua força de vontade para não me empurrar para longe dali.

"Sim, nos mudamos antes da Bryony nascer. Sabíamos que precisávamos de um lugar maior para crianças." Foi estranho escutar ela falar sobre crianças no plural. Como eu presumia que ela não estivesse se referindo à prole ilegítima do marido, da qual poderia haver muitos, deduzi que eles esperavam ter mais filhos. Pensei em perguntar sobre isso, mas contemplando a perspectiva de ser escoltada para fora da casa por um dos muitos seguranças ao redor, decidi segurar a língua.

"Foi um prazer conhecer você. Tenho certeza de que os filhos do Simon têm sorte em ter um pai tão capaz de sustentá-los", falei, enquanto passava por ela e voltava para o jardim. Ouvi-a chamar a governanta antes de eu alcançar a porta.

Saí da festa com a sensação de que estava finalmente chegando a algum lugar. Tinha estado entre eles. Já não era apenas um sonho distante.

Até então, minhas interações com Simon tinham sido precisamente zero, sem contar minhas passagens patéticas pelos portões ou a única vez em que o vi no lobby do escritório. E nem mesmo eu, por mais antissocial que fosse, chamaria isso de interação.

O terceiro benefício de trabalhar na Artemis Holdings foi conhecer a minha amada informante, Tina. Amada não é exatamente a palavra certa, já que eu nunca teria dado um segundo do meu tempo se ela não tivesse nada para me oferecer a não ser amizade, mas eu a valorizava por suas informações e, para mim, isso era muito mais importante. Tina era a assistente do vice-CEO, Graham Linton, um amigo próximo e capanga de Simon. Um homem que usava ternos cinzentos com um pouco de brilho, como aquele que se vê naquelas lojas que sempre estão em liquidação porque dizem que vão fechar.

Comecei a conversar com ela uma vez quando estava fazendo uma pausa para fumar, depois de meses ocupando meu cargo na sede. O gerente do escritório era muito rígido com pessoas fumando na frente da porta. Havia um terraço de fumantes para os superiores no quarto andar, e fumaça de charuto flutuava através dos escritórios por horas quando Graham, Simon ou seu irmão Lee decidiam aproveitar, mas todos os outros tinham que ir até os fundos, nas docas. Um dia, Tina disse que gostava do meu cachecol e eu sorri sem emoção, o que foi mais do que suficiente para que ela se aproximasse. Era a mulher mais simpática que já conheci, e só isso era suficiente para eu deixar de fumar e evitar a área. E eu teria feito isso, se ela não tivesse mencionado para quem trabalhava bem quando eu estava apagando o cigarro depressa. É horrível ter que dar uma guinada de 180 graus depois de perceber que podemos ganhar algo de alguém, não é? De repente ter que elogiar um doador em potencial que te lançou olhares com segundas intenções a noite toda ou rir das piadas de um cara que vai pagar as rodadas de bebidas? Você se sente um pouco suja; mas, na verdade, tudo na vida é uma troca. E pensei que a Tina pudesse me contar coisas sobre a família que eu não conseguiria descobrir sozinha, por isso engoli em seco e fui legal. Muito legal. Levei café para ela, mandei um "oie" animadinho pelo sistema de chat do escritório, almoçamos juntas e eu disse que ela estava perdendo peso quando perguntou, mas foi uma boa troca. Tina era uma funcionária leal quando se tratava de Graham (que era chamado pelas mulheres do escritório de asqueroso, e não só por causa de sua peruca extremamente falsa), mas falava como um papagaio quando se tratava da família Artemis. Nada do que ela me disse foi uma solução milagrosa, mas saber mais sobre aquelas pessoas que eu tinha visto de longe durante tanto tempo foi fascinante. E porque quase nada do que ela me disse os pintasse em qualquer luz que não fosse *terrível pra caralho*, serviu como lembrete de que os monstros na minha cabeça eram embasados na realidade. Sim, Tina foi um presente, mesmo que eu tivesse que foder ainda mais os pulmões para passar tempo com ela.

No entanto, trabalhar na Artemis Holdings não me deixava mais perto do meu pai, apesar das minhas expectativas ingênuas. De alguma forma, eu tinha me imaginado trabalhando até chegar a ser braço direito dele em alguns anos, ganhando sua confiança e me tornando parte de sua vida, antes de fazer uma revelação bombástica e matá-lo quando ele descobrisse a traição. A questão era que o homem empregava milhares de pessoas e a probabilidade de eu me aproximar era a mesma de ele ler um livro que não fosse sobre negócios. Então, quando recebi uma oferta de outra empresa de moda e marketing, fui embora. Estava mais determinada do que nunca, mas ganharia quase o dobro do meu antigo salário e, mais importante ainda, percebi que assassinar uma família inteira enquanto trabalhava para a empresa deles podia não ser a mais inteligente das estratégias. Cometi esse erro inicial porque era jovem.

Isso foi quando o nevoeiro que sempre senti girando em torno de mim começou a levantar e minha vida ficou mais nítida. Cheguei a um lugar onde me sentia segura e no controle e pude olhar para o futuro com mais foco. De certa forma, significava abrandar a velocidade e me familiarizar com a arte da paciência. Trabalho na mesma empresa desde então. Fiquei no mesmo apartamento, que ainda alugo do velho turco que vive acima de mim e não aumentou a o preço desde que me mudei para cá, para grande desgosto do seu filho. Economizei dinheiro, me mantive fora do radar e vivi uma vida discreta, o tempo todo esperando o momento em que ia dar início ao meu plano e começar um novo capítulo. Não foi uma época de grandes histórias a serem contadas, mas muitas pessoas vivem assim o tempo todo e não buscam o capítulo seguinte. Elas estão satisfeitas com suas vidas pequenas e banais, com seus requisitos básicos atendidos e "ooh, uma boa garrafa de *prosecco*" como um prazer de vez em quando. Por isso, não acho especialmente estranho ou decepcionante que eu tenha passado anos levando uma vida sem graça. Dizem que os melhores anos da sua vida são os vinte e poucos, que passam voando com bebidas, festas e espontaneidade. Os meus não foram assim. Em vez disso, foram o prólogo do meu plano e agora espero muitos anos empolgantes pela frente.

Não quero insinuar que vivi como uma puritana. Eu me permiti alguns luxos de vez em quando. Tenho mesmo certa tendência de apreciar as coisas um pouco mais agradáveis na vida, uma predileção que imagino ter herdado tanto da minha mãe quanto do meu pai e que foi desencadeada por viver com os Latimer, com sua propensão para vinhos orgânicos e interiores exorbitantes. É por isso que meu pequeno apartamento tem uma parede dedicada a sapatos, a droga mais básica de iniciação quando as mulheres buscam se presentear. Ao longo dos anos, comecei a passar férias maravilhosas sozinha em lugares que nem imaginava quando era criança e vivia com Marie. E, cada vez que me sentava e bebia uma taça de vinho em um terraço, esmagava a ideia de que talvez minha vida tenha corrido melhor do que se Marie tivesse sobrevivido. Claro, eu sofri um enorme trauma na perda da minha mãe e os Latimer nunca foram a minha família, mas ganhar acesso imediato à classe média alta abastada e criar um rancor cruel e de longa data tinha funcionado bem para mim. Eu afastava esse pensamento na maior parte do tempo.

O alarme disparou outra vez. Deve ser só a garota estranha a três celas de distância que não para de gritar, mas tenho de ir para a fila. Mais tarde continuo.

COMO MATEI MINHA ~~QUERIDA~~ FAMÍLIA

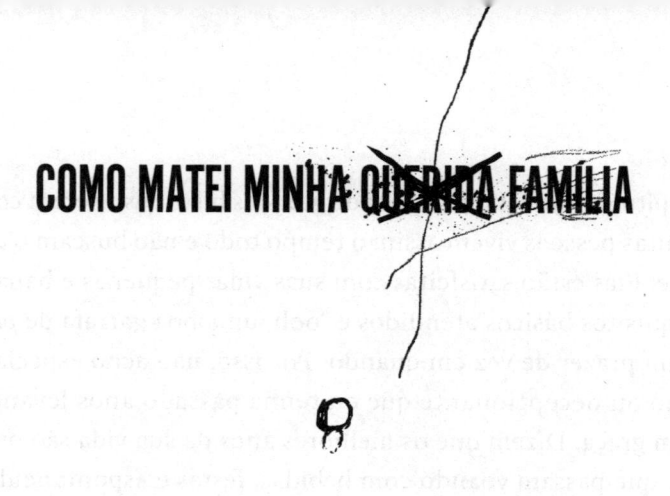

Segui saltitante até o trabalho naquela manhã de sexta. Uma semana tediosa fazendo *brainstorming* tinha acabado comigo, e eu até corri tarde da noite para afastar o marasmo; mas, naquele fim de semana, limpei minha agenda, me certifiquei de que tinha um bom vinho e boas velas no apartamento. Marquei uma massagem para sábado com o meu sadista favorito disfarçado de massagista e, à noite, ia a uma festa de sexo. Me poupe do choque. Não fique horrorizado, ou pior, animadinho. Não é um desvio aleatório para predileções íntimas. Foi uma pesquisa de campo.

Nove meses se passaram desde que eu tinha visto Andrew Artemis flutuar com os sapos e me mantive quieta, trabalhando muito e resistindo ao ímpeto de voltar ao plano. Eu sabia antes de começar que o ritmo tinha que ser rigoroso, apesar do desejo constante que eu tinha de me livrar de todos eles em uma única semana e assumir as consequências. Os homicídios iniciais e, cá entre nós, os menos relevantes, precisavam ser espaçados para não levantar suspeitas de cara. "Acidentes trágicos" precisava ser a resolução natural dos crimes. Isso poderia então evoluir para "período de azar para a família", antes de se tornar "maldição sobre o clã Artemis". O homicídio derradeiro até poderia levantar suspeitas de crime; mas, a essa altura, toda a família estaria morta e enterrada e muitos se beneficiariam com aqueles óbitos. Eu estava confiante de que ninguém se apressaria para vingá-los.

Por isso, deixei a poeira assentar depois do Andrew. E senti pouca alegria ao lembrar do crime, ao contrário da euforia que experimentei quando Kathleen e Jeremy caíram daquele penhasco, então recuar um pouco foi até bom. Eu sabia que muitas pessoas haviam comparecido ao funeral do Andrew, pessoas sérias e colegas de escola. Eu li que sua mãe Lara tinha ficado completamente arrasada com a morte do único filho e não fez nenhum comentário público, retirando-se de seu cargo como vice-presidente da Artemis Holdings e fundando uma instituição de caridade para a preservação da vida selvagem em nome de Andrew. Me questionei se o incidente a tinha feito se afastar da família e da marca. As colunas sociais ainda contavam constantemente com a presença de Lee, mas Lara parecia ter deixado Londres de vez, permanecendo, na maior parte do tempo, em sua fazenda em Oxfordshire. Já vi a propriedade em um site de imóveis. A casa principal é inteiramente pintada em tons de cinza discreto, e há uma grande variedade de tapetes persas de bom gosto por todo o lado. Apesar disso, há também um campo de golfe e a maior hidromassagem que eu já vi, com vista para a horta. Não é difícil ver quem escolheu o quê. Se te ajudar a adivinhar, Lee usa botas de caubói e as considera "sua marca registrada".

Pelo que li, Lara parecia totalmente inadequada para o estilo de vida dos Artemis. Talvez tenha sido por isso que presumi que Lee não fosse tão horrível quanto se mostrava, apesar de todas as evidências ao contrário. Ela era inteligente, uma aluna de destaque em Cambridge com um MBA de uma universidade da Ivy League. Ele era um oportunista, mergulhado em privilégio e ganância. Os Artemis podiam ser astutos, mas imagino que Lara não encontrasse conversas intelectuais na mesa de jantar da família. De acordo com Tina, que continuou a me trazer fofocas mesmo depois de eu ter saído do escritório, ninguém entendia muito bem a escolha de Lara por aquele marido. "Ele era bonito, todo mundo achava. Não faça essa cara! Isso importa para os jovens. E tinha talento para espelhar o comportamento de todos que o cercavam. Ele ficava com os olhos arregalados quando ela falava e contava para todos como ela era inteligente. Lara era tímida, mas dava para ver que ficava lisonjeada com a atenção. Essa jovem adorável, super sem jeito, mas tão inteligente. Ela não estava preparada para um homem como Lee e, quando percebeu quem ele era, já era tarde demais. Claro que os pais dele não gostavam que ela não fosse inglesa. Não disseram explicitamente, mas era óbvio. E ele ignorou isso por completo. Ele a amava mesmo, acho eu. À sua maneira." Foi uma explicação fraca e não pareceu suficiente para a Lara. Aos 18 anos, você pode ser enganada por um homem assim, mas depois aprende. Aprende depressa ou acaba presa.

Quando conheci o marido de Lara, a justificativa de Tina me pareceu ainda mais frágil. Lee era três anos mais novo do que Simon. Se edições antigas da revista *Hello!* diziam algo de útil (eu tinha comprado edições de seis anos delas no eBay para ler sobre os Artemis, mas também aprendi muito sobre os escândalos da realeza europeia de hierarquia mais baixa), então Simon era o perfeito playboy dos anos 1990, e Lee sua sombra mais entusiasmada. Era igualmente bonito para a época (por que sociopatas eram atraentes?), com um rosto permanentemente bronzeado e cabelo preto penteado para trás. Meio que combinava com ele, quando era magro e não tinha as marcas do tempo. Fotos mostram-no rodeado de mulheres, muitas vezes com champanhe na mão. Porém, vinte anos mais tarde, a mesma estética era prejudicada pelos círculos em volta dos olhos que indicavam bronzeamento artificial em clínicas suburbanas, e as manchas no pescoço, que apareciam quando ele suava, diziam que ele não dava gorjeta o suficiente para seu colorista.

Lee nunca foi um exemplo de pessoa problemática na família. Não era um viciado, embora definitivamente se interessasse por drogas vez ou outra. Nenhum registro de falências, embora tenha sido listado como CEO de nada menos do que 27 empresas diferentes, todas fechadas em intervalo de meses. Um dos empreendimentos, o GoGoGirl Filmes, foi encerrado em 63 dias. O nome não sugere que ele esperava fazer filmes artísticos. Talvez sua mãe conservadora tenha descoberto e batido o pé contra a empreitada.

Kathleen e Jeremy sempre contaram com Simon para manter o nome da família. Ele era o vencedor. O cara que, usando muita grana, alcançou um patamar onde jantava com realeza e socializava com o prefeito, o primeiro-ministro, e qualquer outro facilmente influenciado por seu dinheiro — a maioria das pessoas, para falar a verdade. Até gente decente perde a linha ao lidar com mega-master-ricos. As pessoas podem ter opiniões fortes sobre distribuição de riqueza e achar que os ricos criaram um sistema em que acumulam ainda mais, em detrimento da sociedade, mas sirva uma taça de champanhe e tire uma foto delas com um milionário que possa lhes oferecer um emprego, um cheque ou uma doação, e logo viram fãs.

Antes dos vários escândalos envolvendo a empresa Artemis, houve até mesmo rumores de que Simon estava para receber uma comenda real. O que era uma loucura, dado que o máximo que ele já tinha feito por qualquer outra pessoa era dar uma passada em alguns jantares de caridade anuais e participar de leilões idiotas oferecidos por outras pessoas ricas. Certa vez, ele virou manchete por ter comprado uma pintura de cavalo feita por um artista controverso, mas popular, que cobrava milhões por sua "arte". A obra em questão não era apenas uma bela pintura realista, nada tão simples como George Stubbs, o que exigia prática e habilidade. O cavalo era pintado com a cara do comprador. Custou 300 mil libras. E agora, em algum lugar da mansão Artemis, há um quadro de um centauro pendurado. Essa era uma parte da herança que eu educadamente declinaria.

De qualquer forma, a ideia da comenda foi arquivada com discrição, mas Simon manteve-se respeitável, um ícone dos negócios britânicos. Assim, Lee pôde interpretar o papel do irmão mais novo sem rumo, sem ramificações reais. Ele se safava quando fazia uma cagada (certa vez, subiu bêbado na Catedral de St. Paul após um jogo de futebol e filmou os amigos cantando enquanto mostravam a bunda pela grade. Alguém fez uma ligação e, depois de um pedido de desculpas exagerado para a Igreja Anglicana, o assunto foi dado como encerrado) e sempre tinha um emprego garantido pela família, cargos em que não precisava fazer muita coisa quando suas ideias de carreira saíam pela culatra. Na verdade, imagino que tenha sido bastante incentivado a não levar o seu papel na empresa muito a sério, por medo que pudesse estragar tudo.

Aos 29 anos, conheceu Lara por meio do seu trabalho na Artemis Holdings e casou-se com ela oito meses depois, com uma festa extravagante na Grécia que durou três dias. Um dos Bee Gees tocou, e um tabloide enviou um repórter que se infiltrou na festa vestido de garçom. A reportagem contou com gosto o comportamento péssimo dos convidados de elite, inclusive uma modelo que ficou tão bêbada que caiu na piscina com seu vestido de pérolas emprestado. De acordo com Tina, que não estava lá, mas que sempre apurava tudo a fundo, Lara teve dúvidas em relação à festa, mas ele disse que a extravagância seria apenas uma comemoração com amigos e família. Ele prometeu que os dias de loucura tinham acabado e falou sobre criar um futuro em que ela pudesse ser a chefe da família. Como os homens fazem promessas vãs. E como nós nos agarramos a elas.

A família tinha comprado uma grande casa de estuque em Chelsea para os dois, perto da King's Road, e eles tiveram Andrew pouco depois de se mudarem. Lara subiu os degraus na escada corporativa e parecia passar o tempo organizando almoços de caridade ou promovendo os interesses de crianças vulneráveis frente ao governo. A família deve ter tolerado a natureza caridosa de Lara, reconhecendo que ela lhes conferia um ar de respeitabilidade, mas imagino que o marido dela não suportasse os benfeitores em sua casa. Lee se agarrou aos excessos de seus 20 anos, sendo retratado festejando pelas colunas sociais, cruzando a King's Road em seu mais recente supercarro, sendo sócio de bares e restaurantes que iam à falência seis meses depois, quando os donos de verdade percebiam que margens pequenas e longos horários de funcionamento não eram tão glamorosos quanto as noites de inauguração haviam sugerido.

Suspeito que Lee apreciasse mais do que umas bebidas e um pouco de flerte quando saía. Seu rosto, outrora firme e definido, estava agora inchado, e seus olhos, nas fotos de *paparazzi*, sempre pareciam levemente vidrados.

Na maioria das vezes, quando saía à noite, ele era conduzido pela cidade a bordo de um Bentley verde lúgubre, já que uma acusação de dirigir embriagado — retirada com a ajuda de um advogado que culpara os efeitos das interações medicamentosas de antigripais combinados com outra medicação de foro íntimo (sim, os jornais adoraram esse delicado fraseado) — significou que manter um chofer em tempo integral era um investimento prudente. Isso significava que era fácil descobrir por onde ele andava, caso você estivesse pela cidade uma noite dessas: o carro estaria parado em fila dupla até mesmo nas ruas londrinas mais estreitas; ele começaria a noite nos bares mais chiques que Mayfair tinha a oferecer, depois seguiria para clubes exclusivo para sócios e, lá pelas 3h, quando a maior parte dos festeiros começava a se dispersar, serpentearia por Chinatown, em direção a locais um pouquinho mais obscuros, que não costumavam anunciar exatamente quais eram seus atrativos.

Eu sabia disso porque tinha seguido o Bentley em várias noites pela cidade. Era a maneira mais fácil de pesquisar sobre Lee. Ele não estava nas redes sociais, tirando uma conta pouco usada no Facebook que parecia ter sido esquecida em 2010, mas me diverti com os resultados de testes sobre qual animal ele seria e qual superpoder teria (suricato e visão laser). Ele quase nunca saía de casa antes das 15h para um treino e então invariavelmente tomava um café em Knightsbridge, onde encontrava outros homens em mocassins Gucci para pôr a conversa em dia em uma cafeteria que servia bebidas em xícaras laminadas a ouro. Todos mantinham os celulares na mesa, como se estivessem gerindo o país e tivessem que sair depressa a qualquer momento. Me sentei ao lado deles algumas vezes, escutando-os falar sobre ações, viagens a Las Vegas, salpicando comentários misóginos na conversa. Quem vê até pensa.

Apesar disso, à noite era o melhor horário para encontrar meu tio rebelde. Vendo seu mundinho crepuscular, me perguntei se Andrew alguma vez o acompanhara naquelas noitadas. Elas explicariam muito o motivo de o meu primo ter fugido para o pântano. Depois de algumas noites seguindo o carro sem entrar nos estabelecimentos, tomei coragem. Nunca tentei entrar nas seções VIP das boates que ele frequentava: parecia degradante tentar enganar um segurança. Porém, nos bares era mais fácil, e em Chinatown mais ainda. Podia acabar tomando uma bebida ao lado do grupo dele, só observando e ouvindo.

O objetivo principal era apenas ser visto, pelo que notei. O champanhe era comprado a garrafas, beijos eram soprados no ar para mulheres jovens, homens se cumprimentavam com apertos de mão que chegavam até os pulsos, relógios cravejados de joias cintilavam no chiaroscuro. Trinta minutos depois, com novas pessoas agregadas e outras descartadas, Lee e sua turma seguiam para o local seguinte. Por volta da meia-noite, as idas ao banheiro se tornavam mais frequentes, e Lee começava a ficar animado, insistindo alto que as pessoas "se soltassem" e aprisionando os amigos em mata-leões. Lá pelas 3h, eu já estava entediada e tomando só água. Nenhum deles reparou em mim; eu não era uma mulher que chamaria a atenção daquele bando. Não era jovem o bastante. Não estava exibindo a mercadoria. Usava sempre um terninho preto e uma camiseta, caprichando no batom vermelho e nos saltos altos. Os saltos eram a minha única concessão. Se você tentasse usar sapatos baixos confortáveis nesses bares que Lee frequentava, achariam que você era algum tipo de policial disfarçada e te veriam com suspeita.

Falei com o tio Lee na minha terceira missão de reconhecimento. Não estava nos meus planos — nem precisava conhecê-lo melhor —, mas achei que seria mais legal do que observá-lo virar shots e tentar dançar tão mal que uma moça que parecia modelo franziu a testa e removeu o braço dele de seu ombro.

Lee e seu grupo tinham ido para um clube particular na Berkeley Square, em Mayfair, e eu fui para o bar em frente, sabendo que era inútil tentar me infiltrar naquele lugar de portas fechadas. Me sentei à janela com uma taça de rosé, esperando o Bentley aparecer e sinalizar que era hora do próximo passo. O clube devia estar calmo naquela noite, porque o carro parou lá fora à 1h. Saí correndo do bar e peguei um táxi, dizendo ao motorista para seguir meus amigos, que estavam indo na frente. Parecia uma desculpa esfarrapada e fiquei com vergonha, mas o motorista não deu a mínima. Como esperado, fomos diretamente para Chinatown, parando fora de um local que eu nunca tinha visto antes. Para ser sincera, não parecia um bar. Não parecia nada. Era uma porta minúscula, sem placa, entre dois restaurantes de *dim sum*, um lugar que passaria despercebido. Vi Lee e dois amigos apertar o interfone e empurrar a porta. Pouco antes de a porta fechar, coloquei o pé no batente e me escondi atrás dele. Deixei os seus passos sumirem ao longe antes de segui-los, não querendo esbarrar neles nas escadas estreitas. O lugar era sujo, com papel de parede vermelho-escuro e tapete desbotado. Parecia um bordel, exceto pela música house tocando no volume máximo. Isso me fez, ao menos, tentar entrar. Se estivesse silêncio, teria ido embora.

Esperei uns minutos nas escadas e subi. Encontrei uma porta preta enorme e tentei empurrá-la. Atrás dela havia um quarto pequeno, presumivelmente a antiga área de recepção para um escritório, com cortinas pretas de renda sobre a janela. Duas mulheres atraentes da minha idade se sentavam atrás de uma mesa na qual havia taças de champanhe e um *bowl* com camisinhas. As mulheres sorriram para mim.

"Oi", disse a que tinha um cabelo bem curto e um delineado de gatinho cujas pontas chegavam às sobrancelhas. "Bem-vinda à Festa do Prazer. Está com o seu convite?"

Eu sempre fui capaz de pensar rápido, sem gaguejar ou evitar contato visual. O truque é sorrir e não explicar muito. Estava evidente que aquilo era uma festa de sexo. Eu nunca tinha ido a uma, mas já tinha lido artigos sobre elas nas revistas femininas: o aumento de eventos particulares onde pessoas bonitas se encontravam para transar. A *Vogue* tinha endossado essas reuniões. Por que ter vergonha?

"Ah, foi mal", falei, colocando a mão na mesa, "eu estava no Soho e me lembrei de que a festa era hoje à noite, mas esqueci completamente de trazer o convite. Não tem problema, né? A Flick disse que tudo bem."

A outra mulher, com uma fita de seda verde na cabeça e brincos de ouro grandes, me encarou e olhou para a outra de relance.

"Bem, como você sabe, estes eventos dependem da exclusividade e da... discrição." Ela colocou um dedo nos lábios. "Mas, se a Flick te autorizou, não tem problema. Pode assinar aqui o formulário e colocar seu celular na caixa?"

Agradeci a Deus pela palavra mágica. Flick é o nome típico de uma garota branca chique e serve para abrir portas em certas ocasiões. Há sempre uma Flick.

Ela pode ser uma promoter de festas, uma galerista ou apenas uma amiga de um amiga. Mencione o nome dela e você parece fazer parte do grupinho — e conhecer também a Floss e a India.

Assinei o formulário, que basicamente me dizia que eu não deveria falar da Festa do Prazer para ninguém, nem mencionar os nomes de quaisquer convidados conhecidos. Não devia tirar fotos nem gravar nada. Devia me comprometer a manter as coisas "seguras e divertidas" em todos os momentos e respeitar os limites dos outros.

Entreguei meu celular, e a moça me passou uma camisinha com uma piscadela.

"Lembre-se de que o quarto azul é para fetiches. E se alguém te importunar, o Marco está no bar."

"Ah, claro, estou pronta", falei, quando entreguei meu casaco e entrei pela porta atrás delas, fingindo confiança.

Eu gosto de sexo. Não sou fresca nem reprimida. É um passatempo divertido para aliviar o estresse, mesmo quando é ruim — o que é comum quando você transa com homens criados pela pornografia, que acreditam que mulheres não precisam de preliminares e querem posições contorcionistas. Os orgasmos são uma coisa maravilhosa, especialmente quando recebidos sozinhos e seguidos pelo silêncio e não pela necessidade de tirar um homem estranho de sua casa imediatamente. Apesar disso, toda essa positividade sexual com a qual somos bombardeados ultimamente não me convence. Mulheres que querem te contar tudo sobre a sua jornada sexual, como se gostar de sexo fosse um traço de personalidade. Casais que colocam fotos de si mesmos entrelaçados em lençóis nas redes sociais, fingindo que é arte. Ensaios terríveis e poesia amadora sobre sexo. Mande ver, mas não fique falando sobre isso.

As festas de sexo sempre me pareceram uma forma de as pessoas chatas mostrarem aos outros que, no fundo, são interessantes. Talvez fizesse sentido se, de repente, começassem uma orgia no supermercado de uma rua de comércio local, mas em uma reuniãozinha secreta só para convidados no West End, onde as moçam usam tiaras? Não parece nada alternativo para mim. É como uma academia de luxo, onde os smoothies custam 9 libras, o gel de banho é de grife e todos estão exibindo seus corpos em leggings chiques, quase esquecendo por completo do elemento fitness. É tudo performance.

Entrar na festa naquela noite não serviu em nada para me desacreditar desse preconceito. O primeiro ambiente era o bar, onde pessoas completamente vestidas bebiam em taças de cristal. A iluminação estava fraca, mas eu podia enxergar uma bolsa Gucci, um anel de diamantes e sentir a mistura de muitos perfumes Tom Ford juntos. Era rico e banal, e o fato de que fluidos corporais estavam sendo trocados em salas próximas não mudava muito isso.

A música era alta, talvez para mascarar os sons de êxtase vindo dos outros espaços, então fui até o bar e tentei encontrar Lee, torcendo para que ele ainda não tivesse entrado em um quarto. Porque aí não teria sentido, mas também porque não queria ver meu tio pelado. Eu era ambiciosa nos meus planos de vingança, mas precisava ter um limite. E ver um parente suado em cima de uma mulher vinte anos mais nova era esse limite. Depois de matar três pessoas, não achei que esse seria meu limite, mas era.

Enquanto o barman me preparava um martíni (odeio coquetéis, mas estava a fim de representar um papel), eu estudava as pessoas ao meu redor. Um casal bonito de trinta e poucos anos — ele de camisa azul e calça de sarja; ela de vestido verde de seda com saltos altos cor-de-rosa e um olhar um pouco apreensivo — estava ao meu lado no bar. Ele segurava a mão dela e sorria para mim. Sorri de volta rapidamente. Não queria ficar presa em conversas. Pelos sussurros e as reconfortantes massagens nas costas, era óbvio que ela só estava ali para agradá-lo. Eu torcia para que não me considerassem a escolha ideal para o primeiro *ménage à trois* infeliz.

Do outro lado da sala havia duas mulheres, ambas magras e elegantemente nervosas, sentadas juntas em um sofá de veludo enquanto um homem atarracado se agachava aos seus pés e conversava com elas. Pelo gesticular das mãos, ele estava tentando ser interessante, mas os sorrisos educados e olhares vagos indicavam que elas estavam entediadas. Não pareciam desesperadas para transar com ele. Na verdade, havia muito pouca energia sexual exalando das pessoas ao meu redor. De modo geral, era um ambiente estranho, como se todo mundo estivesse esperando que outra pessoa tomasse a iniciativa. Talvez ninguém tivesse bebido o suficiente.

Um empurrão forte tirou meu braço do balcão. Olhei em volta e vi que um dos companheiros de Lee tinha criado espaço para si mesmo no bar, sem se perturbar pelo fato de que o espaço que ele agora ocupava estava ocupado por outra pessoa apenas alguns segundos antes. Os homens muitas vezes fazem isso, abrindo as pernas no metrô como se tivessem uma necessidade inata de preencher qualquer espaço vazio, andando pelo meio de uma calçada estreita e ficando surpresos por quase esbarrarem em você, se infiltrando em filas de café até você dar espaço. Nem percebem o que estão fazendo. São importantes, suas necessidades são importantes. Você não é tão importante. Você não é nada importante. A não ser que seja atraente para eles. Então o seu espaço será ocupado de outras formas. Os homens vão ficar na sua frente e bloquear seu caminho para chamar sua atenção. Eles vão desacelerar o carro para que você se sinta desconfortável ao andar pela rua. Pairam sobre você em bares, tocam no seu braço, pegam suas mãos. Se tiver sorte, só as mãos.

Não me mexi nem mais um centímetro. Em vez disso, fixei os olhos no perfil do homem suado que tentava chamar a atenção do barman. Se alguém olhar para você por tempo o suficiente, você vai ter que retribuir o olhar. O cara demorou um minuto, mas finalmente olhou para mim.

"Você acabou de derrubar meu drinque", falei, sem me mover. Sem pestanejar.

"Estou tentando pegar uma bebida, amor, me dá um tempo", disse ele, e virou de costas outra vez. Senti a fúria crescer, meu rosto ficar quente.

"Você derrubou a minha bebida. É isso mesmo?"

O homem voltou-se para mim, apertando o punho no bar.

"Não vou cair nessa e te pagar uma bebida. Não sou idiota." Gesticulou para o seu companheiro, dando de ombros, desdenhoso. Quando eu estava prestes a explodir de raiva, Lee apareceu entre nós. Ele bloqueou a minha visão do seu amigo e juntou as mãos como se estivesse em oração.

"Sinto muito pelo meu amigo, querida, ele não é um cavalheiro, mas vejo que ele lhe custou uma boa taça de vinho e gostaria muito de pagar outra para compensar." Ele sorriu para mim, apertando as mãos em volta das minhas e apoiando-as de novo no bar, sinalizando ao barman para que me trouxesse outra bebida.

E foi assim que conversei com o meu tio. Ele era encantador, como a minha mãe costumava dizer que Simon era. Todo pompa e sorrisos. A confiança para assumir o controle e tomar liberdades sem qualquer ofensa real. Deixei ele pedir vinho para mim. Não falei que estava bebendo um martíni. Não me opus quando ele escolheu um vinho de que eu não gostava e não hesitei quando ele tocou nas minhas mãos sem pedir. Não havia nada agradável ou interessante no seu comportamento; nutria-se apenas da confiança de ser um homem todo-poderoso e agia como se todos os outros também soubessem disso. Homens assim se safam de uma forma inacreditável. Mesmo que eu odeie esse tipo de atitude, às vezes é difícil resistir. E, depois, você odeia a si mesma por ter permitido.

Lee fez seu amigo, que ele chamou de "Scotty Dog", pedir desculpas para mim, antes de liberá-lo de volta para o bar, onde ele prontamente se dirigiu a uma porta à esquerda.

"O Scott não perde tempo." Ele piscou. "Então, o que traz uma moça como você a um lugar como este?"

Falei que uma amiga tinha me indicado o lugar como porta de entrada, para experimentar, caso eu estivesse pensando aderir. Lee assentiu. "É um grupo convencional, nada de mais acontece aqui. Um pouco de sexo, um pouco de mulheres com mulheres. Menos *hardcore* do que eu gosto, mas serve para vir uma hora ou outra."

"Do que você gosta, então?", perguntei, sentindo que a conversa se aproximava perigosamente de um flerte e tentando evitar a náusea que comecei a sentir. É difícil não parecer que se está flertando em uma festa de sexo. Até mesmo impostos seriam um assunto sugestivo quando você está a poucos metros de onde as pessoas transam com estranhos.

Lee inclinou a cabeça e sorriu para mim. Vi que só agora ele estava olhando para a minha cara como deveria ser, tirando um momento para prestar atenção. Ele estava me avaliando, ou como potencial parceira ou com estranheza. Continuei com a minha bebida e tentei não parecer tímida. Se ele quisesse me contar suas tendências sexuais, beleza, mas eu não tentaria seduzi-lo de jeito nenhum.

"Essa é uma pergunta ousada, tendo em conta que ainda estamos vestidos, senhorita." Lee sorriu e verificou o relógio, um grande Rolex prateado com diamantes que lançou um reflexo brilhante no topo do bar. "Não são coisas que boas moças como você querem saber, acredite. Tenta este lugar pra começar, depois a gente conversa."

A abordagem ingênua não funcionaria. Eu já estava deixando ele entediado.

"Você gosta de ser humilhado, é isso? Um cara rico, nunca te dizem não, é tratado como um príncipe, mas quer muito que alguém devolva o seu próprio sentimento de fracasso? Ou talvez goste de apanhar... de receber uns bons tapas? Ou quer ser fodido? Você não é gay, claro que não, mas quer que alguém te pegue de jeito e te domine, não é? Não é assim tão interessante, sério. Acha que os seus fetiches são únicos ou diferentes? Não são, eu te garanto, amigo."

Isso o fez rir. Os homens muitas vezes riem de surpresa quando acham as mulheres engraçadas, como se humor fosse uma habilidade que não se espera que a gente tenha. Lee estava interessado outra vez, eu o tinha reconquistado.

Minha dignidade apanhou muito enquanto eu tentava livrar o mundo daquela família horrível. O resultado valeria a pena, disso eu não tinha dúvida, mas me hospedar em Marbella, arrancar ervas daninhas em um pântano e agora falar sobre sexo com meu tio... era realmente uma tarefa árdua. De uma forma engraçada, me fazia lembrar de uma frase de *Razão e Sensibilidade*: "O aluguel do chalé é considerado baixo, mas as condições são muito duras".

"É difícil te impressionar, não é?" Ele olhou em volta, como se estivesse se preparando para divulgar segredos de Estado. "Muito bem, senhorita já-vi-de-tudo, gosto de *choking*. Cintos, lenços, o que for. Perder o fôlego à medida que avançamos para a glória. É uma loucura. Sempre gostei. Acho que um psiquiatra qualquer diria que é porque quase me afoguei na piscina da família quando tinha 10 anos ou algo assim, mas quem sabe?"

Olhei bem para a mão dele.

"Sua mulher satisfaz esse desejo?", provoquei, olhando a aliança em seu dedo. "Imagino que ela gostaria de te sufocar de vez em quando."

Para seu crédito duvidoso, Lee nem sequer tentou parecer envergonhado. "Minha mulher é... Ela tem classe. Ela ignora alguns dos meus passatempos, e eu a deixo continuar a redesenhar a nossa cozinha pela décima oitava vez. Ela age como uma velha na metade do tempo hoje em dia. Eu entendo, ela tem uma boa vida comigo, esse é o acordo com o casamento, mas homens e mulheres são de espécies diferentes, sabe? Ainda tenho desejos. Se ela não quiser me ajudar com eles, não pode ficar muito surpresa quando eu procuro por aí."

Naquele momento, o outro amigo do Lee veio na nossa direção, derramando a bebida e se chocando contra um grupo de pessoas no seu caminho.

"Ah, meu Deus, isso é o Benj já dando PT por hoje", disse Lee. "Prazer em te conhecer, querida, não faça nada que eu não faria." Disfarcei ao máximo o meu asco e acenei adeus com uma das mãos enquanto ele conduzia o amigo para fora do bar.

Esperei mais cinco minutos para ter a certeza de que tinham ido embora, acabei meu vinho horrível e saí, passando pelo casal nervoso que estava discutindo à porta, o rímel dela escorrendo pelo rosto. As meninas na recepção me deram um aceno alegre quando saí, não parecendo surpresas pela brevidade da minha estadia. Talvez haja uma certa rotatividade em festas de sexo?

Passei o trajeto de táxi para casa com todo tipo de ideias interessantes tomando forma na minha cabeça. Que homem generoso era o meu tio. Em apenas minutos, ele me dera uma bebida grátis e uma pista sobre como matá-lo. Quem disse que os ultrarricos não ajudam os necessitados?

* * *

Adormeci durante a minha massagem, apesar da pressão violenta que o massagista aplicou, e depois tomei um longo banho, relendo a minha velha cópia de *O Segundo Sexo* antes de depilar as pernas e hidratar o cabelo. Comecei a ler literatura feminista aos 16 anos, quando a mãe do Jimmy ficou preocupada com o tempo que eu passava com ele e com os amigos dele. Acho que ela pensou que a falta de exemplos femininos poderia me deixar despreparada para lidar com as desvantagens de ser mulher. Isso era tipicamente bem-intencionado da parte da Sophie, mas também mostrava o quanto ela era privilegiada. Uma mulher branca rica, isolada de qualquer discriminação verdadeira em quase todos os aspectos possíveis, mas muito interessada em falar sobre o tema em termos gerais indignados. Os Latimer e seus amigos eram mestres disso — ficavam tristes pelo fechamento da lojinha de conveniência da esquina, mesmo que a ignorassem em prol da mais chique ao lado; falando alto durante o jantar sobre pagar auxílio-doença para a faxineira, mas se livrando dela quando não podia mais trabalhar às quartas-feiras. "É muito decepcionante. Ela está com a gente há dez anos e terça-feira não funciona tão bem para nós."

Ela por acaso achava que eu não percebia como o mundo tratava as mulheres? Percebi como o sistema estava contra as mulheres muito antes de saber as palavras para descrever como somos marginalizadas, descartadas, menosprezadas. Vi o sistema atacar minha mãe dia após dia. Criada por pais rígidos que tinham opiniões rígidas sobre como as meninas devem se comportar (pais que a desprezaram quando ela fez escolhas que eles não aprovavam), apreciada por sua aparência até um dia deixar de ser, usada como diversão por um homem até ele ficar entediado. Trabalhando pesado em uma série de empregos mal pagos em que ela nunca foi valorizada. Criando uma filha sozinha, sem jamais ser admirada por isso.

Mas a literatura feminista foi de fato uma revelação, e eu sempre serei grata à Sophie por isso. Talvez eu tenha passado tempo demais com meninos, adaptando meu comportamento para me encaixar no grupo deles. Sem um curso intensivo sobre as obras de Mary Wollstonecraft, Simone de Beauvoir e Sylvia Plath, eu não teria sentido os primeiros lampejos de raiva, teria tentado me diminuir, assim como as mulheres são ensinadas a fazer desde que nascem. Mas ler sobre outras mulheres furiosas me tornou mais ousada, me permitiu alimentar a minha raiva, vê-la como algo digno e justo. É claro que não tenho a intenção de fazer com que essas mulheres tenham responsabilidade pelos meus atos, ainda que eu tenha certeza de que os tabloides iam salivar com a construção da narrativa de "feminista furiosa" se minha história algum dia viesse a público.

Houve um livro que me fez ver a vingança perversa em uma luz mais positiva: *A Câmara Sangrenta*, de Angela Carter. Esse não foi um livro que ganhei da Sophie, mas encontrei em uma livraria no Soho, em uma tarde chuvosa de outono, logo após meu décimo sétimo aniversário, quando passei o dia sozinha na cidade. A capa me chamou a atenção em meio a uma pilha, os rabiscos pretos e vermelhos pareciam o que se passava na minha cabeça adolescente. Analisei a sinopse rapidamente, comprei e li de uma vez só em uma cafeteria turística meio capenga na Tottenham Court Road. Seus contos de fadas sombrios, nos quais as mulheres conspiram e enganam, abriram uma porta na minha mente. Vi que, assim como não precisávamos ser pequenas, silenciosas e fracas, as mulheres não tinham de ser boas ou fortes, virtuosas, mas, em última análise, sacrificadas. Podíamos ser dissimuladas, agir em nossos interesses, guiadas por desejos que não ousávamos expressar. Terminei o livro e fui para a rua com uma sensação de novas possibilidades. Dei uma cópia à Annabelle no Natal seguinte, imaginando que a criança nervosa precisava de um incentivo, mas Sophie resmungou enquanto a filha desembrulhava o livro e me puxou de lado depois do almoço para me dizer que Annabelle era sensível demais para aquelas histórias sangrentas.

"Sinceramente, Grace, sei que você é uma garota forte, mas a Belle sofre demais com as preocupações dela e acho que você deveria ter pensado nisso. Ela admira você e agora vai querer ler esse livro. Eu que terei de impedir até que ela seja mais velha. Pode trocá-lo por Primo Levi? Ela vai estudar a Segunda Guerra Mundial no próximo semestre." Fitei Sophie em silêncio, até que ela se apressou para ir mexer o molho. Substituí um livro de contos de fadas por um grito de dor da vida real sobre a pior coisa que a humanidade já fez. Annabelle teve pesadelos três dias depois de ter acabado de ler *É Isto um Homem?*. Sophie ficou cheia de orgulho por toda a empatia que sua filha trazia em si.

Quando a água da minha banheira esfriou, sequei cuidadosamente o cabelo, enrolando-o vagamente, de modo que caísse em ondas suaves pelas minhas costas. Pintei as unhas de laranja e desenrolei a meia-calça com cuidado para não rasgá-la. O vestido que escolhi usar naquela noite era um tubinho preto, com mangas compridas e uma gola alta de babados. Ele me dava uma aura de seriedade, mas interessante. Depois da minha primeira incursão no mundo dos clubes de sexo, onde o meu tio tão generosamente havia plantado a ideia para o seu homicídio, fui à internet e fiz minha pesquisa. Há dezenas dessas festas na capital, e todas percorrem uma escala entre "um baile de máscaras cheio de modelos" até chegar em "espere tristeza e traga lencinhos antibacterianos", mas era fácil descobrir quais evitar: "Fica a três minutos do McDonald's" e "traga sua bebida, sem latas" já eram cortados de imediato da lista. Lee dificilmente frequentaria uma festa de sexo realizada perto de Wembley. Eu estava feliz em fazer minhas pesquisas de campo, mas não perto de áreas industriais. Já tive tristeza suficiente na minha vida.

Depois de olhar um monte de sites genéricos sobre festas de sexo, onde a palavra "diversão" é usada como se você fosse a um parque temático, encontrei três clubes de alto nível que encorajavam asfixia, BDSM e jogo de dominação, então me inscrevi em suas listas de e-mail. Não eram tão relaxados como o lugar em Chinatown. Pediam uma fotografia e um pequeno parágrafo sobre você antes de lhe dar permissão para participar de um evento. Enviei a foto de uma subcelebridade do Instagram, que se parecia o suficiente comigo para não levantar questionamentos na porta, e três linhas de bobagem sobre como eu era uma relações-públicas à procura de novas experiências com estranhos sensuais. Não é difícil entrar nesses lugares se você é uma mulher razoavelmente atraente; os organizadores são muito mais rigorosos com homens solitários que provavelmente vão se destacar apenas por serem desagradáveis e inoportunos.

Além disso — em retrospecto, isso é meio ridículo — fiz uma aula de primeiros socorros. Por algum motivo, decidi que, se fosse estrangular alguém até a morte, seria bom ver o que os especialistas procuravam quando tentavam salvar pacientes desse triste fim. Eu queria saber qual era o ponto de virada, quando os olhos vermelhos e a perda de consciência se tornavam irreversíveis. Infelizmente, isso me obrigou a ter que aguentar duas horas em um centro comunitário em Peckham, em uma noite de terça-feira deprimente, enquanto uma mulher chamada Deirdre nos ensinava a fazer RCP em bonecos antigos. Não é fácil perguntar sobre estrangulamento do nada, mas aprendi que, embora as pessoas normalmente percam a consciência em segundos, podem levar quatro minutos para realmente morrer, apesar de parecer que já se foram. Em suma, não valeu a pena ter que enrolar gazes na mão de um homem suado chamado Anthony, que me encarou o tempo todo para aprender esse procedimento, quando eu podia ter pesquisado no Google, mas é isso aí. Agora sei que plástico filme é útil para queimaduras, valeu, Deirdre.

Quando terminei de me maquiar, tomei uma taça de vinho na pia da cozinha. Esse tipo de festa só começava tarde, e não achei que seria uma boa ideia me manter sóbria. Esse evento era promovido por um amigo do grupo. Ele aparece bastante nos jornais, promovendo as delícias da vida noturna, mas é bem mais discreto sobre esse lado dos seus negócios. Eu só sabia que ele estava envolvido porque fica no mesmo prédio, atrás da Regent Street, onde a empresa dele está registrada. Faz sentido. Entretenha os ricos e bonitos nas suas festas e os observe. Encontre aqueles que querem um pouco mais, cujos olhos se entediam com as torneiras de champanhe e as danças. Eles têm tudo o que querem, mas não é ainda o bastante. Um cartão de visita preto e discreto, com um endereço do site gravado nele, entregue junto da conta exorbitante. O cartão grita exclusividade. Para aqueles que precisam de algo extra. É um bom *spin-off* para Hon Felix Forth. Ele conhece esses clientes. Ele próprio é um. Apresentei minha candidatura e esperei três semanas por uma resposta.

Quando, enfim, recebi algum retorno, era apenas um convite com a data e o local. Nada mais, nada de boas-vindas ou instruções. Achei que eu não deveria enviar um e-mail para perguntar se era para levar minha mordaça, então fiz o que qualquer *millennial* faria e pesquisei no Google. Dos três lugares que eu investiguei, esse era o mais exclusivo. As críticas em um site chamado Sexpecialistas falavam de como era difícil obter um convite (acho que eu tinha provado o contrário), como o local era exuberante e como as coisas ficavam "intensas". Tudo era vago e cansativo, mas era claro que, se eu estava procurando um lugar onde os fetiches eram encorajados, estava no caminho certo. Mais de uma pessoa disse que nunca tinha sido capaz de se entregar a uma depravação tão séria como aquela antes, o que pareceu uma declaração estranhamente mundana em uma resenha de um site desenhado para imitar o TripAdvisor.

Não tinha como saber se Lee estaria lá, mas não importava muito. Eu ia ver quais eram os limites dessas reuniões. Ele gostava de asfixia, mas seria isso uma mentira, algo para ele parecer mais arrojado do que era, ou ele realmente gostava de andar nessa linha tênue? E, se assim fosse, essas festas permitiam que ele concretizar a fantasia ou ele tinha que realizar suas práticas em quartos de hotel discretos onde ninguém poderia interromper ou desaprovar?

Peguei o metrô para Tottenham Court Road e andei o resto do caminho. Sempre gostei de caminhar pela cidade. Quando era mais nova e estava cansada da casa dos Latimer, passeava pelo Hampstead Heath por horas com o velho cachorro deles, Angus, e deixava meus pensamentos flutuarem. Nada fica no meu cérebro quando eu me movimento. É por isso que adoro correr. Posso me afastar dos meus pensamentos obsessivos, me desconectar dos planos que fiz, acalmar a vontade de me apressar e continuar com tudo. Se eu não tivesse esse tempo, acho que teria sido derrotada até o ponto de inércia pela atividade constante do meu cérebro.

Cheguei ao local faltando quinze minutos para a meia-noite. Tarde o suficiente para não parecer animada demais e virar presa de estranhos, cedo o bastante para entrar sem dar de cara com gente transando. Se o bar de Chinatown foi a passagem de última hora das festas eróticas, então este era um voo particular. Completo com bebidas grátis. E nozes grátis, obviamente. As vastas portas duplas foram abertas por dentro por uma mulher vestindo algo que parecia ter saído da passarela da Chanel na coleção passada. Pisei no chão de mármore e, à minha frente, uma grande escadaria de ferro se dividia ao meio e nos conduzia a uma entrada onde um homem de smoking e máscara nos olhos oferecia champanhe. Ele segurava uma máscara idêntica feita de seda preta frágil, que presumi ser obrigatória. Uma vez lá dentro, arrumei o cabelo e fui para a sala principal, que já estava cheia de corpos, e as vastas janelas atrás deles tinham vista para as luzes das lojas da Regent Street. Fiquei me perguntando em qual nível da escala de sexy estava ser capaz de ver a Apple Store durante o orgasmo, mas então me dei conta de que as pessoas ricas são exatamente as que achariam isso erótico.

Virei meu copo, peguei outro de uma mulher em traje de gala como se estivesse indo a um baile beneficente e circulei pela sala. Havia três pessoas acariciando os braços umas das outras à minha esquerda. Vi uma mulher beijando outra enquanto um homem de gravata-borboleta se aproximava. O tapete era tão espesso que meus saltos afundavam a cada passo. Os beijos e as carícias eram tediosos. As máscaras, meio cafonas. Se era para madrugar na rua, bem podia ver algo realmente acontecendo.

Fui em direção a uma porta revestida de tecido preto, o que me levou a um corredor com várias outras portas. Os quartos tinham nomes, que consegui discernir na luz fraca. Deviam ter sido escritórios para vitorianos virtuosos. Agora, tinham placas que diziam que você estava entrando na "Sala de Jogos". Seja como for, já não temos mais tuberculose, então acho que é algum progresso do século XIX para cá.

Eu me respeitava demais para entrar, então segui em frente e parei do lado de fora da "Sala Escura". Ouvi falar de salas escuras na minha pesquisa. Elas surgiram em bares gays durante os anos 1970, mas agora eram comuns nesse tipo de festas. Pode ser algo tão inócuo como uma sala com pouca luz, mas também pode ser um lugar para aqueles que procuram atividades um pouco mais transgressoras. Abri a porta lentamente, com o cuidado de lembrar que o quarto podia estar em uso e visitantes nem sempre eram bem-vindos.

Lá dentro, havia uma luz azul fraca. A porta se fechou silenciosamente atrás de mim e fiquei de costas para ela, deixando meus olhos se acostumarem à penumbra. Conseguia ouvir alguém gemer, respirar, sugar o ar enquanto outro som tomava conta — o som de correntes. Devagar, meus olhos absorveram a cena à minha frente. Uma mulher estava suspensa em uma parede, como uma imitação ruim do *Homem Vitruviano*. Ao lado, um cara só de calças e máscara segurava uma corrente pesada e preparava-se para bater nela. Prendi a respiração, à espera de ver o que aconteceria.

O homem puxou o braço para trás e depois o levantou rapidamente. A corrente saiu da mão dele e a atingiu a mulher no abdômen. Ela deu um gritinho, antes de fechar a boca e os olhos. Ele foi até ela e beijou-lhe o ombro, enquanto a via controlar a respiração. Mesmo na escuridão, conseguia ver uma marca se formar no estômago dela. Acho que a regra ali era apenas marcar lugares no corpo que seriam facilmente escondidos quando eles voltassem ao escritório na segunda-feira. Apesar do que tenho feito recentemente, não me excito com atos de violência, mesmo os que são feitos com consentimento. É quase um pré-requisito para os assassinos em série terem passado a infância torturando animais antes de passarem para seres humanos, explorando o prazer que sentem quando veem outros sofrer.

Esse tipo de ato sem sentido me deixa perplexa. Esta mulher e o sangue em sua barriga me confundem. A violência e o castigo são necessários em certas situações, mas não consigo imaginar infligir dor ou terror porque você encontra prazer nisso. Reconheço contentamento na revanche, em corrigir um erro ou em punir alguém que realmente merece. Estou em paz com o que faço, mas não faço porque gosto de ver alguém sofrer. Sim, observar o meu velho avô grisalho ficar mais fraco a cada segundo enquanto a sua esposa morta e decapitada jazia ao seu lado rendeu uma certa gratificação, mas isso era o de menos diante da sequência de eventos que eu tinha pela frente. Estava eliminando um grupo tóxico de pessoas da sociedade. Uma família que não tinha feito nada a não ser pegar o que podia para si e tratar os outros com desdém.

Minha mente tinha se afastado tanto daquele quarto escuro que me assustei quando ouvi o estalar da corrente outra vez. Desta, a mulher gritou a palavra "poderoso!", e o homem largou a corrente de metal e pegou uma garrafa de água, levantando-a aos lábios dela e acariciando seu cabelo. Uma palavra de segurança elegante, pensei eu, quando recuei pela porta. O casal mal tinha olhado para mim enquanto eu estava lá, observando. Havia ternura e confiança entre os dois. Um entendimento de que o que quer que tivesse acontecido tinha sido feito em parceria. Eu estava começando a ver que a comunidade das festas de sexo seguia essas regras tácitas. Era possível transgredir e descartar a vergonha que normalmente acompanha esses atos. Era possível causar danos e confortar alguém imediatamente depois. E era possível sair pela porta após cinco minutos, sem saber o nome da sua vítima. E, claro, a vergonha *era* suspensa dentro das quatro paredes desse edifício palaciano, mas lá fora? Lá fora, estaria à espera. Se Lee morresse em um lugar como aquele, eu sabia que a família Artemis faria tudo para abafar o caso. Ninguém se esforçaria para entender o que Lee procurava naquelas salas escuras. Ninguém buscaria respostas.

Espreitei em outros quartos: um casal fazendo um experimento com uma roupa de borracha e um grupo de pessoas desajeitadas tentando fazer uma orgia, ainda que um pouco frustradas pela logística física do ato, mas eu não estava interessada em nada daquilo. E, aparentemente, eles também não. Se Lee estivesse naquela festa, não era provável que o visse nos quartos sombrios, e eu não queria olhar muito para ver o meu tio mascarado e possivelmente nu.

No bar, tive uma conversa com outra mulher sozinha. Ela me chamou a atenção porque adorei a sua roupa, um smoking preto bem-cortado que eu tinha ficado tentada a comprar dias antes. Estar em uma festa de sexo cheia, interessada apenas em alfaiataria: essa era a *minha* transgressão. Perguntei como estava a noite dela, e ela virou os olhos mascarados para mim, antes de dar de ombros.

"Se eu quisesse foder um banqueiro drogado, andaria pela estação de Liverpool Street em uma quinta-feira à noite", disse ela.

Isso me fez rir e, assim que consegui a atenção do barman, fiz-lhe um gesto para pedir uma bebida. "Então, para você onde iria", falei, "quer dizer... para ter mais do que isso? É como se todo mundo se gabasse de como são *hardcore*, mas todas essas festas parecem uma propaganda de gim ou algo assim." Ela assentiu em concordância, parou por um segundo e, então, olhou em volta do bar, que estava se esvaziando enquanto as pessoas se dirigiam para os quartos privados.

"Sinceramente, este lugar só é bom por causa da localização central e pelo vinho que não dá ressaca, mas é *tão* seguro. Prometem depravação; mas, para a maioria desses homens, isso significa dizer que são uns losers e eles gozam. É o que conta como obscuro para homens ricos, mas o que é que você realmente quer?"

Ela era bonita de verdade, mesmo com uma máscara cobrindo metade da face. Maçãs do rosto que não desapareceram quando ela parou de sorrir. Covinhas que a fizeram parecer menos ameaçadora do que uma mulher com uma aparência daquelas seria normalmente. Uma boca carnuda, mas não inchada de preenchimentos, como metade das mulheres que eu tinha visto naquela noite. Me perguntei qual era a dela, se frequentava o lugar para conhecer tipos ricos ou se estava mesmo à procura de gratificação sexual de uma forma que eu não entendia. O que quer que fosse, ela claramente preferia a abordagem direta. Por isso, fiz o mesmo.

"Quero amarrar alguém e deixá-lo completamente indefeso. Então quero sufocá-lo com tanta força que ele desmaie. Excitante para ele, parte do processo de cura para mim. Sabe de algum lugar onde algo assim seja possível?"

A caminho de casa, abri o navegador do meu celular e procurei o nome do local que ela havia mencionado. "Bem, só há um lugar para você, querida; está perdendo tempo aqui." Ela gesticulou para o espaço palaciano à nossa volta. "Mas tenho que dizer: se está aqui, então é uma amadora, e vou te falar de um lugar onde todo o seu traquejo não vai adiantar de nada. Não vá a não ser que realmente queira." Ela não sabia o quanto eu queria, e não insistiu mais, seguindo com sua bebida para a sala de jogos. Como ela disse, havia muito pouco na internet sobre o local que ela estava recomendando, apenas um mapa da localização — Mile End — e um número de celular. Talvez agora eu estivesse finalmente no caminho certo. Só precisava que Lee fosse comigo. Fazê-lo aceitar ser sufocado por uma estranha não me pareceu a parte difícil. Eu estava mais preocupada em pedir a ele para ir ao East End.

* * *

Finalmente tive sorte. Uma terça-feira à noite fui encurralada e tive que ir a um *happy hour* com os colegas, embora seja preciso admitir que essa não foi a parte da sorte. Trinta minutos no bar foi tudo o que consegui suportar. A mesa era composta por sete mulheres e Gavin, o nerdzinho camp que usava cardigans mais do que deveria, e isso é ser gentil porque a quantidade certa é "nunca". Os gritos de riso eram audíveis no bar, onde pedi uma taça generosa de Brunello, porque não havia um mundo concebível em que essas pessoas tivessem escolhido qualquer coisa a não ser uma garrafa de vinho branco da casa. Quando cheguei aonde estavam sentados, vi que o meu instinto estava certo. Meu único erro foi imaginar que só tinham uma garrafa. Havia três na mesa, e apenas uma não estava completamente vazia. Eles me saudaram com exclamações de boas-vindas e puxaram uma cadeira para mim.

"Estamos comentando qual irmão Hemsworth é mais atraente, Grace", disse Jenny, que nunca falava comigo no escritório, mas sorria muito quando eu olhava em sua direção, em uma voz arrastada.

"Ah, desculpe", falei quando tirei o meu cachecol, "não sei quem eles são." Eu sabia, é claro; acho que a ignorância proposital da cultura pop é patética, mas eu não queria que pensassem que eu gostava daquele tipo de conversa. Seria um terreno escorregadio onde, de repente, esperariam que eu conversasse mais no trabalho. Não que estivesse planejando uma longa carreira na empresa. No momento em que o plano estivesse terminado, daria o fora de lá sem sequer um e-mail de despedida.

A conversa continuou ao meu redor, e inclusive sacaram um celular para me mostrar as diferenças importantes entre os irmãos Hemsworth. Eu ouvi, rejeitando qualquer tentativa de conversas individuais, e aproveitei a minha oportunidade para sair quando Christie foi ao banheiro e Gavin foi buscar outra rodada. Tentei me manter simpática diante de súplicas para ficar, mas receio ter ido um pouco longe demais quando Jenny me agarrou pela mão e tentou tirar meu cachecol. Retribui a pressão que ela fez na minha mão e depois finquei as unhas com força nos seus dedos enquanto me libertava dela. Jenny estremeceu e olhou para a mão, esfregando enquanto eu dava boa-noite ao grupo. Quando caminhei para a porta, olhei para a mesa. Todos escutavam Magda contar uma história que envolvia imitar sexo oral com uma garrafa de vinho vazia. Todos, exceto Jenny. Ela ainda me olhava com uma expressão de completo choque, a mão enfiada debaixo do sovaco como se estivesse tentando se acalmar. Resisti à vontade de piscar para ela quando saí pela porta. Não estava pronta para ir para casa, por isso parei para fumar um cigarro, incomodada apenas uma vez por alguém pedindo meu isqueiro... Tão entediante. O homem era bonito de uma forma um tanto genérica e obviamente queria puxar conversa, mas eu vi que ele estava em decadência. O cabelo vai primeiro, imagino, depois vem a papada. Não tive vontade de investir nem um minuto naquela trajetória. Andei um pouco pelo Soho, olhando as vitrines das lojas e pensando no jantar. Eram só 20h, por isso fui para o meu restaurante italiano favorito, que tem lugares no balcão e não te faz se sentir estranha por jantar sozinha. É um dos grandes prazeres da vida, comer sem ninguém falar com a gente. O que poderia ser pior do que um encontro ruim com boa comida? Como você pode apreciar o que está comendo quando alguém fica te falando sobre como realmente não entende qual é a graça da leitura. Ou pior: dizendo que seu filme favorito é *Os Bons Companheiros*. Gostar de *Os Bons Companheiros* mais que todos os outros filmes significa que o homem nunca se preocupou em cultivar uma personalidade.

Depois de um prato de espaguete *cacio e pepe*, outra taça de vinho e um *macchiato*, olhei para o meu relógio e vi que já passava das 22h. Engraçado como trinta minutos com colegas podem parecer uma eternidade e duas horas felizes com apenas seus próprios pensamentos podem passar voando. Acho que eu sabia, durante o jantar, que poderia ir ao bar em Chinatown onde encontrei Lee. Talvez tenha sido por esse motivo que demorei tanto. Eu não estava pensando nisso conscientemente, mas, quando paguei e saí na rua, sabia que a ideia estava rondando na minha mente. Ainda era um pouco cedo para o meu tio, e eu nem sabia se o bar estava aberto em uma terça-feira, mas sexo não era algo circunscrito ao sábado à noite, e Lee não parecia ficar muito tempo em casa.

Então decidi arriscar. Além disso, estava determinada a avançar com a parte seguinte do plano, e eu tinha que ser mais assertiva a partir de então. Tinha que convencer o Lee a me acompanhar até Mile End. Isso podia parecer impossível, dado que mal nos conhecíamos, mas suspeitei que sua necessidade de procurar o risco e a sua baixa tolerância ao tédio significavam que ele aceitaria. Homens como Lee não precisam dos níveis de confiança que as outras pessoas têm. Simon nunca aceitaria uma oferta como a que eu ia fazer ao Lee, mas Lee tinha a combinação perfeita de não ser inteligente, mas pensar que era. É uma mistura exagerada, que me fez acreditar que ele estaria disposto a aceitar a oferta. Só precisava achá-lo.

Fui até o bar. Eu não estava vestida para uma festa de sexo, com minhas roupas de trabalho, cachecol de lã e chapéu, mas era uma noite de terça-feira, e aquele estabelecimento dificilmente poderia exigir alfaiataria quando parecia ligar opulência a um excesso de carpete vermelho.

O lugar estava bastante vazio, o que não foi surpreendente. Alguns casais se sentavam nas cadeiras de veludo enquanto um homem bêbado usando uma jaqueta de couro me encarava.

"Posso...", disse ele, quando tirei o cachecol.

"De jeito nenhum", respondi, e olhei para a frente. Nunca seja gentil com homens ansiosos para interagir com você. Até um corte educado é um desafio. Especialmente em um clube de sexo.

Me dei uma hora. Se Lee não estivesse lá às 23h, eu ia para casa. Sou adepta fiel da teoria de que nada de bom acontece depois das 2h e, naquele local, era prudente retirar algumas horas da regra.

Ansiosa para não dar ao homem ao meu lado mais oportunidades para falar comigo, tomei a minha bebida e fui dar uma volta. Em uma sala ao lado dos banheiros acessíveis (o Conselho Municipal de Westminster tinha aplicado aquelas regras em clubes de sexo tão estritamente como no Starbucks?), encontrei dois homens e uma mulher fazendo um *ménage à trois*. Tantas pessoas tentando agradar umas às outras sempre me pareceu um certo exagero. Como se concentrar no próprio orgasmo quando tem que pensar se outra pessoa está sendo negligenciada? Naquela situação, havia uma clara diferença no grau de atratividade dos dois homens, que eu imagino que os três estavam a par, mas evitavam tocar no assunto. Um deles tinha um corpo de academia, com aquele quê vaidoso que sugere um bom tempo criando uma aparência de força, mas que provavelmente não entrega o que promete. Ele parecia de fato capaz de cortar lenha com as próprias mãos, mas as unhas manicuradas deixavam claro que a mera ideia de algo assim o deixaria em pânico.

O outro tinha uma barriga considerável e as costas peludas, o que eu me recusava a acreditar que alguém hoje em dia achasse atraente. Você não ganha pontos por ter sua própria pelagem. Mas o pior era a bunda, com um caso muito grave de acne. Nem a generosidade da pouca luz conseguia disfarçar. Dai-me a confiança de um homem que consegue ir a um clube de sexo com a bunda cheia de espinha. Na verdade, era a imagem perfeita de auto aceitação.

Não que a mulher parecesse se importar. Pelo menos ele se esforçava, a cabeça entre as pernas dela, enquanto ela se inclinava para trás e servia ao bonitão fraco. O efeito era um pouco parecido com dominós, e as contorções com certeza deixariam suas costas doloridas. Bonitão estava apreciando o aspecto performativo de tudo, eu podia praticamente vê-lo flexionar os músculos abdominais enquanto ele olhava para mim e me chamava para perto deles. Dei um risinho, o que fez a mulher olhar para cima e franzir a testa, e eu me senti amarga por tirá-la do seu êxtase. Certamente essas pessoas não pensaram que eu iria querer me juntar àquilo. Absurdo, mas era eu que estava de casaco observando três estranhos transarem, então talvez o meu risinho é que estivesse fora de contexto.

Saí do quarto e voltei para o bar, onde o homem da jaqueta de couro tinha encontrado outra mulher para irritar, e pedi uma bebida para mim.

Enquanto eu esperava, a porta se abriu e uma mulher muito bonita entrou. Atrás dela estava Lee, com direito a botas de caubói. Meu coração teve um frêmito de euforia, para cair em prostração logo em seguida: ele colocou a mão nas costas dela e eu logo soube que seria quase impossível chegar perto quando aquela mulher, que não era sua esposa, roubava toda a sua atenção. Até eu tinha dificuldade em olhar para outra coisa. Lee tinha 54 anos. Ele podia tentar se livrar dos cabelos brancos e tornear o corpo com treinos, mas fatos são fatos. E, ao lado de uma mulher tão jovem, eram inescapáveis. Uma moça mais de dez centímetros mais alta que eu, com lábios que pareciam esculpidos por alguma divindade, mas ainda assim uma menina. Sempre me surpreendeu que os homens mais velhos ficassem confortáveis com as aparências ao serem vistos com mulheres tão jovens. Não veem como as pessoas riem e seus amigos ficam perguntando se estão com a filha ou com a amante? Ou pior: como especulamos se eles coagiram a moça, seja através de poder financeiro ou experiência emocional? Só que eu sou uma mulher. Talvez outros homens de idade semelhante realmente olhem com um misto de inveja e admiração. Acho que é melhor mesmo não saber o que se passa na mente masculina. Se soubéssemos, acho que passaríamos boa parte da vida em desespero.

A moça, que era jovem o suficiente para ser sua filha, disse algo para ele e seguiu por uma porta lateral. Lee ficou segurando a minúscula bolsinha Chanel dela ao se aproximar do bar, amassando-a como se não valesse quase 3 mil libras. Estava bêbado, os olhos ligeiramente vidrados, a testa lustrosa de suor. Ele sorriu quando me viu, reconhecendo meu rosto. Curtia cumprimentar as pessoas como se fossem velhos amigos, bancando o cara legal que nem sabe seu nome, mas faz você se sentir importante por quinze segundos, antes de passar para a próxima.

"Olá, de novo", disse ele quando me alcançou e beijou o espaço ao lado da minha cabeça. "Pensei que você procurava algo mais *hardcore* que isso, não?"

"Encontrei", respondi. "Vim aqui para te convidar, mas vejo que está ocupado esta noite."

Ele pareceu um pouco confuso e depois olhou para a bolsa. "Ah, ela? Ela está trabalhando, se é que me entende." Eu assenti, não querendo entrar nos detalhes de como ele tinha o hábito de contratar profissionais do sexo cerca de trinta anos mais novas, mas ele deve ter imaginado que eu ainda estava confusa, porque se inclinou na direção do meu rosto.

"A Virginie é uma meretriz", sussurrou, respirando uísque na minha cara. "Uma meretriz que parece uma... atriz." Ele riu da própria rima, estalando os dedos para o barman, que o ignorou.

"Então, você vai experimentar esse novo lugar comigo, ou vai só ficar falando sobre todas as coisas obscuras e estranhas de que você gosta, sem ir a lugares novos? A Virginie vai fazer o que você pedir, acho, mas isso não me parece muito excitante. Ela não está sentindo prazer; está pensando em pagar o aluguel."

Ele riu outra vez, mas estava bêbado demais, e não consegui ver como resolver isso antes de sua amiga voltar.

"Vocês são todas iguais. Adoram alardear que são *hardcore*, mas não fazem o que eu preciso. Pagar é mais fácil. Não preciso ir devagar, ela faz pelo preço certo. Uma garota determinada."

"Não vou perder meu tempo. Encontrei um lugar onde rola tudo bem intenso, sem perguntas. Faz este lugar parecer uma aula de ioga para donas de casa aborrecidas. Não quero ir sozinha, porque não seria tão gostoso. Acho que poderíamos nos divertir juntos. Se estiver cansado de pagar por hora e quiser brincar com alguém do seu tamanho, me liga." Sorri para o barman, que veio imediatamente. "Lamento que este homem tenha sido tão rude. Acho que ele gostaria de pedir desculpas. Ele vai beber um uísque com gelo e o que mais você tiver. E me empresta uma caneta?" O barman trouxe uma caneta e eu escrevi meu celular em um pedaço de guardanapo, deixando-o no bolso de Lee. "Lembre-se de salvar nos contatos antes de a empregada achar. Ou pior, sua esposa, mas imagino que descobrir o número de celular de uma mulher seria pouco surpreendente para ela."

Ele olhou para mim e franziu a testa. "Você é uma piranha, sabia?", disse ele, exagerando como todos os bêbados fazem.

"Eu sei, sim", respondi, quando me virei para ir embora. "Mas é isso que você realmente está procurando, Lee. Não é?"

Saí do bar e chamei um táxi. Ele ligaria. Agora eu só tinha que fazer os preparativos finais.

* * *

Os preparativos para matar alguém são bizarros. Adoraria que houvesse um fórum na internet onde você pudesse compartilhar dicas e oferecer conselhos aos novatos, dizendo quais luvas são as mais práticas e debater sobre empurrões escada abaixo. Tipo o Maes.com, mas para homicídios. Na verdade, imagino que haja algo assim na Deep Web, mas não quero procurar. É um negócio solitário e envolve muita espera e um pouco de tentativa e erro.

Quanto a Lee, eu tinha duas coisas para fazer. A primeira parte já estava feita: uma visita ao estabelecimento de Mile End onde ele encontraria o fim de seus dias na Terra. Ver o local quase me fez achar que a família dele ficaria mais envergonhada por ele ter morrido em Mile End do que por autoasfixia erótica. O local estava fora do trecho principal da rua, por baixo de uma ponte, e a porta ficava quase escondida nos arcos. Não havia nenhuma moça glamorosa com uma prancheta aqui, apenas dois homens ligeiramente sinistros atrás de uma tela, que exigiram 20 libras, pegaram meu celular e apontaram para uma escadaria que descia para o subterrâneo, mas, meu Deus, era perfeito. O lugar era escuro, com chão pegajoso e sem janelas. Corpos amontoados juntos, música barulhenta quase abafando os gemidos que chegavam até mim de todos os ângulos. Não havia nenhuma área de drinques sofisticados, de onde você poderia se deixar deslizar discretamente para a depravação: aquele lugar estava cheio de pessoas em vários estados de nudez. E elas estavam mandando ver, como se não houvesse amanhã. Tinha um certo apelo, na verdade. Pessoas de todas as formas e tamanhos se contorcendo, como se estivessem em um bacanal romano e não em um decrépito armazém ferroviário. Fui entrando aos poucos entre a multidão, preparando-me para uma mão boba ou um abraço, mas fiquei surpresa em ver como as regras de consentimento eram bem-aplicadas. Eu não estava interessada, mas é sempre melhor quando perguntam antes.

Tal como os outros clubes a que eu tinha ido, havia portas que saíam do espaço principal para dar acesso a outras áreas, e eu verifiquei cada uma para avaliar se eram adequadas. A maioria dos quartos eram pequenos e sem ar, com mobiliário rudimentar e temas diferentes. Um deles estava forrado com borracha preta. O outro tinha um balanço enorme no meio, cujo limite de peso era testado por quatro corpos energéticos, mas esses quartos eram mais comuns e isso não me servia de nada. Segui em frente. Conforme eu me afastava da área principal, a quantidade de pessoas diminuía. Então, encontrei o lugar ideal. Uma porta pintada de preto brilhante me levou para um quarto que parecia um armário velho. Havia grandes ganchos prateados presos à parede de tijolos, com cordas presas a cada um deles. Olhando ali dentro, pude ver mais claramente que tinham sido organizados no formato de uma pessoa, com um outro gancho balançando do teto. Uma cadeira de metal estava encostada a uma parede. Sentei e olhei para o quarto durante algum tempo. Uma vez que as câmeras não eram permitidas no clube, tive de memorizar o cenário para mais tarde. A cadeira era parte do plano, e torcia que ninguém a removesse. Ter que procurar outra iria certamente estragar o clima para o Lee.

Alguém empurrou a porta um pouco, e eu falei com firmeza. "Esta é uma sessão privada." A porta se fechou. As pessoas eram bem-educadas nesse vale-tudo. Um respeito tipicamente britânico pelas regras. Não importaria muito se fôssemos interrompidos, pois pareceria uma sessão típica, mas esperava que tivéssemos sorte.

A segunda coisa que tive que fazer foi praticar. A prática leva a perfeição.

De uma análise cuidadosa de um velho tomo chamado *25 Nós que Você Precisa Conhecer* (descoberto por uma feliz coincidência em um sebo), aprendi que quanto mais nós amarramos em uma corda, mais a enfraquecemos. É necessário fazer somente um nó forte. Deus me perdoe, mas achei aquilo fascinante. Decidi que o nó mais adequado para mim era o nó de andaime. Acho que não preciso explicar de onde vem o nome. Parecia um laço bem complicado, e a minha explicação disso dificilmente dará conta, mas de memória era algo assim: você forma um laço com a corda, enrolando uma ponta através do laço várias vezes antes de trazê-la de volta para encontrar a outra. Envolvia três voltas, presas de leve e, em seguida, apertadas ao terminar. Tive que praticar isso muitas vezes para me aperfeiçoar, porque tinha de ser construída depois de estar presa ao gancho. Passei um domingo inteiro trabalhando para fazer isso bem e levei horas de frustração até conseguir de uma vez só. Mesmo assim, demorei mais de três minutos de concentração. Eu não teria três minutos no dia, pareceria muito bizarro, mesmo para um homem que curtia aquele tipo de coisa. Dentro de mais uma hora, eu tinha reduzido o tempo para 45 segundos, o que achei aceitável.

O outro conselho que recebi de *25 Nós que Você Precisa Conhecer* foi que para uma corda aguentar o puxão de algo caindo, ela precisa aguentar várias vezes o peso desse algo em questão. Com isso em mente, eu escolhi a corda de nylon, com 10 mm de espessura. Era um pouco mais cara, mas a paz de espírito não tem preço, certo?

Quando as mulheres se preparam para dar à luz, fazem uma mala para deixar à mão. Fiz algo semelhante enquanto esperava que Lee entrasse em contato. Eu tinha uma bolsa Celine de tamanho médio em um adorável tom de chocolate que parecia perfeita para o plano, pois era espaçosa e não muito chamativa. Uma clássica Celine. Lá dentro estava a minha corda, algumas luvas, que eu esperava parecerem menos assassina-em-um-beco-escuro e mais vítima-de-moda, um chapéu de lã de abas largas que parecia cosplay de detetive e alguns lenços desinfetantes. Não era crucial ter a mala pronta antes da data, mas eu estava ficando ansiosa e impaciente.

Passei dez dias correndo sem rumo em volta de Londres, atravessando pontes e subindo colinas em uma tentativa de me livrar de parte da energia nervosa. Passei uma noite com Jimmy no bar, onde ele achou graça do meu olhar distraído. Disse a ele que estava esperando que um homem ligasse, o que não era exatamente uma mentira. Comecei a deixar o celular no modo avião por horas, para não ter a tentação de ficar checando as mensagens. Começou a ser excruciante. E então, em uma sexta de manhã, acordei com uma mensagem do tio. Tinha sido enviada às três da manhã, e simplesmente dizia: *Ok, sra. presunçosa, estou entediado. Vamos sair.*

Me sentei na cama e li de novo. Depois pousei o celular e tomei um banho longo, fiz cem agachamentos e passei um café. Só então voltei ao celular e escrevi uma resposta. Assim que escrevi, decidi que era muito cedo para enviar. Pensei que Lee ainda estaria dormindo e não queria parecer muito ansiosa. Só à hora do almoço, quando saí do escritório e tive tempo para pensar, é que verifiquei a minha resposta e cliquei em "enviar."

Prometo que o que eu tenho em mente não será tedioso. Me encontre sábado no metrô. Mile End, meia-noite. Me mande uma mensagem quando chegar. Não se atrase.

Duas horas depois, recebi uma mensagem: *Tive que procurar no mapa. É bom q valha a pena. Te vejo* lá.

Tinha um encontro marcado para sexta à noite, mas cancelei. Poderia ter aliviado a tensão, mas eu precisava dela. Queria estar empolgada. Estava tão farta de esperar que essas pessoas alinhassem com os meus planos. As vésperas eram sempre a melhor parte, saber que logo mais um teria seu fim, ver a lista diminuir, desesperada para receber qualquer reação da família que eu pudesse encontrar. Ficava eufórica por dias. Claro, isso era acompanhado pelo medo de que o plano não funcionasse e eu voltasse à estaca zero, mas era por isso que era interessante. Se corresse bem, eu poderia remarcar o encontro, mas ele parecia um pouco pegajoso, dizendo que estava desapontado por não me ver e adicionando um emoji triste, então era improvável.

No sábado, corri de Shadwell até Battersea e depois voltei para St. Paul's. Meu app informou que eram os meus quinze quilômetros mais rápidos. Sentindo que precisava descansar um pouco, sentei na escada da catedral, observando os turistas passarem. Outro corredor fez o mesmo, sentado a alguns passos de distância e esticando as pernas. Ele sorriu para mim, e eu sorri de volta sem querer. Ele era bonito, ainda que um tanto corado, mas havia algo mais em seu olhar do que sua postura chique sugeria. Vi que ele estava enrolando e percebi com irritação que parecia prestes a dizer algo, então me levantei e fui para o metrô. Que pena. Ele tinha potencial de não ser horrível, mas eu não tinha nem tempo nem energia para ficar sentada flertando nos degraus ensolarados de uma catedral. Aquele não era o dia. Nenhum dia era dia para mim, na verdade. No máximo, teríamos transado uma ou duas vezes e, a certa altura, ele me convidaria para ir a Putney beber com os amigos depois do rúgbi e eu teria que deletar seu contato. Melhor já cair fora desse tipo de roubada o quanto antes.

* * *

Quinze para a meia-noite, eu estava apertando o casaco com firmeza em volta do corpo e tirando o chapéu da bolsa. Felizmente tenho uma boa cabeça para chapéus. Ou você tem ou não tem: se um chapéu fica feio, todos ficam. Muitas mulheres acham que ficam bonitas de gorro.

Não ficam. Ninguém com um gorro transmite nada além de um desejo desesperado de ficar bonito de gorro. Tirando essas abominações, os chapéus me caem bem e me dão uma camada extra de anonimato tão necessário. A fiel loja de perucas em Finsbury Park me ajudou, esta noite sou uma maravilhosa sedutora de cabelo preto. Estou confiante de que ninguém vai passar muito tempo à procura de alguém que possa estar relacionada com a morte do Lee, mas também não vou entrar abraçada com ele no lugar em que ele vai morrer. Um chapéu e uma peruca são uma boa precaução.

Espero sua mensagem em um pub próximo (genuinamente o primeiro e último pub que eu vi no leste de Londres intocado pela gentrificação — que alívio não ver a cabeça de um cervo triste na parede ou uma pilha de jogos de tabuleiro no canto), meio esperando que ele esquecesse ou encontrasse um plano melhor, mas ele envia mensagens às cinco para a meia-noite, dizendo que está na porta da estação.

Ótimo. Encontre comigo na *Bushell Street*, eu respondo. Dois minutos depois, aparece um Mercedes preto quatro por quatro. Estremeço ligeiramente, impossível esconder sua chegada naquela monstruosidade.

O motorista abre a porta para ele, e ele emerge na noite. Lee está envolto em um enorme casaco de pele de ovelha com um dragão gigantesco costurado na parte de trás. Suas botas pretas de caubói têm um efeito de pele de cobra; ele visivelmente escolhera o par mais elegante para esta noite. Ele procura por mim e eu o deixo esperar por um minuto, olhando os arredores. Ele está longe do seu território habitual, e vulnerável. Quero que ele se dê conta. Perceba que sou eu que mando aqui. Eu estou guiando o caminho. Então fico parada por mais alguns segundos enquanto ele parece cada vez mais nervoso, se perguntando se foi largado ou se é uma armadilha. Consigo vê-lo ponderar se deve recuar para a segurança do carro e trancar as portas. Pouco antes de sentir que ele está prestes a fugir, vou em frente e dou um assobio suave, como se ele fosse um cão perdido.

Lee olha para cima e sorri de alívio. Vindo na minha direção, ele alcança a minha mão e a beija. "Graças a Deus, este lugar é uma lixeira e pensei que tinha perdido a viagem." Retiro minha mão o mais suavemente possível e retribuo o sorriso, forçando a boca a curvar-se para cima. "Cabelo bonito, fica bem em você. Te deixa mais jovem. Entra no carro, não é seguro andar aqui, meu bem, estou usando um Patek Philippe que financiaria uma casa neste bairro."

Digo a ele que a caminhada é de apenas alguns minutos e provoco-o levemente por ser um covarde. A careta dele me diz que não está muito satisfeito, mas ele faz sinal ao motorista e o carro vai embora.

"Qual o arranjo?", pergunto quando começamos a andar. "Ele só fica te esperando aonde quer que você vá ou você paga pela hora e às vezes precisa pegar o ônibus como as pessoas comuns?" Isso faz com que ele atire a cabeça para trás e caia na gargalhada. É sempre fácil fazer Lee rir. Basicamente, envolve dizer algo sobre o quanto ele é rico. Acho que o conceito de um ônibus noturno *seria* engraçado se você nunca tivesse tido que esperá-lo.

"Meu chapa Ke trabalha 24 horas por dia para mim. Sou um homem ocupado e tempo é dinheiro, como dizem. Ele sempre vem me buscar em vinte minutos e, pelo que pago, esperaria por dias ao volante, de boa. Se você for uma boa menina, te dou carona para casa mais tarde." Felizmente, não planejo ser uma boa menina, por isso a carona para casa não será necessária. Viramos a esquina e chegamos ao arco, que é a entrada para o nosso destino final. Bem, o destino final dele.

"Tcharan!", digo, levantando as mãos. Lee parece um pouco horrorizado e estaca.

"Na boa, querida, mas o que é isso? Um túnel ou algo assim?"

Faço cara de enfado e digo para ele se apressar.

"Sei que você não está habituado a clubes sem mordomos, mas também, nas suas próprias palavras, está entediado. Este lugar vai te assustar, mas garanto que, no fim das contas, você vai curtir. Pelo menos tenta. Seu motorista está na esquina se você quiser voltar para Chelsea."

"Espero que tenha tanta sacanagem quanto você diz que tem", resmunga, enquanto me segue pelas escadas e entra no clube.

Para o meu alívio, está cheio, a área do bar tem uma fila e já há pessoas nuas enquanto esperamos por uma bebida. Tiro o chapéu e sutilmente toco a parte da frente da peruca com o dedo para ver se houve qualquer deslize. Lee se anima na hora, observando a multidão. Pode não ser o ambiente ao qual está habituado, mas ele sabe reconhecer uma boa orgia. Traz o casaco pendurado no braço (ele se recusou a deixá-lo na chapelaria, dizendo meio brincando à balconista entediada que era um Gucci exclusivo e que ele jamais o confiaria a ela), e está de pé, encolhendo um pouco a barriga. Por mais que os homens com mais de 50 anos frequentem a academia, há sempre um ligeiro espessamento nessa área. Um agradável lembrete de que estão perdendo a juventude cada vez que tentam olhar para seus pintos. Consigo ver os olhos dele estreitando à medida que percorrem a sala, já à procura dos corpos que quer explorar. Se eu o deixasse agora, ele mal teria reparado. Busco vodcas duplas e o conduzo pelo ambiente. Já tinha decidido deixá-lo brincar um pouco. Ele podia ter a sua última refeição, não havia necessidade de apressar as coisas.

"A sala principal é baunilha", falo, e faço um gesto em direção a uma porta lateral. "Vamos tentar as áreas privadas." O homem estava em ponto de bala, praticamente me empurrando. A primeira sala em que entramos tem uma parede de *glory holes* e Lee quer sair. "Não gosto de ver mulheres chupando paus que não são o meu, sabe?"

Contendo a vontade de insultá-lo, seguimos em frente. A sala ao lado o agrada mais. Há uma cela falsa com três mulheres fingindo de modo ostensivo e, francamente, exagerado tentar escapar enquanto um homem nu as atiça. Eu grito para Lee que preciso ir ao banheiro e o deixo a sós. Ele mal olha em volta quando vou embora, já indo até as grades e dizendo algo para uma delas. Dou-lhe quinze minutos, o suficiente para ele fazer pelo menos uma coisa nojenta, mas ainda me preparo para ser confrontada com o pior quando regressar. Acontece que, quando volto para a cela, Lee foi embora e há pessoas novas na sala brincando de prisioneiros sensuais. Tentando evitar o pânico, vou até o próximo quarto e o vejo deitado em uma mesa, enquanto uma mulher usando uma balaclava bate nele com um chicote. A calça jeans está nos tornozelos, presumo que era porque ele não queria tirar as botas, e a camisa preta enrolada nas axilas. Todo o efeito é tão absurdo que quase tenho pena dele e preciso abafar uma gargalhada. Lee se vira para mim, mas seus olhos estão fechados em êxtase total, por isso não interrompo. Fico ali parada, um pouco afastada da cena à minha frente, vendo meu tio ser espancado por uma mulher que parece ter roubado um banco em um filme pornô. Ah, mãe, se você pudesse me ver agora...

Finalmente, algumas outras pessoas entram no quarto e a tensão começa a aumentar. Torna-se claro que há uma fila se formando para a mesa, e um homem tosse para alertar Lee. Fila. A única e peculiar sensibilidade britânica incapaz de ser ignorada, não importa onde você esteja. Ele olha para cima com um grunhido quando percebe que o chicote parou e puxa as calças para cima, relutante. O homem impaciente sobe na mesa e deita com expectativa. Nada de paninho com álcool entre um corpo e outro, eu reparo.

"Para onde agora?", Lee me pergunta, endireitando a camisa, pegando o casaco e tirando a bebida da minha mão. "Este lugar é uma loucura, você não estava brincando. Vou ter que esconder da patroa essas porras dessas marcas durante semanas. Não que ela vá prestar muita atenção. A menos que envolva tecidos de cortina ou angariar dinheiro para otários, ela não parece muito interessada em nada hoje em dia."

Isso é uma referência oblíqua à morte do filho deles? Não mencionei isso a Lee, claro, e verdade seja dita, tenho dificuldade em ligar esse homem ao Andrew desde que comecei a interagir com ele. Se Lara tinha agonizado com a perda do filho, Lee parecia nem perceber. As pessoas sofrem de maneiras diferentes, claro, e poderíamos dizer que suas fugas noturnas eram uma forma de lidar com a dor, mas, olhando para ele agora, acho improvável. De repente, sinto uma onda de raiva pela forma como Andrew parecia ter sido completamente apagado da vida do pai. Um sentimento irracional, visto que fora eu a responsável pela morte, mas eu não era a pessoa quem o criou, e mesmo no pouco tempo em que conheci meu primo, pude ver os danos que a sua família tinha lhe causado.

"Você tem filhos?", pergunto, quando entramos em uma sala onde uma mulher está caminhando sobre as costas de um homem com saltos altos perigosamente afiados (muitos dos quartos estavam cheios de mulheres rebaixando seus companheiros masculinos).

"Jogo privado!", ela ladra para nós, enquanto continua a caminhar com o sapato em cima das nádegas do sujeito. Nós recuamos, rindo, e seguimos em direção ao quarto que eu tinha marcado como nosso.

"Não", diz Lee, sem olhar para mim. "Tínhamos dois. A menina morreu bebê, pobre coitada, e meu filho se foi não faz muito tempo, mas ele não queria nada conosco. Achava que éramos ruins por ter dinheiro. Não o impediu de usufruir desse dinheiro, até decidir que não queria mais. Minha mulher não aceitou bem, mas o que se pode fazer senão continuar? Ela usa isso como desculpa para se esconder, mas eu continuei com a vida."

Chegamos à entrada do "nosso" quarto, e eu paro, sem saber o que dizer a um homem que riscou o filho da sua vida em três frases. Lee e Simon eram irmãos em todos os sentidos.

"O que é isso? É mesmo aqui que vamos ficar?" Ele sorri e empurra a porta. Foi muito arriscado da minha parte. Se ele fosse cinco por cento menos monstro, poderia ter ficado triste demais com a minha pergunta para aproveitar a ocasião e eu teria perdido minha oportunidade, talvez para sempre. Sorte a minha lidar com um homem capaz de mencionar o filho morto e imediatamente continuar no clima para gratificação sexual. O quarto está vazio, provavelmente porque ser o mais distante do bar. Lee acende a luz e vejo que a cadeira ainda está no lugar. Respiro fundo pelo nariz e ponho a bolsa no chão. Calço as luvas, o que sei ser uma forma de comando, e digo: "Este é o meu quarto agora. Você vai fazer o que eu quero, não vai?". Ele sorri de novo. "Na verdade, não foi uma pergunta. Você vai fazer exatamente o que eu quero. AGORA."

Lee faz uma saudação falsa e eu olho para ele, sem pestanejar, até que ele baixa o braço.

"Tire a roupa", digo, pegando a corda da bolsa e começando a amarrar. Ele faz o que eu digo, tendo alguma dificuldade com as botas, como previsto. Enquanto ele se contorce, finalizo o nó e verifico se está firme. Com uma corda menor, amarro-lhe as mãos vagamente, para que ele tenha uma falsa sensação de segurança e ache que os nós podem ser facilmente desfeitos. "Sente-se na cadeira e me deixe te ver bem." Ele entra no papel de obediente. Enfio a corda enroscada na boca de Lee e ando ao redor dele, reparando na tatuagem de teia de aranha por cima de um bíceps. Vejo as iniciais do lado: KA. A mãe. Se a minha mãe ficaria horrorizada por me ver agora, só posso imaginar como Kathleen se sentiria. Vejo que suas nádegas são surpreendentemente firmes, com marcas de bronzeado que ele só podia ter conquistado em camas de bronzeamento frequentes. Me obrigo a olhar para o pênis, levantado em expectativa. Evitar poderia parecer um sinal de fraqueza. Tiro a corda de sua boca e jogo nas suas mãos. "Palavra de segurança?"

Ele sorri de novo e me conta que gosta de dizer "Barbados", o que é bom, já que não vou respeitar nenhuma palavra que ele tenha escolhido. "Você poderia cobrar por isso. Você não é profissional, mas é minuciosa", diz ele, olhando para mim. Ignoro-o e ponho a corda em seu pescoço.

"Vou te amarrar ao gancho e você vai se masturbar enquanto a corda aperta. Vou controlar o nível, e vou ver você ficar cada vez mais perto. Você vai se contorcer, vai estremecer, mas vai continuar. Não me faça perder tempo com nada menos do que o espetáculo completo. E, quando acabar, é a minha vez."

Coloco a ponta da corda em volta do gancho e faço outro nó, me permitindo uma pausa de orgulho com a minha arte. Seguro as pontas das cordas na minha mão e começo a apertar o laço, puxando-as gentilmente. Lee começa a se acariciar, fechando os olhos e respirando profundamente. Puxo com mais força, e os olhos dele se abrem, mas ordeno bem ríspida para continuar. Mantenho a minha mão firme e deixo-o se acostumar à pressão, à medida que o pescoço dele treme de leve e o rosto fica mais vermelho sob o bronzeado permanente. Depois de segundos, ele geme enquanto eu lhe digo para ir com mais força. E depois, quando me inclino para sua cara corada, chuto o banco debaixo dos pés dele. Ele cai de repente, e eu largo a corda. O meu nó mantém-se firme, e Lee começa a chutar, se retorcendo tanto que tenho de me afastar rapidamente. As mãos dele agarram seu pescoço, arranhando a corda, mas eu me movo atrás dele e as puxo para baixo com força. É importante não deixar marcas. Não demora muito. Rápido, mas agonizante — para ele, mas também para mim enquanto verifico a porta a cada poucos segundos. Seus olhos parecem estar quase saindo da cabeça, e a língua está inchada entre os lábios enquanto tenta desesperadamente sugar o ar. Penso por um segundo em dizer a ele quem sou, mas não acho que mereça. Nunca me importei com Lee. Matá-lo é um meio para um fim maior, e ele não merece uma explicação. Dentro de segundos ele está inconsciente e então está morto. Olhando no relógio, vejo que tudo levou menos de quatro minutos, como Deirdre, a instrutora de primeiros socorros de Peckham, tinha me dito. Tcharan! Um homem bastante nojento morre de uma forma bastante nojenta. Não é nada importante. Exceto para ele, suponho.

Assim que tenho a certeza de que está morto, começo a agir rápido. Se alguém entrasse durante o nosso joguinho, eu poderia ter dito que era um quarto de casal e teriam saído sem problemas, mas isso seria mais difícil de explicar. Desato suas mãos e as limpo com lenços antibacterianos. Mexo o banco um pouco mais perto para parecer que ele o derrubou e arrumo minhas coisas cuidadosamente, deixando apenas a corda em volta do pescoço. Só mexi na corda usando luvas, e ele a segurou durante um minuto, por isso, espero que seja o suficiente. Jogo a bolsa por cima do ombro e dou uma última olhada na figura atrás de mim, largada. É uma pena que não deixem usar celulares aqui, uma última foto para me lembrar do tio Lee podia ter sido legal. Não para emoldurar, claro, ele parece grotesco. Fecho a porta atrás de mim e caminho pelo corredor, onde as pessoas estão se reunindo, beijando, flertando. Um homem alto com uma máscara de animal inclina-se contra a parede e me encara enquanto passo, estendendo a mão e encostando levemente nos meus dedos. Não paro de andar, pensando em qual estranho excitado o encontrará. Será aquela moça de calças que deixam a bunda de fora, ou talvez o casal com máscaras baratas que poderia passar mais tempo na academia antes de vestir látex? Agora é com os deuses, mas espero ardentemente que quem quer que seja tenha a astúcia de chamat os tabloides. Com o chapéu preso na cabeça, volto para a porta, onde recupero meu celular e saio noite adentro.

* * *

Ainda que matar Lee tenha sido o processo mais meticuloso de todos, o resultado foi um sucesso. Esperar em bares chiques e aguentar estranhos nus se degradando foi puxado, mas a cobertura dos jornais valeu a pena. As notícias chegaram na segunda de manhã, quando eu estava a caminho do trabalho. "Irmão de magnata morre em jogo sexual que deu errado", alardeou o *Daily Mail*. "Artemis fetichista encontrado morto na masmorra do sexo" foi o ângulo do *The Mirror*. Nem mesmo o *The Guardian* resistiu, embora a manchete deles precisasse ser trabalhada. "Irmão de empresário morre em acidente" enfraquecia um pouco o furo, eu acho. Ainda assim, apreciei a palavra *acidente*, que todos os jornais pareciam enfatizar. Um trabalho rápido do relações-públicas da família Artemis, chamando tudo de um trágico acidente e tentando esconder o porquê de ele ter sido encontrado morto em um clube sexual de Mile End. "É tão inesperado", disse um amigo da família. "Lee era um homem feliz no casamento e não amava nada mais do que finais de semana no interior com os amigos. Só posso imaginar que estava sofrendo muito com a morte devastadora do filho Andrew. Nunca saberemos o que tal perda pode fazer a uma pessoa." Bom trabalho, pensei. Não se pode dizer nada muito crítico quando alguém invoca um filho morto, certo?

A cobertura da mídia se estendeu por alguns dias, mas a máquina da família estava em marcha, impedindo qualquer pessoa que pudesse falar, e o relatório do médico legista não lhes deu muito conteúdo. Senti um pingo de arrependimento por não ter enfeitado a cena um pouco mais. Uma laranja na boca, ou um par de saltos altos teria dado à imprensa mais alguns centímetros de cobertura, mas eu tinha optado pelo bom senso. Nada de me exibir com isso. Eu o queria morto de uma forma que seria encoberta rápido. Me vi pensando muito em Lara nas semanas que se seguiram. Eu me perguntava se ela estava secretamente, ou talvez não tão secretamente, aliviada. A perda do filho teria sido imensa, mas a perda de um marido mulherengo que a tratou mal durante décadas, provavelmente, pareceria uma bênção. Talvez agora ela pudesse se separar totalmente da família Artemis e alcançar o potencial que tinha antes de conhecê-los. Eu estava imaginando um futuro para ela, o que era estranho para mim, dado que ela ainda estava na minha lista, mas quanto mais pensava nisso, mais perdia a motivação. Em muitos aspectos, ela parecia tão vítima como a minha mãe, sua vida engolida por um homem egoísta e sem escrúpulos que se preocupava pouco com a felicidade dela se não envolvesse a dele. E com certeza havia um acordo pré-nupcial em jogo, que a impediria de colocar as mãos na fortuna, o que significava que ela não me faria perder o bônus final.

    Tomei a decisão no dia do funeral, um evento reservado que acabou por ser um vale-tudo com subcelebridades, algumas pessoas da moda e uma série de homens de negócios. Todos ávidos por serem vistos chegando à igreja de St. Peter, em Kensington, para serem notados prestando as condolências. Não sei quanto sofrimento havia de verdade na cerimônia, mas ninguém ali parecia se preocupar com isso. Li a respeito no jornal matinal, estiquei meu horário de almoço (fingindo ter consulta no dentista) e peguei o metrô para tentar entrar. Foi muito fácil, na verdade: os homens silenciosos com camisas polo pretas lá fora, usando fones auriculares, não questionaram uma jovem vestida de preto, que entrou muito determinada, atrás de uma mulher com um casaco de peles e diamantes que até Joan Collins teria achado cafona. Sentei-me no fundo, claro, e estudei o programa com a cabeça curvada enquanto os convidados entravam. De vez em quando, olhava em volta e via Janine e Bryony à frente. Esta olhava o celular o mais discretamente possível, enquanto Janine falava com um homem de cabelo grisalho vestindo um terno risca de giz azul à esquerda. Quando ela se virou e viu o que a filha estava fazendo, pegou o celular dela e colocou-o em sua bolsa, dizendo algo para Bryony, a boca rígida. Janine estava arrumadíssima. O cabelo, tão lotado de laquê que mal se moveu quando ela virou a cabeça, ostentava madeixas brilhantes de cor caramelo enfiadas atrás das orelhas, com enormes brincos de esmeralda. Ela vestia uma blusa de seda creme, que não vi o suficiente para julgar, tinha as unhas pintadas de um vermelho intenso. O dinheiro gasto estava exposto de uma forma sutil, embora inconfundível, mas as roupas só contavam uma parte da história. Mesmo no fundo da igreja, eu via o trabalho do bisturi do cirurgião por todo o rosto dela. A rinoplastia era ok, um procedimento feito muitos anos atrás, quando o padrão era remover qualquer sugestão de personalidade e deixar apenas uma ponta afeminada, mas não havia mais nada sutil ali: a pele tinha sido puxada por cima das maçãs do rosto, o que deixava os olhos pequenos e zangados. A boca estava inchada de tal forma que ficava sempre um pouco aberta. E a sua pele tinha um brilho ceroso, como se usasse uma máscara do próprio rosto sobre o rosto. O efeito a deixava grotesca. Um rosto que só parecia normal se todos os outros que você conhecesse também fossem assim. Acho que viver em Mônaco era bom para Janine, mas sob a luz que fluía através das lindas janelas antigas da igreja, ela parecia um pouco assustadora.

A cerimônia atrasou bastante, talvez o ideal para um homem que nunca precisou chegar a tempo. As últimas pessoas a entrar foram Lara, Simon e um homem que não reconheci, que pegou no braço de Lara quando ela entrou na igreja e acariciou seu ombro com afeto. Simon franziu um pouco a testa e caminhou atrás deles enquanto seguiam até o local onde um jovem vigário os esperava.

Lara não se parecia nada com a mulher destroçada que Lee a tinha feito parecer. Ela caminhava com as costas eretas, um terninho cor-de-rosa e sapatos cor-de-rosa brilhantes que, em qualquer outro dia, eu teria ficado tentada a perguntar onde ela os comprou. O homem que a acompanhou em direção ao altar era quase o oposto de seu marido. Alto, magro, com um terno grafite um pouco amassado e bons sapatos. Tinha cabelo castanho com fios grisalhos e usava óculos pequenos. Ele não se teria destacado em nenhum outro lugar, mas ali o contraste era impressionante. Parecia um professor em uma sala cheia de tratantes.

A cerimônia foi tediosa, tradicional, hinos e leituras, blá-blá-blá. O caixão estava à frente, coberto com um lenço de seda dourado, e as pessoas se colocavam ao seu lado para falar sobre como Lee era uma figura, o rei absoluto de qualquer festa. Era tudo banalidade, nada do que foi dito citava suas qualidades reais como pessoa. Quando o último hino terminou, o vigário se ergueu para o sermão final, mas ele hesitou e eu virei o pescoço para ver o que estava acontecendo. Lara se levantou, disse-lhe alguma coisa e foi até o caixão. O vigário sentou-se e houve um momento de silêncio enquanto a congregação esperava que Lara falasse. Ela ficou ali por um segundo e alisou as calças com as mãos, parecendo um pouco doente. Comecei a perceber que aquilo não tinha sido planejado e verifiquei novamente o programa para qualquer menção à viúva enlutada. Nada. Caramba.

"Obrigada a todos por terem vindo", disse ela discretamente. "Meu marido teria gostado que tantas pessoas lhe dissessem o quanto ele era fantástico." Houve risos discretos. "Mas ele não era realmente fantástico, certo? Claro que estava sempre pronto para uma noitada. Muitas noitadas, na verdade. Qualquer uma. Mas não era um ser humano decente, pelo menos não por qualquer definição de decência. Vocês gostavam dele porque ele pagava a conta no final da noite, ou porque investiu nas suas empresas, ou porque tirava férias com vocês, talvez algo assim, mas eu convivi com ele e lidei com o seu egoísmo e desrespeito. Diariamente. Era diário. Por anos." Ela olhou para o caixão ao seu lado. "Eu era jovem quando nos conhecemos, muito jovem. E ele era charmoso, mas todos aqui sabem o quanto ele poderia ser charmoso, não sabem? Como era fácil ignorar os piores instintos dele. Acontece que, sem controle, esses instintos cresciam cada vez mais, não é? Quando nossa filha morreu, a reação do Lee foi uma bebedeira de três dias, até voltar para casa com uma moça da Letônia de 19 anos usando shortinho e pedir à nossa empregada para preparar o café da manhã. Por mais estúpido que pareça, imaginei que fosse sua forma de lidar com o luto; mas, quando nosso filho morreu, anos depois, ele fez algo parecido. Tenho que lhe parabenizar pela constância. Lee era uma pessoa cruel e sem coração com uma boa fachada, mas, de certa forma, eu sou ainda pior. Porque fiquei com ele e permiti seu comportamento. E agora ele está morto, pelas próprias mãos. Morto pela busca constante do próprio prazer. E não posso ficar aqui ouvindo a vida dele ser totalmente reescrita. Vocês não podem tirar nada dele agora, por isso parem. Parem."

Lara tremia ligeiramente, com adrenalina, não com tristeza. As pessoas estavam baixando a cabeça e mordendo o lábio. O constrangimento era completo. Foi maravilhoso. O homem alto de óculos se levantou e pegou na mão dela e, juntos, eles caminharam para o altar e para fora da igreja. Gostaria de poder ter aplaudido. Em vez disso, segui seus passos enquanto o vigário se levantava e tentava desesperadamente reagrupar a congregação. Lá fora, Lara e o professor estavam presos em um abraço apertado. Ouvi ele elogiá-la, acariciar seu cabelo e beijar sua bochecha. Ela olhou para cima e deu um discreto sorriso choroso antes de descerem as escadas juntos e entrarem em um Mercedes. Soube, então, enquanto via o carro ir embora, que a deixaria em paz. Já fora muito lograda, por Lee, por mim. As mulheres que acabaram seduzidas por essa família não eram o meu alvo principal. Afinal, minha própria mãe era uma delas. Ela pode nunca vir a saber, mas Lara salvou a própria vida naquele dia.

COMO MATEI MINHA ~~QUERIDA~~ FAMÍLIA

Oscar Wilde escreveu *De Profundis* nos últimos três meses da sua prisão de dois anos. É um tipo de carta de amor para Lord Alfred Douglas, na qual ele alterna entre amar e odiar seu interlocutor. É Oscar Wilde, por isso me atrevo a dizer que tem os seus méritos (supostamente suas últimas palavras foram "esse papel de parede e eu estamos em um duelo até a morte. Ou ele vai embora, ou eu vou"), mas ele também era um homem branco que tinha estudo, então o critério para genialidade não é lá muito alto aqui.

Wilde dormia em uma cela minúscula em uma cama sem colchão. Ele tinha uma hora fora da cela para se exercitar todos os dias e estava sempre com fome. A prisão quase o destruiu. Ele morreu três anos após ser solto.

Sei que é fácil me imaginar deitada em um beliche confortável, jogando o videogame que os tabloides parecem insistir que todos as prisioneiras recebem imediatamente após serem encarceradas. Me imagino usando camisola, vendo Netflix em uma TV de tela plana, comendo uma barrinha de chocolate que comprei na cantina com a mesada semanal. Muitas pessoas se imaginam liberais, de mente aberta, progressistas. O tipo que pode até discutir na mesa do jantar sobre os méritos de não punir os prisioneiros; mas, em vez disso, educá-los para deixar o crime, mencionando vagamente o modelo nórdico sem saber o que isso significa. Em contrapartida, por dentro, na parte da mente que eles não admitem ter, ainda pensam que aqueles de nós que acabam atrás das grades são escória, mesmo que não digam isso em voz alta. Sim. É a mesma parte de uma pessoa que sente uma pena secreta das mulheres que usam *hijab* e a faz desviar quando vê um viciado no parque. Doar para a Anistia Internacional e nunca dizer a ninguém que estão felizes que as paredes da prisão sejam sólidas e altas, ou que eles concordaram com a medida dos Tories para aumentar as sentenças de réus primários.

E a pior parte é que não estão totalmente errados. Os prisioneiros são escória. Bem, pela minha experiência aqui, eles são mesmo. Faltam-lhes algumas camadas do verniz da civilização. Têm dentes ruins, olhos selvagens, um hábito de gritar agressivamente, não importa a hora. Se tivessem a chance, ignorariam todas as estruturas criadas pelas classes dominantes e viveriam segundo regras tácitas que você não conhece. É fascinante de ver, mas vou reforçar a segurança da minha casa assim que sair daqui.

Agora que falei disso, me deixe voltar aos videogames e ao conforto. Aí o hipócrita liberal estaria errado. A cela do Oscar Wilde, apesar da falta de colchão, se parece muito com a minha, tantos anos depois. Sim, tenho um rolo fino de poliéster para deitar, mas não há televisão, não há máquina de venda automática e ainda tenho de suportar o horror das tardes de quarta-feira. Pontualmente, três horas depois de Kelly engolir o chilli com carne que é servido no almoço das quartas-feiras (cada semana na prisão você recebe o mesmo cronograma de refeições, bem como na escola, apenas sem os talheres, desde o caso de esfaqueamento de 1996, de que ainda falam), ela pode ser vista na privada em nossa pequena cela, gemendo e gritando por meia hora. Kelly não considera que talvez chilli com carne não caia bem para ela. Não considera que essa cena traumática não caia bem para mim.

Tal como Wilde, nós também temos uma hora oficial de exercício por dia. A maioria das mulheres aqui só ignora. Eu aproveito. Preciso dela. Passo o dia inteiro pensando nisso. Na minha vida normal, ou seja, aquela em que vivia em um apartamento cheio de luz natural, bons vinhos que não podem ser comprados no supermercado e livros que não são recomendados pelas revistas femininas, eu corria todos os dias. Corria para me livrar da raiva, para apagar os meus pensamentos constantes, para dar cabo de qualquer humor ácido e, sejamos honestas, para me manter magra. As mulheres aqui não estão muito preocupadas com esse último ponto, como provado por sua inexplicável ânsia por chilli com carne. E elas parecem pensar que a raiva lhes dá personalidade, como mostrado pelas brigas regulares das 17h. Parece ser a hora exata, todos os dias, em que percebem que estão presas. Como se estivessem em algum emprego mundano das 9h às 17h, prontas para ir para casa e se sentar na frente da TV, então lembram que não podem ir para casa. Esse momento do Dia da Marmota acontece todos os dias, sem que ninguém aprenda com a experiência. É quando as paredes parecem se fechar aqui.

Não posso correr, já que me recuso a dar voltas no jardim esportivo como um hamster patético, por isso faço *burpees*, agachamentos, polichinelos, musculação, qualquer coisa para sentir meu coração bater. Qualquer coisa para me cansar o suficiente para dormir com os roncos da Kelly. Uma hora de exercício por dia não é suficiente para mim aqui. Preciso de mais duas para me manter sã. Continuo meu regime na cela quando Kelly sai para fazer uma das aulas dela. Oscar Wilde não me parece um homem que passou muito tempo dentro da prisão pensando em como tornear o corpo, mas não sinto vergonha do meu apetite por exercícios. Meus braços, outrora tensos e levemente tonificados pelo ioga que fiz para complementar a minha corrida, agora ganham massa. As minhas pernas, antes finas de correr, mas sem muita força, agora são pesadas. Não há mais hesitação. A suavidade feminina está derretendo. E eu gosto. Não tem nada a ver com influenciadores do Instagram que proclamam "força, não magreza", mas que só escondem um transtorno alimentar por trás de obsessão por exercício. Tenho essa sensação crescente de dureza, de armadura, de ser capaz de ferir alguém fisicamente só com meu corpo. Os homens devem sentir isso desde o nascimento. Se soubesse usar a minha corporalidade para destruir a minha família, teria seguido um caminho diferente? Teria sido mais fácil ou mais gratificante?

Fora isso, vou às sessões de terapia. Eu aguento a Kelly e a sua encheção o melhor que posso. E, nesses últimos dias, escrevo. Podemos não ser espancadas pelas guardas, nem passar fome até a morte (ainda que pareça uma boa opção diante da comida da cantina), mas não estou assim tão certa de que Oscar Wilde sofreu mais do que sofreria no meu lugar, tendo Kelly como companheira de cela, sendo forçado a fazer oficinas de cerâmica, falando sobre trauma com um grupo de mulheres choronas usando sandálias de borracha e ficando entediado na cela por horas porque não há orçamento suficiente para guardas que nos supervisionem.

Apesar da popularidade de programas de TV sobre cadeias nos últimos anos que parecem sugerir que cada minuto é cheio de ação, a minha estadia tem sido enfadonha. Há encontros lésbicos, claro, há brigas ocasionais, mas na maioria das vezes são horas deitada sozinha, contando o tempo de dez em dez minutos, rastejando para outra semana, ou mês, ou, em alguns casos, anos. Imagino que possa parar de contar em algum momento, mas não posso. Parar de marcar o tempo seria permitir a possibilidade de ficar aqui por mais tempo.

Apesar de tudo isso, ninguém vai comparar o meu trabalho com *De Profundis*. Não sou homem, para começar, e não estou delirando o suficiente para pensar que sou intelectual. Não escrevo cartas bobas de amor na minha cela. Não aprendo grandes verdades por estar aqui presa, mas também não vou sair meio derrotada. Continuarei a viver, a prosperar, e este período da minha vida não vai me deixar marcada.

Além de tudo, acredito que tenho mais uma vantagem sobre Wilde. Apesar de tudo o que ele escreveu sobre a prisão ser considerado o mais profundo exemplo do gênero, ele passa a maior parte se lamentando por um homem que o sacaneou. Dizem que Lord Douglas era mimado, arrogante, indiferente aos sentimentos dos outros. Ele largou cartas de amor de Wilde nas roupas que deu a gigolôs. Ele rejeitou a relação deles e condenou Wilde após a sua morte. Douglas parece muito com o meu pai. Encantador, arrogante, o centro do universo. Homens que direcionam todos os holofotes para você por alguns segundos e te deixam perseguindo aquele quentinho artificial pelo resto da vida. Eles te destroem sem que isso deixe marca alguma neles. Mas eu aprendi isso cedo. Wilde não teve essa sorte. Talvez pudesse ter aprendido alguma coisa comigo. Nunca anseie pelos holofotes que alguns homens podem colocar sobre você pelo mais breve dos momentos. Apague a luz antes.

* * *

Hoje tomei café da manhã, limpei as cozinhas e depois fui me encontrar com a Kelly e com a Nico, sua amiga. Eu não queria, mas Kelly prometeu me comprar cigarros do serviço semanal de cantina, e fumar é a melhor coisa que se pode fazer aqui. No mundo exterior, fumar quase não é mais aceito socialmente hoje em dia, mas aqui os cigarros são uma forma de fazer amizade, garantir favores e driblar o tédio da prisão. Eu me sentei com elas enquanto bebíamos nosso chá morno. Nico ofereceu algo que prometeu ser bolo. Tudo ofertado aqui é massa, massa, massa com um pouco de compota. Tudo é marrom. É estranho sentir meu cérebro se desconectar do todo e focar obsessivamente em pensamentos de refeições que eu gostaria de comer, roupas que gostaria de vestir. Quero um prato de massa da La Bandita e quero usar tecido respirável que desliza pelo meu corpo em vez de ficar preocupada em entrar em combustão espontânea. Penso em banhos pelo menos dez vezes por dia e sinto o pânico subir — os dedos coçando as clavículas — mesmo quando tento não deixar que essas coisas me dominem. Isso é ceder e não posso me permitir isso. Não posso piscar e sair daqui. Não posso passar tempo me reajustando. Quero correr, não tentar fazer meu cérebro pegar ritmo.

É mais fácil ouvir Nico do que Kelly, pois ela tem uma voz que não é anasalada. Ela está aqui por algo interessante também: ela matou o parceiro abusivo da mãe com um martelo, no ano passado. Nunca perguntei diretamente sobre isso, sei que não devo mencionar o crime de uma pessoa antes de ela mesma fazer isso, mas ela toca nesse assunto o tempo todo. Ela fala com orgulho sobre como a mãe está fazendo terapia e como ela está estudando para ser terapeuta também. Nico liga para ela duas vezes por semana, e muitas vezes chora baixinho enquanto a ouve. Gosto da Nico. Eu não me aproximaria dela lá fora, tão maltratada pela vida e de olhos selvagens, mas respeito o que ela fez pela mãe. Não foi tão bem executado como o meu plano de vingança, mas o impulso deve ter exigido mais rapidez do que planejamento. Infelizmente, a falta de reflexão fez com que ela ainda estivesse ao lado dele quando a polícia apareceu, dez minutos depois. Nico não tinha uma faísca de álibi crível e vai ficar aqui mais doze anos. A mãe dela tem 60.

Quando Nico sair, a mulher terá 72 anos. Desistiu da juventude por uma aposentada. É amor, mas também é pura estupidez.

Hoje, Nico e Kelly falam sobre peitos. Kelly tem ambições de renovar o corpo quando sair da prisão e leu sobre o aumento de seios como se fosse uma pesquisa científica digna de um Nobel. A Turquia é o melhor lugar, ao que parece: o serviço custa tipo metade do preço e você tira férias após a operação. Clint vai pagar. Ou talvez ela chantageie um pobre coitado com mais sucesso da próxima vez e ele pague. Nico se preocupa com a anestesia geral e já ouviu falar sobre um tratamento que garante um tamanho maior só com injeções. Kelly parece desdenhosa com a ideia. "Injetáveis são para o rosto, querida, as mamas precisam de mais trabalho."

Ambas se viram para mim. "O que você faria, Grace?", pergunta Nico, enquanto avaliam minha cara antes de baixarem os olhos para os meus peitos. Nunca me importei com a ideia de cirurgia. Não quero fazer parte do fenômeno moderno da cara plástica inchada, mas, de modo geral, alguns pequenos ajustes não me deixam indignada. Não acho que seja mutilação ou uma afronta ao feminismo. Se você odeia algo com que tem que viver todos os dias, então mude-o. Na verdade, gosto dos meus peitos. São pequenos, o que significa que posso usar o que quiser sem parecer uma diretora de escola para meninas dos anos 1950. Gosto de boa parte do meu corpo. Não como uma forma desesperada de aceitação *millennial*, que faz as estrias serem renomeadas como "marcas de guerra" e a celulite ser vista como algo legal, mas sei que sou bonita. Um dia ficarei tão acabada e enrugada como todos os outros. Mas, neste momento, tenho uma vantagem estética. E vou usá-la enquanto ainda posso. As pessoas me dão descontos que não estendem aos outros, então por que não aproveitar? Gastar energia examinando todos os meus defeitos teria sido uma perda de tempo.

Mas, apesar disso, odeio o meu nariz. É um bom nariz nos padrões de qualquer outra pessoa. Fui elogiada por outras mulheres pela linha reta e uniforme, mas é um nariz Artemis e é tudo o que consigo ver no espelho. Marie esfregava o polegar nele quando eu aprontava e me dizia que eu tinha a obstinação do meu pai. O resto da minha cara é todo dela. Às vezes, pouco tempo depois de ela morrer, eu me sentava na frente do espelho do banheiro no apartamento da Helene, mostrando só meus olhos me encarando no reflexo. Sentia que podia ver minha mãe naqueles momentos. Eu olhava para eles, lembrando-me de todas as vezes em que olhava para ela e me sentia segura. Quando minhas pernas começavam a tremer por estarem dobradas em uma posição precária, eu tinha que me levantar direito e o resto da minha cara aparecia. O tênue conforto sumia.

Bryony tinha o nariz da mãe. Fofo, pequeno, um pouco alterado por um cirurgião. Padronizado artificialmente. Se eu não enxergasse Simon no espelho, ficaria grata pelo meu perfil forte, orgulhosa por ter um nariz que não adere tão estritamente aos rígidos padrões de beleza, mas, dadas as circunstâncias, eu o teria mudado em um segundo. Já consultei cirurgiões de primeira, já vi como poderia ficar com alguns pequenos golpes da lâmina. Extirpar o lado Artemis por completo. A única razão pela qual ainda não fiz foi porque queria que meu pai me reconhecesse enquanto eu pairasse por cima dele e dissesse quem eu era.

Levanto o rosto do chá. Kelly e Nico concluíram sua avaliação do meu rosto e corpo e agora estão esperando para ver como a minha resposta se alinha com as suas sugestões. "Nada", digo, bebendo um gole de água morna. "Não concordo com esse tipo de cirurgia."

Meu advogado vem me encontrar hoje de tarde, o que é uma chance rara de falar com alguém que não seja Kelly ou as guardas carrancudas, que, sinceramente, fico feliz por trabalharem aqui e não em outro lugar. Algumas dessas mulheres, imagino, tiveram uma bifurcação na estrada onde poderiam ter se tornado enfermeiras, professoras ou terapeutas. Dada sua reação perante doenças mentais, doenças físicas e mesmo a meras moças assustadas que querem um momento de segurança, só posso dizer que escolheram bem ao evitar essas áreas de especialização. Às 11h, sou levada à sala de visitas onde George Thorpe já está à minha espera. O terno dele hoje é bonito como de costume. Uma lã leve azul-marinho, condizente com os dias mais quentes que tem feito, um forro terracota visível apenas quando ele se levanta. Não olho para os sapatos. Eu, por outro lado, estou vestindo um agasalho cinzento. Me pergunto se um estranho que entrasse nesta sala acharia que sou diferente, se o meu comportamento ou a minha postura sugeririam uma vida diferente da das outras mulheres aqui. Sempre reconheci riqueza nos outros, educação em estranhos, refinamento no dia a dia. É muito britânico saber exatamente onde alguém entra no sistema de classes sem trocar uma palavra, não é? Tem gente que diz não notar, mas são as mesmas pessoas cansativas que afirmam não enxergar raça, e isso é quase sempre porque são brancas e não precisam enxergar, mas o agasalho cinza é um bom nivelador. É difícil sinalizar que você não é como as outras quando usa um look de material inflamável que vai demorar um século para se decompor em um aterro sanitário. Nem a terra o quer.

Apesar de George Thorpe ter plena consciência do meu passado e apesar do valor exorbitante que lhe pago por hora, ainda sinto o ridículo desejo de lhe mostrar que não sou como as outras presas. Que sou melhor. E aprendi a fazer isso muito facilmente enquanto trabalhava para subir na escada Artemis. A única maneira de fazer isso é tratá-lo como merda.

Ele se levanta para me cumprimentar e estende a mão. Ignoro-o e me sento. "Eu sei que já estamos contando as horas, George, então por que não me conta as novidades?"

As boas maneiras são incutidas à força em homens como George Thorpe. Escola de elite, Oxbridge, babás que os criam e os deixam complexados em relação às mães, o que eles descontam nas esposas. Todas essas estruturas martelam em você a necessidade de polidez, etiqueta e a maneira certa de fazer as coisas. Eu perturbei a ordem. Ele vacila um pouco enquanto se senta, e eu faço questão de parecer impaciente quando ele abre a pasta e tira algumas anotações.

"Está bem, então...", ele começa quando põe os óculos, e pergunto-me, não pela primeira vez, se esse homem é implacável. Eu quero que ele seja implacável. Eu *preciso* que ele seja implacável. Quando essa merda começou a se desenrolar, eu pesquisei advogados obsessivamente e quase todo mundo me disse que ele era ótimo e que parecia membro de uma família da qual muitos antepassados teriam governado o Império Britânico em algum momento. Ele ganhou muitos casos, venceu muitos recursos (pessoas horríveis, pessoas que realmente precisam ficar presas, andam livres porque ele sabe todas as tecnicalidades, todas as fraquezas nos depoimentos de policiais cansados e sobrecarregados, todos os membros inseguros do júri que morrem de medo de colocar alguém na prisão). Então ele é o melhor, mas essa parte mais implacável dele? Bem, ele está fazendo um bom trabalho em esconder esse lado, e eu preciso que ele sinta cheiro de sangue.

George Thorpe repassa o processo do recurso comigo, garantindo que estamos no caminho certo para a decisão final na próxima semana. Há uma razão para aqueles documentários de *true crime* pararem no crime e evitarem a parte legal da coisa. É um processo complexo, chato e desmoralizante que consiste em longos meses de espera. Apresentamos um recurso no terceiro dia da minha sentença. Pedimos *habeas corpus* e não deu em nada, suspeito que por causa da publicidade em torno do meu caso. Agora estou aqui há mais de um ano, esperando e apodrecendo. Leitor nenhum ficaria tenso de me imaginar aqui, deitada nesta cama, tentando desesperadamente evitar mais sessões de terapia em grupo na qual uma pessoa fala, aos prantos, sobre um abuso sexual terrível e depois três outras mulheres a acusam de querer ser o centro das atenções.

Não te contei muito sobre por que estou aqui, certo? Isso é porque me ressinto de ter que contar. Não é a injustiça da coisa que me prende — seria bem idiota gastar meu tempo criticando a injustiça quando me safei de algo bem pior —, não, é a extrema banalidade de tudo isso. O motivo que me foi atribuído era patético. O ato que alegam que cometi teria sido fruto de um ataque de raiva, com uma falta de planejamento que eu teria odiado. Não sou a Nico, mas não dá para usar isso como defesa, né? "Desculpe, meritíssimo, mas, quando mato pessoas, faço-o com um pouco mais de precisão, sabe?" Em vez disso, tive que ranger os dentes e passar por todo um processo legal que se arrastou durante meses e meses — com grandes despesas. Qual é o ditado? Você faz planos, e Deus ri da sua cara. Fiz planos para matar sete pessoas e acabei na prisão pela morte de alguém em quem nem sequer toquei. Deus teria uma hérnia de tanto rir.

COMO MATEI MINHA ~~QUERIDA~~ FAMÍLIA

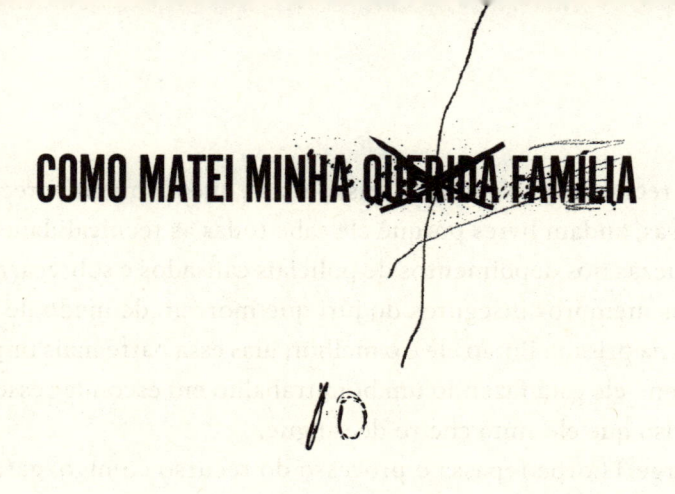

Quando tínhamos 26 anos, Jimmy conheceu uma moça. Ele já tinha tido namoradas antes, bonitas, calmas, que carregavam ecobags de juta com logotipos de livrarias independentes, trabalhavam para instituições de caridade, ONGs, pequenas editoras — você sabe de que tipo de moça estou falando. Óculos, argolinhas prateadas nas orelhas, gosta muito de chá. Eram todas ok. Ok, ok, ok, mas Jim é tão tranquilo, tão bondoso e bem-intencionado que essas relações não tinham um verdadeiro ímpeto que as sustentasse. Houve Louise, que cuidava de forma obsessiva de uma horta, mas nunca mostrou paixão por mais nada, então o namoro durou menos de um ano. Houve Harriet, que fez mais progressos e chegou a dividir uma casa com Jim e alguns amigos da universidade em Balham por um tempo. Sua separação foi tão indolor que mal foi notada (por mim). Quando ela se mudou, eu trabalhava o tempo todo e, quando nos encontramos para uma bebida, ele já parecia ter superado, então fiquei grata por não passar minha noite livre consolando-o por causa de uma moça de quem eu nem me lembrava.

A namorada seguinte foi Simone. Achei que essa era pra valer. Era curadora de galeria e usava joias interessantes (interessante apenas significa geométricas) e sapatos Oxford em uma variedade de cores. Era uma pessoa séria, todas eram, mas ela gostava do meu senso de humor e estava muito tranquila sobre a longa e às vezes confusa amizade que eu partilhava com o namorado dela. Mais importante, ela parecia gostar muito do Jimmy e falava sobre o futuro deles sem usar nenhuma daquelas ressalvas constrangedoras que algumas mulheres usam para não espantar os homens. Eles passavam os fins de semana em Norfolk e adotaram um gato. Falaram em comprar um apartamento juntos. Me acostumei com Simone, dividir Jimmy com ela era ok. Poderia até vê-los envelhecendo juntos e ficaria feliz, mas Simone tinha mais ambição do que eu imaginava, e ofereceram um emprego para ela em Nova York bem quando ela e Jimmy começaram a procurar apartamento. Acho que ela pensou que Jim ia abrir mão de tudo e se mudar para o Brooklyn sem fazer perguntas, mas ele titubeou. Ele tinha começado no *The Guardian* e não suportaria desistir de um emprego precioso em um jornal onde sempre quis trabalhar. Ele não conseguiria nada parecido em outro país, protestou. Ele precisaria arrumar emprego como freelancer em uma cidade cheia deles. Simone escutou pacientemente, contrapôs as preocupações dele com opções e enfatizou o quanto a mudança significava para ela, mas Jim foi ficando mais e mais desanimado. Uma semana depois, ele mal falava com ela. Eles continuaram em um fac-símile desbotado de suas vidas anteriores, enquanto ela resolveu seu visto, vendeu a mobília e fez uma festa de despedida. Jimmy ainda não tinha terminado a relação, e acho que ela pensou que ele estava hesitante, meio que contando que a ausência se tornaria tão insuportável que ele acabaria indo atrás dela. Em vez disso, ela embarcou em um sábado, e ele enviou um breve e-mail na terça seguinte dizendo que não poderia ir, que ele a amava, que sentia muito. Sei disso porque ele me encaminhou a mensagem logo em seguida, com o assunto "Me odeio".

    O problema do Jimmy é que o excesso de conforto o tornou covarde. Seus pais são simpáticos, sua vida familiar era estável, amorosa, segura. Ele cresceu conhecendo pessoas inteligentes, pessoas influentes que o faziam achar que seria capaz de fazer o que quisesse no mundo. Tirou férias fantásticas, falava alemão fluentemente e tocava dois instrumentos. Tudo isso o equipou para sair e ser rei de qualquer mundo que quisesse, mas isso também o fez ter medo de ir a outro lugar, porque onde mais poderia ser tão confiante e estabelecido? Todas essas vantagens, todo esse privilégio e tudo o que Jimmy queria fazer era morar a duas ruas de distância dos pais e viver exatamente como eles. E, ainda assim, estou ligada a ele, à sua familiaridade, ao seu cheiro, aos seus braços que têm força suficiente para fazer com que eu me sinta segura. É ridículo e clichê e odeio sentir isso, mas eu sinto. Não conheço ninguém há tanto tempo como conheço Jim. Não tolerei mais ninguém como o tolerei. E, como ele é paciente e bondoso, eu me deixei confiar nele, deixei-o me conhecer (a maior parte de mim) e tirar vantagem desse velho vínculo que tem permanecido constante. Nunca lhe contei quem é o meu pai, preferi manter esse lado da minha vida completamente separado. Mas, fora isso, ele me conhece de uma forma que mais ninguém jamais conheceu, nem jamais conhecerá. E, se ele não quiser ser algum tipo de rei do mundo, ficarei contente só em tê-lo do meu lado. Ele costumava acariciar meu braço enquanto eu adormecia, sabendo que eu ficava ansiosa quando o dia chegava ao fim. Deitava ao meu lado e percorria as sardas no meu braço. "Você é tão suave, Gray. Suaaaaave!", cantava ao som de uma canção que adorávamos. Então eu conseguia dormir.

    Simone tem a própria galeria agora. Ela se casou com um dramaturgo conhecido. Eles têm um doberman, o que parece o auge da arrogância em uma cidade que só pode acomodar chihuahuas. Sei disso porque, quando Jimmy fica bêbado, ele entra no Instagram dela e coloca o celular na minha cara, tentando mostrar que está feliz por ela, enquanto me pergunta se a camiseta de gola V que o marido dela usa faz com que ele pareça um idiota.

    Seis meses depois de Simone partir para Nova York e Jimmy se mudar para a esquina da rua dos pais, ele conheceu outra pessoa. Eu gostaria de dizer que ele espantou um pouco de sua covardia após a separação e a conheceu em uma bebedeira de três dias em algum canto esquecido do sul de Londres, mas não posso, porque ele raramente sai do norte da cidade, exceto pelo lançamento de um livro ou outro. Ele a conheceu em uma festa na casa do padrinho em Notting Hill. Horace é algum tipo de advogado fodão (ele me colocou em contato com Thorpe, então acho que sou tão culpada quanto Jimmy quando se trata de usar as conexões de classe média que os pais dele nos deram) e oferece jantares mensais para os quais ele convida "gente nova e interessante" para vir falar sobre eventos mundiais. Nunca fui convidada para um desses eventos horríveis. Já me vinguei disso, pensando que Horace é um velho metido, mas também pegando 50 libras de sua carteira na última vez que o encontrei na casa dos Latimer.

Não vi Jimmy durante algumas semanas depois do jantar, porque tinha coisas mais importantes na cabeça a essa altura. Tinha acabado de despachar Bryony — falarei mais sobre isso depois — e estava alternando entre ficar exaltada com o meu progresso e frustrada por não conseguir achar uma maneira viável de chegar a Simon. Isso significava que eu não tinha tido muito tempo para Jimmy. Era muito difícil conversar com meu melhor amigo enquanto eu estava tão absorta, incapaz de falar até mesmo sobre o menor aspecto das minhas atividades. Eu deveria saber que algo estava acontecendo, porque ele tinha ficado oito dias sem dar sinal de vida. E depois ele apareceu no meu apartamento em um sábado de manhã sem avisar, trazendo café e croissants. Nada diz "tenho notícias" como visitar alguém sem avisar primeiro. É tão egocêntrico que a única desculpa seria te informar de um acidente terrível ou falar de um novo caso amoroso. Já que soube pela cara dele que a mãe não tinha morrido em um acidente horrendo de jet-ski, a única alternativa plausível era... nova namorada. Sendo assim, eu o torturei um pouco, sem perguntar nada e falando sobre meus planos de reformar a cozinha. Eu não tinha planos para reformar a cozinha. Eu vivia naquele apartamento justamente porque era bem útil e, graças a Deus, porque as pessoas que falam sobre planos de renovação de interiores são insuportáveis.

Finalmente, quando comecei um solilóquio monótono sobre puxadores de gavetas, ele se rendeu e me contou tudo sobre a Caro. Caro Morton era uma jovem advogada que trabalhava com Horace. Tinham se sentado lado a lado no jantar horrível, e Jimmy ficou, segundo ele, encantado em poucos minutos. Saíram várias vezes desde então e já tinham conversado sobre morar juntos. Caro, pelo visto, não era uma mulher que se portava bem e fingia não estar à procura de compromisso.

"Quero que a conheça, Gray", disse ele. "Ela conheceu o John e a Sophie, mas precisa passar pelo seu crivo." Fiquei chocada. Conheceu os pais dele? Simone só foi ser apresentada a eles depois de meses, mas Caro estava no mesmo círculo, não estava? Uma associada de Horace, uma advogada que sem dúvida era formada por Oxbridge e tinha um pai que os Latimer conheciam ou alegavam conhecer. Simone, por mais adorável que fosse, não era. Nascida no leste de Londres, filha de uma enfermeira e um funcionário da prefeitura, nunca se encaixou na família de Jimmy com a mesma facilidade com que alguma moça da mesma turma que ele teria se encaixado. Sophie e John a encheram de elogios — Sophie até a levou para a casa de campo que alugaram em Oxfordshire para um fim de semana onde os obrigou a fazer marmelada o dia todo —, mas nunca haveria uma tranquilidade verdadeira. Eu devia saber. Ser acolhido naquela família não é o mesmo que ser verdadeiramente aceito. Alguém que se sente orgulhoso em te ajudar não é equivalente a alguém que te ama.

Caro. Não vou perder tempo aqui. Eu a odiei desde o momento em que a conheci. Intensamente. Imagino que você esteja pensando se isso é porque a presença dela ameaçava tirar de mim meu amigo mais antigo, o homem com quem eu contava desde criança. E minha resposta é: faça-me o favor. Não é um momento para psicologia banal. Um mês depois de saber da nova namorada, íamos nos conhecer.

Combinamos de nos encontrar em um bar em Maida Vale em uma quarta-feira à noite, algo que me irritava, porque eu ainda não tinha feito progressos com o meu *grand finale*, mas era claramente um programa em trio e eu não tinha mais desculpas para adiar. Jimmy e eu bebemos uma garrafa de vinho enquanto esperávamos por ela. Caro estava superocupada com o trabalho, explicou ele, enquanto digitava no celular para saber onde ela estava. Dez minutos depois, Caro chegou. Ninguém precisava me dizer que era ela. Eu sabia. Sem dizer uma palavra, Caro foi forçando a entrada pelo grupo de pessoas que estava esperando por uma mesa, o celular preso à orelha. Tinha cabelo ruivo longo (que parecia bem natural, mas que mais tarde descobri ser tingido. Nunca confie em uma ruiva artificial: sua necessidade de ser diferente e interessante as deixa longe de ambas as coisas) e usava uma camisa de seda creme e uma calça pantalona. A única maquiagem que consegui discernir foi um batom vermelho. Nem preciso dizer que era linda, etérea, cativante, blá-blá-blá. Ela sabia. As mulheres sempre sabem. E

Jimmy devia achar que tinha descoberto uma beleza inexplorada porque ela não usava roupas justas, nem se preocupava com esmalte. Os homens sempre pensam que um nível superficial de falta de vaidade é uma grande vantagem, como se a quantidade de esforço que mulheres como Caro colocam na própria aparência fosse diferente das meninas embonecadas que você vê em qualquer rua britânica em um sábado à noite. É apenas uma maneira diferente. E a beleza ainda é óbvia, mas os homens acham que é mais refinada, como se a beleza nas mulheres só fosse pura quando elas fingem não se importar em possuí-la.

Olha, eu *perdi* tempo, mas vale a pena ter uma noção dela, mesmo que seja só para me parabenizar pela minha contenção ao me lembrar do que aconteceu. Ela era jovem, mais nova do que eu e Jimmy, mas muito realizada. Uma advogada, como já mencionei, que se especializou em fusões complexas de empresas. Explicava o seu trabalho como sendo "a organizadora se a Nike quisesse comprar a Adidas". Eu não tinha pedido uma explicação. Acho que essa descrição condescendente foi o momento específico em que percebi que a odiava. Ela não tentou me conquistar e muito menos sufocou Jimmy para mostrar a sua posse. Ela era fria com ele, o que naturalmente o tornava ainda mais frenético em seu afeto, e objetiva comigo. Passamos algumas horas jogando conversa fora, mas admito que não me esforcei muito, pois só conseguia me concentrar em quanto o Jimmy estava tenso, na energia nervosa que estava emitindo. Como estava desesperado para que nos conectássemos, para que nos tornássemos boas amigas, ligadas a ele. Com uma ansiedade cada vez maior, senti os dedos rastejarem pelo pescoço, desesperados para coçar. Às 23h, no meio de uma história que Jimmy estava contando sobre um feriado em família, onde acabamos subindo uma montanha por engano, Caro colocou a mão sobre a dele e esfregou a pele entre seu polegar e indicador e disse que precisava dormir. E, sem mais nem menos, a noite tinha acabado. A conta foi pedida, os Ubers foram chamados, e eu fui despachada com um abraço de urso de Jimmy e um beijo no ar de Caro, que não exigia nenhum toque. O carro deles chegou primeiro, e eles foram embora, Caro olhando o celular sem olhar para trás. Nenhum deles sugeriu outro encontro.

Eu sabia que não havia maneira de jogar esse jogo e ganhar. Jimmy estava completamente apaixonado por aquela mulher, e qualquer sinal de relutância minha teria empurrado ele para ela ainda mais depressa. Sempre me perguntei por que é que as pessoas ficam tão defensivas com críticas aos seus parceiros. Se sua mãe, uma pessoa que te conhece desde as fraldas, acha que a pessoa que você está namorando é meio estranha, por que ignorar isso? Me diga se a pessoa por quem me apaixonei parece um monstro. Liste os motivos. Mergulhe no assunto, faça gráficos. Quero toda a informação, mas ninguém mais parece querer. E o Jimmy não era diferente. Tudo o que eu podia fazer era ser simpática e esperar que Caro se entediasse. A atitude dela para com ele estava longe de "devotada", e eu me agarrei a isso por um tempo. Uma noite na casa dos Latimer cortou aquela onda em particular. Eu tinha me mudado fazia muito tempo, mas a penitência por dar o fora (na classe média londrina, os filhos vivem com os pais até os 30; podem até alugar um apartamento em outro lugar por um tempo, mas, mesmo assim, eles passam boa parte do tempo em casa até que seus pais desembolsem algum depósito para uma hipoteca e assim eles possam ter sua casa própria) era que eu tinha, de alguma forma, prometido a Sophie que eu viria jantar pelo menos duas vezes por mês. Essa era uma promessa que eu realmente não tinha intenção de cumprir — a vida moderna é 75 por cento cancelar planos, com ambas as partes se sentindo aliviadas —, mas eu subestimei a necessidade de Sophie de permanecer envolvida, de sentir que desempenhava um papel vital com todos que conhecia. Tentei cancelar no início, reclamava de dores de cabeça ou de ter que trabalhar até tarde. Sempre que oferecia uma desculpa plausível que nos salvava do incômodo, ela oferecia suas comiserações e, em vez disso, sugeria outra data. E, se eu cancelasse esse encontro, ela oferecia outro. Ela não me queria lá, entenda, mas era bom para sua imagem manter contato com a órfã que hospedara tão gentilmente. Logo percebi que seria melhor escolher as datas que funcionassem melhor para mim e aguentar. Durante anos, isso significou o segundo e último domingo de cada mês. Sempre na casa da família. Sempre uma receita de Ottolenghi que pedia especiarias que nem mesmo Sophie, que admirava as mercearias locais da mesma maneira que outros ficariam salivando em uma vitrine cheia de diamantes, conseguia encontrar. Por isso, todas as refeições tinham gosto de manjericão, pois ela conseguia comprá-lo em qualquer Waitrose que fosse.

O domingo em que percebi que Caro estava mais envolvida do que tinha imaginado foi inusitado, um que nem John, nem Annabelle (nem Jimmy, aliás) estavam por perto para se juntarem a nós. Normalmente, estávamos cercadas pelos outros, entregues a conversas inúteis sobre como era horrível que a biblioteca local fechasse, e não é que a austeridade finalmente revelava as suas verdadeiras vítimas? O tipo de conversa política que não chega a lugar algum, mas que faz com que certo tipo de gente ache que está tomando uma atitude só por tocar no assunto. Deus sabe que nenhum dos Latimer foi à biblioteca local nos anos que passei com eles.

Sophie não se deixou intimidar pela conversa concentrada que teríamos de ter uma com a outra. Sophie nunca fica sem jeito nas conversas. Ela acredita que sempre tem algo interessante para dizer, e o que raios poderia fazê-la sentir-se inadequada quando armada com essa certeza?

Quando ela me serviu uma taça de vinho e empurrou o gato velho do sofá, começou a tagarelar sobre Caro. "Uma moça adorável, o Jimmy disse que você a conheceu. Na verdade, é filha da Anne Morton, a última Ministra das Relações Exteriores, e de Lionel Ferguson. Ele escreve livros fabulosos sobre o Império Britânico. Conhecíamos eles de uma aula para grávidas que fizemos quando eu estava esperando a Annabelle. Ambas tínhamos barrigas enormes e nos unimos contra a líder do nosso grupo. Nos vimos ao longo dos anos, mas é claro que a Anne tinha um trabalho exigente e, nessa altura, tinham se mudado para Richmond. Engraçado como o Jimmy acabou namorando a pequena Caro."

Meu Deus. É claro. O tipo de autoconfiança que a Caro tinha não vinha do nada. O pai dela chamava-se LIONEL, cacete. A mãe era política. E além do berço de ouro em que nasceu, ela também era impressionante e inteligente. Eu costumava folhear as colunas da alta sociedade na revista *Tatler* no escritório, geralmente para ver se Bryony tinha sido destaque, onde as mulheres nas fotos eram sempre as filhas de condes ou duques, mas me incomodava que também fossem etéreas, esbeltas, bonitas. Como é que a mais sortuda da sociedade também podia ser fisicamente superior? Eu achava que as opções de reprodução para esse tipo de gente eram pequenas a ponto de garantir a fraqueza genética, mas aqui estavam todas as Caros flutuando por aí, perfeitas sem esforço, valsando pela vida com a confiança de que tinham ganhado na loteria ao nascer.

Sophie continuou seus comentários elogiosos. Caro enviou uma edição limitada dos ensaios de Toni Morrison para ela na semana anterior. Caro tinha cozinhado para a família na casa do Jimmy. O frango estava perfeito. Caro tinha sugerido um fim de semana na França na primavera. Toquei as marcas de arranhões que o velho gato tinha feito no braço do sofá e concordei com a cabeça. Sophie não queria que eu contribuísse com nada na conversa. E não tinha nada que ela quisesse ouvir.

"Sei que é cedo, mas John e eu só estávamos juntos por alguns meses antes irmos de improviso para aquele pequeno apartamento em Angel", disse ela. Olhei para cima e rebobinei a conversa. Eles iam morar juntos! Fazia... não me lembro... pouco mais de dois meses desde que se conheceram. Que tipo de lunático carente vai morar com alguém quando a pessoa nem sequer admitiu que o seu filme favorito é *Duro de Matar* e não, como disseram no segundo encontro, *O Carteiro e o Poeta*? Se bem que acho que o Jimmy nem sequer viu *O Carteiro e o Poeta*. Talvez tenha citado um filme óbvio do Tarantino.

Caro não me parecia carente. Ela não passava a sensação desesperada que tantas mulheres de sucesso que realmente anseiam por um bom homem passam, de buscar uma oportunidade de escolherem juntos a cor de tinta de uma cômoda vintage. Por que é que ela estava forçando a barra? Jimmy podia estar louco, mas não teria sugerido morar juntos, ele não tinha tanta motivação assim. Para Jim, o estado ideal das coisas era quando tudo estava caminhando suavemente.

"Claro, é muito triste para mim que ele esteja se mudando para a casa dela, Clapham é bem longe, mas o apartamento é divino e muito mais perto do trabalho dela, por isso eu compreendo." Sophie olhou por cima do risoto e sorriu para mim. "Você vai ficar um pouco desamparada sem ele por perto, né? Vamos ter que encontrar uma Caro para você."

Eu *fiquei*, de fato. Não admitiria isso para Sophie, que sempre tinha ficado um pouco nervosa sobre o grau de proximidade que eu tinha do filho dela. Não que ela o tivesse desencorajado descaradamente, nada tão drástico. Devia achar estranho que o filho tivesse passado a adolescência com uma garota sem nunca se apaixonar por ela. Ou pelo menos nunca admitir isso em voz alta. Sophie e John não têm amigos do sexo oposto: são sempre casais em seus jantares, ou um ocasional amigo solteiro que tentam apresentar para alguém, normalmente em vão. Ainda suspeito de que ela passou a nossa adolescência à porta, só esperando para abri-la e nos encontrar nus juntos. Ela nunca fez isso. Acho que foi ainda mais desconcertante para ela do que se tivesse nos encontrado. Pelo menos ela entenderia a dinâmica.

A questão é que Jimmy sempre deve ter sido apaixonado por mim. Ele nunca disse. Ele nem deve ter consciência. Jimmy não gosta de introspecção profunda, mas sei desde sempre. Dá para saber, não dá? E, normalmente, isso afeta a amizade — em algum momento, alguém se declara, começa a hesitar ou agir diferente, mas não Jimmy. Ele me ama com intensidade. Eu faço parte dele, mas nunca deu em nada digno de nota. Bem, vacilamos só uma vez, quando estávamos à beira da idade adulta, e eu não queria que ele se afastasse por completo. Mas, em geral, eu fiquei na linha, nunca dando entender algo a mais, nunca o encorajando a explorar a possibilidade. Sem olhares prolongados, sem abraços bêbados que parecem intensos demais. Joguei bem e mantive o meu amigo. Eu sabia que qualquer exploração de sentimentos mais profundos nos quebraria de formas que não poderíamos consertar. E por que eu haveria de estragar tudo por causa de uma tentativa idiota de engatar uma relação na nossa adolescência, quando nada significava nada? Sempre o mantive à distância, pensando que era algo para revisitar quando fôssemos mais velhos, quando a missão que tinha conduzido a minha vida estivesse terminada. Um elo construído ao longo de anos e anos me recompensaria com um futuro simples e descomplicado, mas eu ainda não conseguia pensar em nada disso, não enquanto tivesse tanto trabalho para fazer. Nem sequer tinha pensado direito e nunca imaginei os detalhes dessa vida. Era algo vago, mas forte, e sempre presente.

E agora vi que Caro ia bagunçar tudo. Você não pode evitar as Caros do mundo, não importa o quanto tente controlar as coisas. Pessoas como ela têm prazer em entrar no seu mundo e tirar o que querem dele. Nem mesmo deliberadamente: sua perda é apenas um bônus para elas. Posso ser capaz de executar uma vingança épica, mas não sabia como parar o amor. Aquilo era muito distante de mim e fazia com que eu me sentisse sem fôlego.

* * *

Perdi o fio da meada. Minha mãe costumava fazer isso, o que me enfurecia. Uma história sobre uma ida ao mercado virava uma história triste sobre a dona da cafeteria local e suas dores nas costas, e eu ficava lá, coçando o braço, querendo gritar para ela voltar ao assunto. Ninguém quer saber da pobre coitada da cafeteria. Pare de se preocupar tanto com estranhos que nem sabem seu nome e dê um jeito de ligar o aquecedor de novo. Tudo isso é para dizer que eu poderia escrever um livro inteiro sobre Caro, mas não é a história mais interessante que eu tenho que contar. Cá entre nós, ela está morta. Então eu venci. Só que não por completo. Porque Caro nunca me deixaria ganhar com facilidade, certo?

Os fatos são estes. Jimmy mudou-se para o apartamento imaculado da Caro em Clapham. Nosso contato reduziu drasticamente. As longas conversas ao celular, à noite, foram o que chegaram ao fim primeiro. Depois, cafés improvisados ou encontros no bar que frequentávamos desde que tínhamos idade suficiente para entrarmos em um bar — afinal, Clapham, na margem sul do Tâmisa, é quase outro país quando se vive ao norte do rio. As mensagens não cessaram por completo, mas era quase sempre eu que iniciava a conversa, o que fazia com que eu me sentisse furiosa e patética. Pior, sempre que via Jim, ela se metia nos planos. Drinques (com os amigos dela), jantar na casa dos Latimer (onde ela vinha me receber à porta), festas ocasionais em seu apartamento, onde ela fazia questão de me apresentar a homens maçantes e corados que vestiam calça de sarja para, em seguida, me abandonar e sair com cara de deboche.

Aguentei tudo. Não entrei no jogo dela. Tinha coisas mais importantes para fazer. Estava preparando meu ataque final à família Artemis e frustrada com a minha falta de um plano adequado, então não comprometeria isso para satisfazer uma moça chata que queria que chamar a atenção e tratava Jimmy como um prêmio. Em vez disso, eu a observei. E aprendi quatro coisas:

1. Caro tinha um grave distúrbio alimentar;
2. Caro tinha um vício em drogas que não era insignificante;
3. Caro tinha ataques de fúria com Jim, o que muitas vezes se tornou levemente físico (da parte dela);
4. Caro era desesperadamente infeliz.

Que clichê de merda.

Ele a pediu em casamento no aniversário dela. Não quero insinuar que Jimmy não tenha espontaneidade, mas as pessoas que fazem pedidos de casamento em dias significativos não têm imaginação. Não consigo imaginar um dia pior para me ajoelhar do que um Natal em família quando o seu pai está bêbado de sidra às 11h. Sophie ficou muito animada. Até John estava radiante no almoço de celebração. A família Morton foi convidada, e as antigas ligações familiares foram rapidamente revividas com cuscuz e uma boa variedade de vinhos brancos italianos que Lionel trouxe de sua adega. Caro estava quieta como sempre, vestindo um macacão de seda e mostrando seu anel apenas quando pediam, exibindo suas unhas curtas e livres de esmalte. Jimmy sorria muito para ela, mas estava calado, seguindo-a, e só falava quando ela lhe fazia uma pergunta.

Houve um momento divertido no almoço, quando a mãe de Caro começou a falar sobre como a morte de Bryony Artemis tinha sido chocante. O grupo inteiro se inclinou em torno da mesa, fofocando como velhinhas sobre uma jovem que nunca tinham conhecido, oferecendo teorias sobre a sua morte e falando sobre como a família dela era horrível.

"Deu 50 mil ao governo para tentar virar um lorde, ouvi dizer. Como se precisássemos de mais lordes nesse país. Homens assim acabam com todo o sistema." Sentei calmamente, bebendo o meu vinho e apreciando a hipocrisia dessas pessoas que fingem estar acima de histórias tão lascivas e que, de repente, ficam mais animadas do que tinham estado o dia todo. A conversa seguinte sobre o último romance de Ian McEwan não foi tão animada, posso garantir.

Dois dias depois do almoço, desmoronei. Eu tinha tirado os olhos da bola, consumida pelo pânico sobre o meu plano genial e a crescente impotência que sentia sobre o acesso a Simon. Presumi estupidamente que tinha mais tempo para lidar com aquele probleminha, mas estava muito enganada. Pedi a Jim para se encontrar comigo em Southbank, onde o cumprimentei com um copo de café e caminhamos ao longo do rio. Ele traçou as sardas no meu braço sem pensar, como costumava fazer quando éramos adolescentes e nos víamos como uma unidade de dois. Não com um frisson intenso, mas um afago aconchegante e familiar. Ele me chamou de "Gray", como sempre fazia, e implicou com os sapatos novos que eu usava.

"Muito espalhafatosos, Gray. Sapatos não têm que parecer arte moderna."

Retruquei que o seu novo cachecol de seda o fazia parecer um velho conde italiano, e ele teve o bom senso de parecer envergonhado. Ambos sabíamos que era um presente de Caro. Depois de um tempo, perguntei sobre os planos do casamento, introduzindo o assunto com uma leveza um tanto óbvia. Ele foi vago, falou do desejo que Caro tinha de fazer o jantar em um clube particular do qual o pai era sócio. Jim não parecia muito entusiasmado e manteve os olhos na água, que fluía ao nosso lado. Uma pausa na conversa me deu força para ir direto ao assunto.

Falei que as explosões de raiva dela eram preocupantes, que tinha notado os arranhões no pescoço dele no almoço. Disse que Caro o tinha monopolizado, apagado todas as coisas que faziam dele quem ele era e que achava que se casar com ela seria uma má ideia. Achei que era um ato corajoso e que, o que quer que acontecesse, ele ia preferir que eu tivesse dito. Ele desviou o olhar enquanto eu falava, jogou o copo em uma lixeira, então caminhou até a barreira do rio e respirou profundamente.

"Entendo que seja estranho para você. Nossa amizade é intensa, maravilhosamente intensa. Você é minha família, minha melhor amiga, minha namorada substituta, eu suponho. Durante boa parte da nossa vida pensei que estávamos destinados a ficar juntos, mas você nunca deixou que isso acontecesse, né?" Devo ter vacilado, porque ele continuou: "Grace, você não deixou! Sempre nos manteve em um nível com o qual se sentia segura. As pessoas querem te amar, e você só se afasta". Ele passou uma das mãos pelo cabelo e suspirou. "Seja como for, tudo bem, você deixou claro, e eu aceitei porque sei que você dá o que pode, mas a Caro quer mais. Eu amo a Caro, e ela me ama. E não posso permitir isso, Grace. Não posso. Eu sabia que você seria incapaz de ficar feliz com isso. Minha mãe avisou, a Caro me avisou. Eu entendo, mas não significa que você pode fazer isso outra vez."

Ele olhou para mim com um sorriso brando e esfregou a minha mão. "Nada vai mudar, mas você não pode continuar a falar dela assim. Veja as coisas como elas são. Não vou te abandonar. Não sou seu pai. Isso é o que acontece na vida." Ele me deu um abraço e foi em direção a Waterloo. Eu não disse nada. Eu me odiava por ser tão fraca. Odiava que ele tivesse razão. Odiava ter cedido. Odiava todos eles.

Caro e Jimmy organizaram a festa oficial de noivado um mês depois. Não nos falamos muito nas semanas seguintes, mas eu fui, porque fui convidada e porque, se não fosse, *chamaria atenção*. E pior: ela ia pensar que eu estava arrasada e ia ficar feliz com isso. Usei um terninho de veludo verde-garrafa com uma camiseta branca de seda e ignorei a leve náusea de pensar no preço que todo o conjunto me custou. Passei um batom vermelho. Nós nos vestimos para outras mulheres. É um clichê banal, mas é verdade. Ela saberia muito bem quais seriam as minhas verdadeiras intenções. A fatura do cartão de crédito valeu a pena.

Cheguei lá às 22h, depois de tomar um drinque no bar na esquina, quando julguei que tinha chegado cedo demais. As festas da Caro normalmente só começavam às 21h30 e eu não ia perder tempo com os amigos dela quando todos ainda estavam sóbrios. O apartamento deles ficava no quarto andar de um bloco de mansões com vistas para o parque. O edifício era lindo, com degraus de mármore e um elevador original com portões de bronze. Nunca vi ninguém na entrada ou nos corredores. Os ricos eram donos daqueles apartamentos. Pessoas ricas que tinham várias casas ao redor do mundo que eles chamam de "bases".

Nenhuma dessas casas tem gavetas lotadas de tralha, nem bicicletas velhas atrapalhando corredores. A festa estava rolando quando entrei. Um pequeno grupo de amigos do Jimmy estava reunido na cozinha, alguns amigos da escola de quem eu gostava o suficiente e uns caras chatos da universidade que ele se recusava a ignorar completamente. Mas, na maior parte, o apartamento estava lotado de amigos da Caro. Moças magras demais com vestidos de seda. Todas elas tinham cabelo de menina rica. Você sabe o tipo: grosso, brilhante, longo, parece descuidado, mas só os reflexos custam 500 libras e são tudo, menos descuidados. Os homens usavam calças de sarja idênticas e camisas azuis. Alguns mocassins à vista, mas principalmente tênis em uma tentativa de parecerem mais despojados do que realmente eram. Quase todos eram brancos. A música estava alta, mas ninguém dançava.

Cumprimentei de longe alguns rostos que reconheci, depois segui até a mesa das bebidas, peguei uma taça de vinho e fui para a varanda. Nunca fui fã de festas. A quantidade de conversa fiada envolvida esgota a minha energia e deixa todo o meu corpo tenso. Não por ser tímida, mas por ficar tão entediada que me dá vontade de morrer. A vida é tão curta, e passamos tanto tempo falando com pessoas desinteressantes sobre as minúcias das suas vidas sem graça. Não sei fingir entusiasmo. Não é diferente na prisão. Pode-se pensar que há menos conversa fiada. Você está na cadeia, não precisa falar sobre o tempo, o trânsito ou o trabalho de arte do seu filho, mas a prisão deixa as pessoas ainda mais banais, desesperadas por uma normalidade reconfortante. Isso significa que há muita conversa sobre opções de café da manhã ou o que está passando na TV naquela noite. E, ao contrário da vida normal, não posso fugir disso.

* * *

Acendo um cigarro na varanda, deslizando-me entre dois grupos de pessoas que não conheço, e viro as costas para que fique claro que não estou tentando me juntar à conversa. Fumo o meu cigarro (almejo fumar um por semana, como a Gwyneth Paltrow — e esse é o limite da nossa experiência partilhada) e ouço a conversa que se passa à minha volta.

Alguém chamado Archie vai esquiar na Páscoa com sua nova namorada e alguém chamado Laura está fingindo achar legal, mas sua voz cada vez mais aguda sugere que ela quer que essa namorada caia da montanha. Alguém à minha direita está contando uma história sobre como ele conheceu o nosso terrível primeiro-ministro em um bar na King's Road e achou que ele era "um cara realmente engraçado". As conversas param quando Caro emerge na varanda. Seu corpo minúsculo está coberto por um vestido verde-esmeralda que não requer sutiã (as meninas ricas não precisam de sutiãs), seu cabelo está solto e ela está descalça. Isso sugere uma espécie de descaso master, não é? Como se estivesse de férias em alguma *villa* onde as empregadas varrem o chão constantemente e alguém faz sua pedicure todo dia. Todos se animam quando ela entra no grupo, oferecendo prontamente cigarros e vinho. Ela me vê e, exibindo seu pulso magro, me chama para perto dela.

"Olá, querida, ainda bem que você veio. Vejo que já se serviu. Jimmy está lá dentro em pânico por causa dos copos, mas tenho certeza de que vai ficar feliz por te ver. Vá procurá-lo. Sei que ele ficará aliviado por tudo estar... bem." Ela olha para mim com um pequeno erguer de sobrancelha, um esboço de sorriso. Ele contou para ela. É claro.

Entro de volta sem querer falar com Jim, mas desesperada para me afastar de Archie e Laura e de um cara chamado Phillip, que anuncia aos gritos que quer "dar um teco". Não estamos nos anos 1980, Phil, se liga.

Encontrei Jimmy no sofá com uma moça simpática chamada Iris, com quem ele trabalha. Ele me dá um abraço de urso, do tipo que só um homem grande pode dar, e eu sei que ele está determinado a esquecer a nossa conversa e tentando comunicar de uma forma física para eu fazer o mesmo. Então eu faço. Esta noite, ele me dá tapinhas nas costas e sorri com alívio por tudo estar bem entre nós. O apartamento enche, a bebida é consumida até que as únicas garrafas que sobram sejam os Chardonnays vendidos no mercado, então migro para vodca. Lá pela 1h, posso dizer que a maioria das pessoas ainda aqui está chapada. Nunca usei drogas — uma necessidade clássica de manter o controle — e nunca me ofereceram, mas posso ver os sinais, as pupilas vidradas, o mastigar das bochechas, a conversa chatíssima (ainda que isso seja meio que culpa dos convidados). Caro está trôpega no meio da sala, esfregando o próprio braço. Jim vai até ela e pega na sua mão. Ela se afasta abruptamente, diz alguma coisa e lhe dá as costas. Ele tenta outra vez e ela o empurra. Não com força, mas de um jeito grosseiro.

"Vamos todos acordar um pouco, vocês estão ficando com sono", diz ela, e vai para a cozinha. Olho para o Jimmy e faço uma careta, tentando dizer que estou aqui e, menos obviamente, que a noiva dele é um pesadelo, mas ele olha para mim quase com desprezo e se senta. Caro emerge da cozinha com uma bandeja de prata cheia de copos de shot e as pessoas se reúnem em torno dela.

"Para o meu noivo", diz ela, antes de virar o copo e colocar um braço em volta de uma moça ao lado. Ela não dá atenção alguma ao Jimmy. Consigo sentir a raiva aumentar outra vez: dela por ser uma babaca, de Jimmy por deixá-la se comportar assim. Alguém trouxe um bolo coberto de ganache de chocolate e com as letras C e J em cobertura cor-de-rosa. Foi esquecido pelo confeiteiro no desejo frenético de se embebedar. Pego uma faca e começo a cortá-lo em fatias malfeitas. Pondo no guardanapo, ergo uma delas.

"Caro, coma um pouco de bolo. Sei que você não come esse tipo de coisa, mas tem que se manter em pé, não tem? Você não vai querer perder esse seu famoso gancho de direita."

O grupo amontoado na porta cochicha. Caro olha para mim, com a boca retorcida de fúria, e vai embora. Jimmy, que estava muito longe para ouvir o que eu disse, aproxima-se de mim com determinação e me puxa para o banheiro.

"O que você está fazendo?", ele rosna, inclinando-se sobre a pia e fazendo com que eu me sente no vaso. "Está tentando caçar uma briga com ela na nossa festa de noivado? Pensei que tínhamos concordado que você tentaria ficar feliz por nós."

"Como ficar feliz com você prestes a se casar com uma narcisista que parece não gostar de você?", respondi, me levantando. "Prefiro te respeitar a ser simpática. Por que espera que eu seja gentil, mas não pede o mesmo da Caro?" Eu passo por ele e me desloco pela fila de pessoas que esperava para usar o banheiro.

A noite está agitada, parece frenética e afiada. Não é uma linda demonstração de amor, não estamos aqui para celebrar uma união, estamos aqui para satisfazer Caro, mas em quê? Quero ir embora, mas não posso abandonar Jimmy aqui com uma noiva bêbada e um grupo de pessoas que provavelmente nem sabe o nome completo dele. Eu me sento em um canto da sala de estar e pairo à beira do grupo mais próximo. Finjo verificar e-mails, infrinjo minha própria regra e fumo mais um pouco. A festa vai esvaziando, as pessoas cambaleiam para o quarto para pegar seus casacos, afastando-se de Caro enquanto ela pede que eles fiquem. Ela mantém o ritmo apenas com ela mesma; seu pequeno corpo é incapaz de ficar quieto. Jimmy nem sequer tentou chegar perto dela outra vez, mas continua evitando o meu olhar. Finalmente, às 3h, somos só nós três e outra mulher no apartamento. A mulher está falando com sinceridade com Jimmy, e acima da música (que Caro aumentou) eu capto algumas palavras: "Preocupada...", "Comeu?", "De novo...". Imagino que ambos tenham visto essa versão de Caro antes e estão esperando para intervir e levá-la para a cama, mas Caro está perdida em seu próprio mundo, mudando de música a cada minuto, se servindo de bebida, cada vez mais chapada. Fico sentada, observando. Então pondero se deveria chamar um táxi e deixar que eles resolvam isso, mas, de repente, ela para de dançar e olha para mim.

"Tem tabaco? Preciso de um cigarro, está muito calor aqui." Jimmy levanta e sugere darmos a noite por encerrada, mas ela o corta, e eu pego meus cigarros e digo que vou com ela. Jimmy finalmente olha para mim.

"Está tudo bem. Fique. Vou resolver isso", digo, levando-a pelo corredor até a varanda.

Caro tropeça lá fora e se apoia no balaústre. Pego cigarros e acendo um para ela. Eu a olho de cima, ciente de como ela parece pequena.

"Você está se comportando como uma lunática", digo, enquanto trago meu cigarro. Ela não olha para mim. "Você transformou esta noite em um pesadelo. Só posso presumir que está muito infeliz para se comportar assim. Por que vai se casar com o Jim? Acabe com isso e encontre alguém que tenha uma bela mansão e que te deixe passar fome o quanto você bem entender, desde que pareça bonita nas fotos.

Vai ser fácil. Você vai ser mais feliz, e o Jim não vai ser destruído pouco a pouco. Não vou ter de fingir que te tolero. Vamos, Caro, você sabe que tenho razão."

Ela sobe no parapeito da varanda e se senta, depois joga a cabeça para trás. Está rindo. É o mais natural que foi a noite toda. Caro tosse, se empertiga e põe o cabelo para trás da orelha.

"Você é tão burra", ela diz com a voz arrastada. "É TÃO BURRA. Não quero me casar com um idiota que tenha dinheiro guardado em um fundo em nome dele. Claro que é o que eu deveria querer, mas eu morreria de tédio. Quero me casar com o Jimmy, que é gentil e me adora, não com um banqueiro exigente que me trataria com desdém e comeria a secretária dele na primeira oportunidade. Quero o Jimmy."

Meu suspiro de irritação é inevitável.

"Que clichê, Caro. Terapia não teria sido mais barato? Pelo menos pode ajudar com alguns dos seus outros problemas. Eles não vão embora, por mais que o Jim tente ajudar. Por que arruinar a vida dele também?"

Não faz sentido, penso. *Ela me odeia, estamos ferindo uma à outra com palavras e nenhuma de nós vai desferir um golpe fatal.* As enormes pupilas de Caro me encaram.

"Para com isso. Você não tem direito a ter uma opinião aqui, sua mulher branca solteira.* Usando verde para me ofuscar na minha própria festa de noivado. Credo, eu nem deveria perder meu tempo com seus ciúmes e delírios. Todo mundo é um desastre, Grace, você deveria saber disso, mas somos adultos. Vamos chegar a um entendimento. Eu entro com o dinheiro, ele vai ser um cara exemplar e a nossa vida vai ser boa. Simples. Normal. Eu *quero* normal. Ele não vai ser como o Lionel, sempre ausente, nunca caloroso, sempre desesperado pela próxima novidade." Ela traga o cigarro. "Vai ser tudo ótimo, mas, para isso acontecer, está parecendo cada vez mais óbvio que vocês não podem ser UM CASAL." Ela enfatiza essas duas últimas palavras, olhando para mim, séria.

---

* Referência ao filme *Mulher Solteira Procura*, de 1996, em que uma mulher obsessiva e ciumenta atrapalha relacionamentos à sua volta.

"O Jimmy ama você. Você é como uma esposa-irmã estranha, não é? Sempre por perto, mas não completamente dele. Faz parte da família, mas não faz, não de verdade. A Sophie é obcecada por uma boa ação. Você foi apenas uma delas. Por que não percebeu quando chegou aos 18 anos e se mandou? Uma adulta qualquer com um trabalho chato não tem o mesmo apelo de uma criança com uma mãe morta. Você não serve mais pra nada."

Ela está quase gritando, balançando o cigarro no ar. Minhas mãos estão cerradas em punhos apertados, e sinto ferver em mim a vontade de cutucar e puxar a pele do meu pescoço. Dou um passo na direção dela, e Caro se inclina para trás, os olhos se arregalando um pouco. Minha cabeça está a mil, e eu respiro profundamente, tentando dissipar a adrenalina que sinto inundar todo o meu corpo.

* * *

O que eu poderia ter feito de diferente naquele momento? Tê-la empurrado violentamente, bem no peito, fazendo-a cair da varanda? Ter agarrado seu pé quando ela caiu, percebendo meu erro impulsivo e tentando corrigi-lo, tudo em um segundo? Ou ter me aproximado dela e dito algo igualmente devastador, na esperança de que, de alguma forma, eu ganhasse um ponto ou dois? É algo em que eu tenho pensado muito, um pequeno jogo de "você decide" onde o caminho que você toma leva a desfechos muito diferentes. Em todos os meus cenários revistos, lido com isso menos impulsivamente, com um pouco mais de estilo, mas tudo não passa de conjecturas. Na realidade, eu não fiz nada. Caro caiu da varanda sozinha, e seu corpo magro foi incapaz de amortecer a queda. Ela morreu em segundos. Eu falei para você que tinha ganhado. Até começar a perder.

COMO MATEI MINHA ~~QUERIDA~~ FAMÍLIA

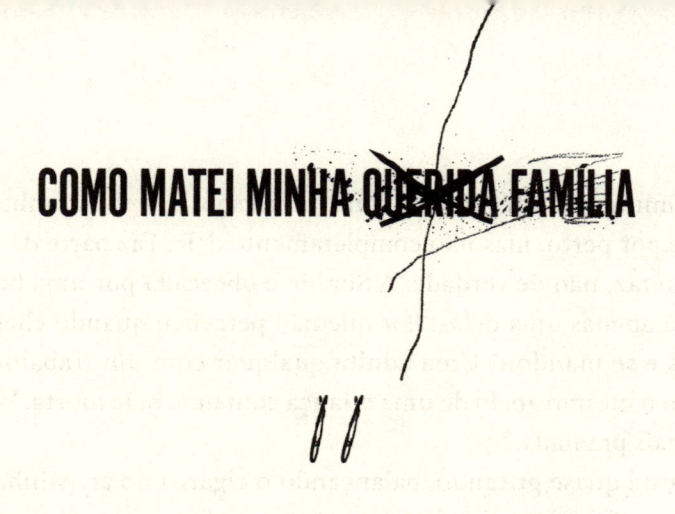

George Thorpe discorre sobre todas as novidades referentes à minha apelação. Ele é meticuloso, admito. Tão meticuloso que estou assentindo silenciosamente para que ele se apresse e me diga logo os destaques. O homem parece pensar que tem de recapitular cada aspecto do caso antes de chegarmos à parte que, com sorte, vai me tirar daqui. Estou entediada com a minha prisão injusta? Acredite se quiser.

Assim que ele sai, interrompido pela campainha que sinaliza o fim do tempo de visita aqui em Limehouse, somos escoltadas de volta às nossas celas em silêncio. Quero escrever o que ele disse e absorver tudo no meu tempo, mas a prisão não reconhece a necessidade de estarmos sozinhas. Você pode se sentir muito sozinha aqui, mas nunca tem tempo para estar sozinha. E, para mim, isso em geral significa que Kelly estará por perto. Nesse caso, ela está sentada no meu beliche quando eu volto.

Não acredito em Deus, mas juro que às vezes acho que a Kelly foi enviada por um anjo vingativo para me irritar. Se uma divindade onisciente realmente vive no céu, então parabéns por invocar uma punição adequada pelas minhas ações em forma de Kelly McIntosh como companheira de cela. Kelly está curvada sobre o pé, lixando as unhas no meu colchão. Há pedaços de unhas na minha cama.

"E aí?", ela diz, sem olhar para cima. "Como foi a reunião?"

Até onde sei, Kelly nunca tentou recorrer da sua sentença, nem se encontrou com um advogado, nem protestou por sua inocência como tantas outras aqui. Como se mais alguém se importasse com a situação dela quando tem os próprios pepinos para resolver. É como ouvir falar dos filhos dos outros, ou pior, ouvir falar dos problemas de saúde mental dos outros. Ela já esteve aqui antes. Dessa vez é por chantagear homens com nudes. Quando ela era mais nova, foi por roubar pessoas na Caledonian Road. Ela gosta de dizer que a taxa de criminalidade na zona N1 de Londres caiu oitenta por cento quando ela foi presa. Kelly é uma mulher que não gosta de mudanças. O crime dela funciona, diz ela, ignorando suas prisões repetidas, então para que mudar o *modus operandi*? Só que ela não diz *modus operandi*, porque Kelly pensaria sem sombra de dúvida que isso era o nome de uma novela latina.

"Ah, o de sempre", digo, ficando na frente dela e olhando para as lascas de unhas com o que espero que seja uma expressão adequada de nojo, mas nada afeta Kelly. A gente não consegue envergonhá-la e muito menos irritá-la. Seria fascinante se ela não fosse tão vazia. Um psicólogo poderia passar horas com ela antes de concluir, relutante, que talvez nem sempre haja algo escondido nas profundezas da psique. Algumas pessoas habitam piscinas mais rasas. Kelly passa a maior parte do tempo boiando.

"Então, vai sair ou não? Seu cara encontrou o que procurava? Acho que você vai precisar de uma testemunha. Seu amigo ainda não fala com você?" Me incomoda que Kelly se interesse tanto. Tenho certeza de que ela investigou o meu caso, já que eu mal lhe contei nada e, no entanto, ela faz perguntas que tornam óbvio que ela sabe mais do que deveria. A história foi divulgada, o *Daily Mail* praticamente colocou um repórter dedicado ao meu julgamento. Não posso esperar que outras pessoas não queiram saber mais, mas também não quero ninguém aqui sabendo de nada que possa usar a seu favor e contar aos jornalistas quando sair. Quero voltar à minha antiga vida. Ou não tanto a vida antiga, mas a vida que planejei começar antes desse contratempo.

Faço um resumo da minha reunião, como esperamos que haja uma decisão em breve, como me sinto confiante com o meu recurso. Ela sai da minha cama e, como se fosse uma menina, se senta de pernas cruzadas no chão. Eu sacudo o lençol e aliso a almofada, torcendo para que os pés de Kelly não estivessem nela.

"Não é loucura", diz ela quando começa a pintar as unhas dos pés em um tom de coral horrível, "como fiz tanta coisa má e ninguém sabe o meu nome, e você acabou como uma celebridade por algo que nem sequer fez?"

Kelly está obviamente chateada por eu ter fascinado tanta gente, como se eu não merecesse a atenção duvidosa que recebi. Como se isso fosse me impulsionar para um *reality show* de dança e me arranjar um contrato com uma marca de xampu e uma foto de página dupla na revista *OK!* para choramingar sobre a minha provação. Depois de meses vivendo cara a cara com a Kelly, sei que é o sonho dela.

Não sei explicar como mulheres como ela surgem às dezenas. Ela não vai acabar na primeira página dos tabloides, porque não há nada demais na história dela. Claro, ela é atraente, e há um viés sexual para seus crimes (sempre ajuda), mas não há nada de único em alguém que se arrisca por dinheiro após um mau começo na vida. Nell Gwyn fez isso há séculos e com bem mais estilo do que Kelly.

"Acho que tive sorte", digo, suspirando.

"Mas você nunca fez nada de errado antes? Nem mesmo um furto aleatório? Eu e as meninas fazíamos isso sempre na Sassy Girl. Eu enfiava montes de coisas nas calças de moletom e vendia no brechó local, aos sábados. Minha mãe mal podia acreditar em como eu fazia a mesada render. Aquela loja ficou um pouco chique mais tarde, começou a colocar etiquetas nas coisas e tivemos que mudar o alvo." Kelly sorri, como se a lembrança fosse tão inofensiva quanto uma história infantil. Eu também sorrio, já uma expert em fazer com que o gesto pareça genuíno. Um sorriso falso dá trabalho; ele não alcança os olhos, e seus músculos faciais parecem sentir que eles só estão executando os movimentos, de modo que parece que você os está arrastando. E, no entanto, ele não pode parecer sarcástico, como os sorrisos artificiais tantas vezes parecem.

"Não", digo. "Na verdade, nada. Vivi uma vida muito entediante."

Sei que é apenas uma coincidência. Eu sei que ela só se refere à Sassy Girl porque havia uma em cada rua do centro. Tenho certeza de que ela não sabe que Simon Artemis é o meu pai. Ela não saberia quem Simon Artemis era. Ela não sabe quem é o dono da loja onde, aos sábados de manhã, enchia as calças de tranqueiras para depois vender. Olho de novo para Kelly, mas ela perdeu o interesse, imersa na aplicação de uma camada extra de esmalte às unhas recém-pintadas. Pego meu bloco de notas e vou para a sala de computadores repassar minha reunião com Thorpe, mas sinto que meus dedos já começam a cutucar a pele do meu pescoço. Não gosto de coincidências.

* * *

Encontro um espaço na chamada sala de computadores o mais longe possível das outras pessoas e me sento. A sala tem três monitores grandes que parecem ter sido doados por Amstrad no início dos anos 1980. Ao que parece, estão permitindo pouco a pouco os computadores dentro de celas em alguns lugares, mas Limehouse parece estar no fim da lista de prisões para receber esses privilégios. Existem cursos de fundamentos da informática aqui, como se alguém quisesse aprender a enviar e-mails e a escrever um documento no Word, quando realmente a maioria de nós está aqui apenas para navegar no Facebook e stalkear o ex que te trocou pela moça que trabalhava no RH para ver se estão felizes.

Anoto em tópicos tudo o que meu advogado disse e reviso até sentir que entendi tudo. Não é absurdo? Tudo o que fiz nos últimos anos, todos os planos e todas as mortes. A ambição canalizada que eu tinha criado, alimentado e alcançado com sucesso, até que... isso aconteceu.

Ela caiu e eu fui presa, acusada e julgada por homicídio. Ela caiu como a bêbada emaciada que era, e eu acabei aqui em um uniforme cinza, pagando a um homem de óculos de casco de tartaruga centenas de libras por hora para tentar encontrar provas da minha inocência. Como você pode provar que algo não aconteceu quando a única testemunha é você? Caro nunca será capaz de contar a verdade sobre aquela noite, e suspeito que ela não faria isso mesmo se pudesse. Ela acharia divertido.

Estive perto da morte; perdão se pareço me gabar de algo macabro. Descobri que ver a morte acontecendo em tempo real muitas vezes faz com que as pessoas entrem em pânico, surtem, gritem, chorem, desmaiem, corram em círculos. Felizmente, nunca teve esse efeito em mim.

Eu sempre soube o que estava por vir, talvez seja essa a diferença; mas, com a Caro, eu não fazia ideia. Ela estava cambaleante, mas a hipótese de que poderia realmente cair nem passou pela minha cabeça. Talvez tenha sido óbvio demais. Pessoas bêbadas caem de varandas em Magaluf, não em Clapham. E foi tão repentino e tão silencioso. Ela não gritou, nem chorou. Não havia mão para agarrar como em um filme. Em um minuto ela estava lá, no outro não estava. Se eu não tivesse visto, se eu não tivesse estado a centímetros da cara dela, não teria acreditado. Então entrei em pânico. Minha abordagem habitual de testemunhar o fim de uma vida me deixou na mão, e a minha visão ficou desfocada. Caí de joelhos, me agarrando aos balaústres de pedra, olhando entre eles para ver se conseguia enxergá-la, mas tudo o que vi foi a sebe que rodeava os apartamentos. Não gritei, nem corri para ir buscar ajuda. Nem reparei no celular na minha mão. Ninguém sabe quanto tempo estive lá, mas não deve ter sido mais do que alguns minutos. Jimmy disse à polícia que foi lá para ver por que estávamos demorando tanto para fumar um cigarro. Ele disse que eu a odiava. Jimmy contou muitas coisas à polícia.

* * *

Ouvi passos e virei para a porta. Ele estacou e eu olhei para cima, de repente consciente da realidade.

"Onde está a Caro, Grace?" Ele não esperou uma resposta. Apontei (acho que apontei) para a varanda, e ele passou por mim e olhou para baixo. Não vi o que ele viu. Não olhei. E, quando nos foi permitido sair do apartamento mais tarde naquela manhã, ela já não estava mais lá, mas Jimmy a viu. E ele não gritou, nem chorou, nem soltou um gemido gutural como seria de se imaginar. Virou para mim, agachou e agarrou minhas mãos como se quisesse arrancar meus braços fora.

"O que você fez?", ele sussurrou, o rosto tomado de confusão e choque. "Que merda você FEZ?"

Só olhei para ele. Ele se levantou, entrou no apartamento, e escutei a porta da frente fechar. A moça que tinha sobrado na festa, de cujo rosto eu me esqueci por completo, deve ter chamado a polícia. Eu ainda estava sentada na varanda quando eles chegaram, sirenes e três policiais fardados. Eles foram seguidos por uma ambulância, o que parecia engraçado, um triunfo da esperança sobre a experiência. Ela estava morta, não? Qual o sentido daquele espetáculo?

Me cobriram com uma manta, me ajudaram a levantar e me levaram de volta à sala, onde uma policial insistiu que eu bebesse água. Ela disse que o nome dela era Asha e explicou que eu estava em choque. Isso parecia ridículo. Eu não gostava da Caro, e aquela situação tinha resolvido um grande problema para mim. Além disso, eu não tinha *visto* nada. Se bem que, em retrospecto, ela provavelmente tinha razão. Senti um frio de doer, não conseguia parar de tremer e precisava fazer xixi a cada quinze minutos. Jimmy não voltou lá para cima, e eu continuei perguntando por ele. A outra moça já tinha desaparecido, e eu estava cansada demais para protestar quando Asha disse que não seria possível eu descer e encontrá-los. Na minha cabeça, repassei o momento em que Caro caiu da forma mais calma possível. A que distância eu estava? Ela parecia assustada? Eu podia ter feito alguma coisa?

Enquanto eu analisava tudo, meu corpo começou a relaxar, e senti a ansiedade desaparecendo aos poucos. À medida que eu analisava os acontecimentos, recuperava o autocontrole. Entrar em pânico era aceitável — não é todo dia que uma mulher que desejávamos que morresse decide cair dura bem na nossa frente —, mas delongar isso seria indulgente e, pior, prejudicial. Apesar de ter sido um acidente óbvio, eu teria de responder a perguntas. Eu estava sob escrutínio da polícia, algo que poderia ser potencialmente catastrófico. Se não me controlasse, podia piorar a situação.

Quando um detetive subiu, eu já tinha me aquecido, ficado sóbria e confirmado a minha história. O homem apresentou-se como Greg Barker, mas não precisou perguntar meu nome; ele me chamou de Grace no instante em que se sentou no sofá de veludo azul e puxou as calças para que eu pudesse ver as meias amarelas dele. Eram cheias de cachorros-quentes. Espero que os filhos tenham comprado para ele no Dia dos Pais. Espero que ele as tenha pegado ao se vestir no escuro. Não há desculpa para meias engraçadinhas em um homem adulto. Especialmente um que investiga uma morte trágica às 6h.

O detetive Barker era bastante brusco, mas não de uma forma cruel. Eu gostei, na verdade; estava farta dos tons baixos da Asha e dos toques no meu braço. Às vezes gostaria de poder usar uma plaquinha como alguns cães resgatados usam quando tiveram uma vida dura: "Agressivo, não encoste".

"Lamento informá-la de que Caroline Morton foi declarada morta pelos meus colegas paramédicos esta manhã. Obviamente teve um choque terrível, srta. Bernard, mas é imprescindível que tenhamos uma noção do que aconteceu aqui esta noite e, para que isso aconteça, gostaríamos de interrogar você o quanto antes."

Ele me encarou com os olhos cinzentos, e considerei reclamar, dizer que precisava ir para casa, tomar um banho e trocar essa roupa que não parecia certa na luz da manhã. Queria vestir um suéter espesso e calças de cintura alta. Queria um blazer estruturado que envolvesse o meu corpo antes de falar com a polícia, mas Greg Barker ainda olhava para mim. E me perguntei se a polícia achava estranho quando as testemunhas enrolavam. A polícia não é lá muito conhecida por ter a mente aberta e muito menos por se recusar a tomar decisões precipitadas, por isso imaginei que qualquer relutância da minha parte em seguir o protocolo teria sido vista com maus olhos.

"É muito horrível, é uma merda", falei, repuxando a sobrancelha esquerda com a palma da mão. "Tão desnecessário. Pobre Caro. Pobre Jim. Posso vê-lo antes de falarmos?"

Nisso, Barker me olhou de lado por um instante. "Isso não será possível hoje, mas a família do sr. Latimer foi chamada e ele está em ótimas mãos, então não se preocupe muito."

Eu sou a família dele, porra. A mãe dele vai ficar chorando e repetindo como tudo é terrível. A irmã dele ficará cada vez mais ansiosa e vai se recolher em si mesma. E John vai tentar ser prático. Ajuda a organizar as coisas. Os amigos da família aparecerão como se fossem necessários e não apenas para exibir a sua própria bondade, se fazendo presentes. O tipo de gente que chega aos funerais mais cedo para se sentar na frente e sinalizar aos que estão sentados mais atrás que são importantes, mas Jimmy precisa de alguém para extravasar. Ou ficar em silêncio.

Ou se sentar no seu antigo quarto e ver episódios antigos de *Os Sopranos*, porque às vezes é só isso que ajuda. Mais uma vez, pressionar ou ceder? Dessa vez, pensei que insistir faria parecer que eu me importava.

"Senhor", (os homens sempre gostam de ser chamados de senhor), "eu quero ter certeza de que meu amigo está bem. Ele acabou de perder a noiva. Não posso vê-lo nem por cinco minutos? Se a família ainda não chegou, acho que ele vai precisar de mim."

Mais uma vez, Barker fixou o olhar abaixo da minha orelha e soltou um pequeno grunhido. "Hoje não vai dar. Garanto a você que meu pessoal vai cuidar dele."

Certo. Isso significava que Jimmy já tinha saído? Ou significava, na verdade, que a polícia não queria que nos falássemos antes de terem colhido nossos depoimentos separadamente? Ou pior. Muito pior. Significava que Jimmy não queria falar comigo?

"Que merda você FEZ?", foi a última coisa que ele me disse. Presumi que tivesse sido dito em pânico, em descrença. Naquela loucura momentânea do cérebro quando acontece algo que não podemos processar normalmente, mas e se não fosse só por um momento? Será que esse pensamento tinha se fixado? Poderia mesmo agora ter criado raízes no cérebro confiante do Jimmy, escavando fundo para que, quando o primeiro choque desaparecesse e ele conseguisse dormir, ele acordasse e acreditasse nisso?

Jimmy não era o tipo de pessoa que não confiava nos próprios pensamentos. O tempo todo eu tinha pensamentos que precisava ignorar, sabendo que eram distorcidos, derrotistas e traiçoeiros. Pensamentos intrusivos que parecem seus, mas não são, não de verdade. Eles invadem seu cérebro e se disfarçam. "Sua mãe era uma puta", "Você quer foder aquele velho até ele desmaiar", sabe como é. Jimmy não vai saber que não deve confiar nos seus pensamentos porque quando é que ele teve um pensamento tão assustador ou perverso que percebeu que o cérebro nem sempre era seu aliado? Se ele se perguntava se, de alguma forma, eu tinha alguma coisa a ver com a morte da Caro, então por que ele questionaria? O cérebro dele tinha plantado a semente. Seria o suficiente para ele dar continuidade?

Eu esperava não me ter entregado diante da polícia. Ele ainda estava me observando, esperando minha resposta. Lá fora, o sol estava cada vez mais alto no céu.

"Está bem", falei. "Como posso ajudar?"

* * *

Fui levada para a delegacia em Battersea e fiz uma anotação mental de não voltar a atravessar o Tâmisa tão cedo. Homens bêbados tropeçam em calças de sarja vermelhas, moças bêbadas caem das varandas. Nada de bom acontece lá.

Apesar da atmosfera decorada com cuidado típica de uma recepção (ofertas de chá, uma mulher simpática atrás da mesa me oferecendo um casaco), tudo de repente parecia uma armadilha. Por que é que eu, Jimmy e aquela amiga genérica da Caro não estávamos juntos, partilhando o nosso choque, explicando o que havia acontecido e sendo liberados para nos recuperar juntos? Fui levada para uma sala de interrogatório que parecia exatamente como as de um drama medíocre da tv e esquecida lá por quinze minutos. Olhei em volta procurando uma parede espelhada onde alguém estaria me observando, ou um microfone óbvio concebido para apanhar um criminoso fraco propenso a revelar as suas ações quando fica cinco minutos sozinho, mas não havia nada. Éramos só eu e o chá fraco que fui forçada a aceitar. Por que oferecer chá quando você está diante de uma prisão? Me dê um pouco de vodca que pelo menos poderei me divertir quando as perguntas começarem.

Quando a porta finalmente abriu, não era o detetive Barker, mas uma jovem com uma blusa de gola alta e uma saia de seda. Tanto o gênero como a roupa dela expuseram minha misoginia internalizada à qual eu normalmente daria um desconto. Afinal, ninguém cresce sem absorver um pouco dela, mas admito que estremeço ao ver uma piloto de avião. Não sei se consigo me safar por isso.

A detetive, após uma inspeção mais próxima, não era tão jovem, mas também não era grisalha, ao estilo Jane Tennison. Sem aliança. Belas unhas. Que vermelho é esse, Maré Vermelha? Eu estava sempre à procura do esmalte vermelho perfeito.

"Olá, Grace. Desculpe ter feito você esperar, estamos um pouco sobrecarregados hoje. Os domingos não são normalmente tão agitados como hoje. Todas as nossas celas estão cheias e estamos colocando as coisas em dia. Sou Gemma Adebayo, e a minha colega que se juntará a nós é Sandra Chisholm." Enquanto ela falava, uma mulher loura e vestida com o uniforme da polícia entrou na sala e sentou-se ao lado de Adebayo. Ela sorriu com a boca fechada.

"Só estamos aqui para conversar sobre os tristes acontecimentos desta manhã. Não é um depoimento formal ou algo assim, Grace, é só para obtermos uma declaração e podermos entender o que aconteceu, na esperança de obtermos alguma paz para a família da Caroline." Gemma ergueu as sobrancelhas no que considerei um gesto encorajador e ligou o gravador, enunciando a data, a hora e as pessoas presentes.

Falei devagar, explicando tudo o que tinha acontecido na festa. Contei às policiais que Caro estava bebendo muito, usando drogas, e que ela parecia nervosa, agitada e instável. Não disse nada do que falamos, em vez disso, disse que tivemos uma conversa bêbada sobre casamentos e vestidos, como se fôssemos amigas no dia especial dela. Parecia algo que uma noiva faria na sua festa de noivado com a melhor amiga do noivo. Isto é, se a noiva fosse normal e básica, animada por ter convites com pombinhos de amor e letras douradas gravadas, e não uma mulher metida e problemática que ia se casar com o meu melhor amigo só porque queria alguém para amá-la que não fosse o pai dela. Credo, o que há de errado com as mulheres que exigem tão pouco? "Não é o seu pai" parece um nível baixo demais. Alguém tem um pai que não seja uma leve decepção, que, na verdade, depois se torne muito destrutivo? Oscar Wilde (ele de novo) disse: "Todas as mulheres transformam-se em suas mães. Essa é a tragédia delas. Isso não ocorre com os homens. Essa é a tragédia deles". Há muita coisa bizarra nisso para analisar, mas, só para citar uma, ele estaria melhor se observasse os homens que acabam como os pais. Chegaria mais perto de resolver os problemas da sociedade se concentrasse a sua procura aí.

Exprimi meu profundo (e genuíno) choque por Caro ter caído no meio da nossa conversa acolhedora. Eu só tinha ido ao apartamento deles duas vezes e não chegara à varanda. Não gosto de altura, por isso não estava ciente em relação a esse detalhe ou se ela estava em uma posição com risco de queda, mas não me lembro de pensar que ela estava em perigo. É que é só... tão horrível.

Era a vez delas de dizerem alguma coisa agora. Levei as mãos ao rosto e respirei pelo nariz, estremecendo um pouco enquanto exalava. Adequadamente traumatizada, imagino, até para aquelas mulheres que já tinham visto de tudo. A loira mais velha balançou a cabeça, claramente me reconfortando. Eu era uma figura que causava empatia aqui, uma moça abalada e cansada, preocupada com a amiga, achando tudo desolador. E parte disso era verdade. Adebayo sorriu rapidamente, mas não se deu ao trabalho de me tranquilizar.

"Obrigada, Grace. Sei que deve estar cansada. Vou só fazer algumas perguntas e depois vamos deixar você ir. Você deve estar ansiosa para voltar para casa."

COMO MATEI MINHA ~~QUERIDA~~ FAMÍLIA

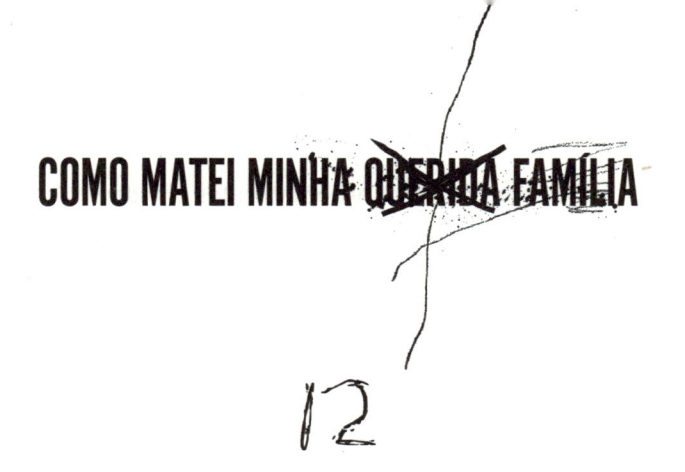

12

Bryony morreu antes do acidente de Caro. Em retrospecto, é engraçado pensar na família de Caro falando sobre a trágica morte da Bryony, poucas semanas antes do próprio fim infeliz. Me pergunto se a morte de Caro os atingiu com a mesma força que a de Bryony atingiu Simon. Suspeitei (corretamente) que Bryony seria o pior para ele. Sempre dá para se casar de novo, e um homem como o meu pai, bem, não esperaria muito. Uma nova namorada com metade da idade dele surgiria antes que que pudessem gravar o nome da morta na lápide, disso eu tinha certeza, mas Bryony era sua única filha e, ao contrário da esposa dele, que passava seu tempo batendo perna entre consultórios de cirurgia plástica e restaurantes abafados em Mônaco, Bryony realmente escolheu viver com Simon. Achei que a morte dela fosse causar uma certa comoção. Então despacharia Janine primeiro.

Decidi como ia matar Janine antes de pensar em qualquer outra pessoa na família. Parece ridículo, mas é isso mesmo. Muitos desses planos se resumiram a sorte, apesar das minhas constantes elucubrações na adolescência, inventando formas detalhadas e engenhosas de matar essas pessoas. Acontece que, como com tudo, a realidade é sempre um pouco mais dada ao acaso, ou uma ideia que aparece na sua cabeça às 3h. O homicídio da Janine foi um pouco dos dois. Eu havia lido um artigo em algum suplemento de domingo, três anos antes, sobre o aumento da "internet das coisas", um termo jogado por aí por nerds empolgados, mas basicamente significa um monte de dispositivos conectados à internet que podem se comunicar uns com os outros. Possuem sistemas automatizados e podem recolher informações e realizar tarefas: compilar uma lista de compras quando você ficar sem produtos de limpeza, por exemplo, ou ligar o seu aquecimento quando você está planejando voltar de férias. Não é a visão que tivemos do futuro próximo. Não é *Os Jetsons* e ainda não temos skates voadores, mas agora podemos esperar que nossas casas façam parte do trabalho por nós. Não são necessárias chaves para a porta da frente, quando basta uma impressão digital; sem tempo perdido aspirando pó quando um robô pode fazer isso quando você sai. No momento, as pessoas mais normais têm uma casa inteligente comprando uma Alexa ou algo assim, algo que eles presunçosamente instruem para tocar música ou procurar alguma coisa no Google. Geralmente na frente de visitas que odeiam estar ali, mas para os ricos de verdade, pode significar conectar toda a casa e tudo o que há lá.

Adivinha o que Janine tinha feito com a cobertura em Mônaco? É isso que quero dizer sobre a sorte. Eu li esse artigo durante uma leve ressaca e com apenas um vago interesse, certa manhã, e três semanas depois, Janine foi destaque na revista *Lifestyle!*, uma publicação mensal que apresentava principalmente entrevistas com mulheres muito ricas falando sobre qualquer coisa, fotografadas em sofás macios. Normalmente era um almoço de caridade ou um projeto de renovação que envolvia muito vidro, mármore e o uso excessivo da palavra "autêntico". Acho que as únicas pessoas que realmente compram essa revista são outras mulheres ricas que queiram devorar com ódio artigos sobre socialites rivais, mas eles publicavam um monte de anúncios para empresas exclusivas de design de interiores e artesãos, então se mantinham no mercado.

O foco da entrevista com Janine era seu novo terraço, um espaço nascido por impulso quando ela se deu conta que precisava de um lugar para fazer ioga no sol da manhã. O jardim do telhado ficava em um ângulo ligeiramente inclinado, ela explicou, e era muito mais adequado para a luz da tarde. Me pergunto qual deve ter sido a reação da entrevistadora, fingindo empatia genuína por um trabalhão desses, mas Janine não parou no terraço, que parecia ter sido modelado em algum tipo de paisagem grega, com grandes vasos de terracota e, juro por Deus, uma fonte de mármore branco duas vezes maior que tudo ao redor. Havia um tour do resto da cobertura, que abrangia três andares e abrigava nove quartos, seis banheiros, e uma, espere só, "sala da serenidade", que parecia serena apenas porque não continha qualquer mobília além de um sofá creme e um espelho do chão ao teto. Janine explicou que era para lá que ela se retirava quando "a vida fica esmagadora e eu preciso de uma pausa", o que não explica o espelho, mas às vezes é melhor não perguntar. A razão pela qual se mudou para Mônaco, explicou, foi pela sua saúde. Um susto de coração fez com que ela "reavaliasse seu estilo de vida". Deve haver muitos benefícios para a saúde no principado. As lacunas fiscais? Essas não foram mencionadas.

Nas mais de cinco mil palavras pelas quais a entrevista se estendia, a repórter claramente ficou um pouco desesperada por algo novo e original e levou Janine a falar sobre seu guarda-roupa inteligente. "Nos fale do seu closet dos sonhos, tem algumas características especiais que imagino que todas as mulheres que lerem isto vão morrer de curiosidade para saber." Acompanhada pela foto de um enorme closet, Janine explicava que todos os itens nos seus armários tinham sido inventariados, fotografados de todos os ângulos e armazenados em um banco de dados que ela poderia acessar de um iPad. Ela dizia à revista que isso tinha transformado o ato de se arrumar pela manhã em um sonho, porque o sistema podia lhe dizer quais peças combinavam umas com as outras. "E também me lembrar das roupas que eu esqueci que tinha. Semana passada, comprei um belo casaco de bouclé azul-royal da Chanel, só para descobrir, quando o adicionei à base de dados, que eu tinha dois exatamente iguais!" Esses casacos são vendidos por 5 mil libras. "Como a gente riu..." A tecnologia não parou com os closets. Foi só o começo. Tudo na casa estava conectado à internet, explicou Janine. As luzes não eram mais acesas com interruptores, o forno não tinha botões ("não que eu me lembre quando foi a última vez que cozinhei alguma coisa", disse ela) e até mesmo sua sauna matinal tinha a temperatura controlada pelo hub inteligente. Cada quarto era capaz de ser trancado remotamente, em caso de uma falha de segurança, e isso lhe deu tanto conforto que, ela confidenciou: "Eu não entendo bem como tudo funciona de verdade, mas nossa maravilhosa governanta tirou de letra, e não preciso fazer praticamente nada". Esse era o lema da vida de Janine.

Foi a menção à sauna que despertou meu interesse. Parecia a encenação de um romance policial, e comecei a imaginar como seria se conseguisse me infiltrar na sua casa, talvez como uma empregada, para trancá-la na sauna e vê-la implorar por misericórdia. Talvez isso não fosse possível, mas o elemento remoto chamou minha atenção: uma casa ligada à internet valeria pelo menos um pouco de pesquisa. Dava para usar essa tecnologia para fins nefastos? Era completamente segura ou podia ser hackeada com pouco esforço?

A web estava cheia de histórias sobre dispositivos inteligentes que quebravam, paravam de funcionar e estragavam tudo. Casais que se separavam quando os seus dispositivos de IA mencionavam acidentalmente o nome de uma amante, crianças expostas a palavrões, chaleiras fervendo durante horas e sistemas de aquecimento que simplesmente não funcionavam. No entanto, as falhas realmente interessantes nesse tipo de design inteligente estavam no elemento de segurança. Havia uma série de histórias assustadoras na internet sobre pessoas invadindo babás eletrônicas e pais ouvindo estranhos falando com seus filhos à noite através dos dispositivos. Havia relatos de alarmes contra ladrões serem facilmente hackeados e silenciados muito antes de intrusos entrarem na casa. Famílias desesperadas afirmaram que os seus dispositivos tinham sido tomados por criminosos que exigiam resgates para parar de interferir com a temperatura e tocar música em todos os momentos do dia e da noite. Na maioria dos casos, isso era porque o sistema em que esses dispositivos funcionavam não era criptografado nem atualizado. Claro, algumas dessas empresas levavam isso um pouco mais a sério, mas a maioria apenas vendia o kit e dizia para o usuário escolher uma senha forte.

Eu tinha que descobrir se seria possível entrar no sistema que Janine tinha, mas por onde começar? Eu não poderia simplesmente digitar "como encontrar um hacker" no Google e arriscar (eu realmente fiz isso no início, mas me senti bem burra por dias depois). Continuando, procurei acadêmicos que faziam pesquisa sobre dispositivos inteligentes, e encontrei uma mulher que tinha escrito um artigo sobre as implicações futuras para a segurança doméstica na era das casas inteligentes. Ela trabalhava na University College London e, Deus abençoe nosso sistema de Ensino Superior, seu endereço de e-mail estava bem abaixo de seu nome no site para qualquer um encontrar. Enviei um e-mail a Kiran Singh da caixa de mensagens do e-mail sarah.summers@journo.com e perguntei se tinha tempo para uma entrevista. Disse-lhe que esperava publicar um artigo no *Evening Standard* sobre os perigos de trazer esse tipo de tecnologia para dentro das nossas casas.

Todos querem ver seu nome impresso. Apesar de a imprensa estar nas últimas, as pessoas ainda querem ser citadas no papel. Na internet, tudo desaparece em poucos minutos, mas sua avó pode arrancar a página de um jornal e mostrar aos amigos. Talvez até enquadre sua grande conquista no banheiro do térreo, onde verá o papel amarelado e enrolado cada vez que for fazer xixi. Os acadêmicos não são diferentes. Kiran me enviou um e-mail no intervalo de uma hora para dizer que ficaria feliz em falar comigo e "podemos marcar na próxima sexta-feira?"

Nos encontramos na cafeteria do Museu Britânico. Ideia dela, e uma boa mudança da banalidade de comer em um dos oito milhões de Pret A Mangers desta cidade. Fui armada com um caderno e um gravador, comprados naquela manhã em uma loja de tecnologia em Tottenham Court Road, na esperança de parecer uma jornalista. O gravador era bem simples de usar, me garantiu o homem um tanto desesperado da loja vazia aninhada entre duas megastores de móveis com sofás de veludo rosa idênticos nas vitrines. Liguei e torci para dar certo.

Kiran era uma mulher simpática, ainda que um pouco séria, sentada à mesa bebendo chá verde quando cheguei, mas facilmente identificável como acadêmica. As pessoas normais não usam cotelê. Elas cogitam usar, talvez até mesmo cheguem a experimentar alguma peça na liquidação quase permanente da Gap, mas percebem que o tecido se agarra a você, junta pó como nenhum outro na Terra e, pior ainda, faz você parecer um acadêmico. Depois de um pouco de conversa fiada, ela estava feliz em entrar no assunto e me deu uma tonelada de informações úteis sobre se era possível usar essa tecnologia para prejudicar alguém. Kiran achava que havia uma forma óbvia de um hacker usar esses dispositivos inteligentes para o mal. Se você pudesse obter acesso ao hub do proprietário, teria tudo nas mãos.

O hub, disse ela pacientemente, quando pedi que explicasse melhor, era o cérebro por trás de todas as engenhocas em uma casa inteligente. Você envia ordens, e ele obedece. O hub pode instruir o termostato a aumentar a temperatura em uma casa, ou dizer à TV para atualizar os canais. Uma vez que um dispositivo é marcado como "confiável" pelo hub, ele está na rede e pode conversar com todos os outros *gadgets*.

Alguns desses dispositivos inteligentes funcionam com criptografia de ponta a ponta. "A Amazon geralmente é muito boa com segurança na nuvem, mas eu não chegaria nem perto de um dispositivo da Ergos", disse ela, deslizando um dedo pelo pescoço. Muitos deles eram ruins, dado que as empresas são menores, e os recursos, limitados. Havia maneiras fáceis de acessar o hub, Kiran me contou: se você obtivesse o número de série do proprietário, então era simples.

"Eu vejo as pessoas postando isso na internet o tempo todo", disse ela, suspirando incrédula. "Mesmo que não seja entregue de bandeja, é fácil obter à força se a pessoa tiver algumas habilidades básicas de computação."

Uma vez que um hacker ganha o controle do hub inteligente e os dispositivos conectados a ele, a casa inteligente pode se tornar uma arma para a pessoa no comando.

"Você poderia usar as câmeras do proprietário para espioná-lo", disse ela, "ou torturar alguém ligando a música em certas horas do dia, abrindo portas, fechando persianas." Contive um sorriso, ela não sabia como era maravilhosa essa hipótese. "Mas ainda não chegamos a esse ponto. A maioria das pessoas compra uma Alexa ou um dispositivo Google e usa para encomendar leite. Claro, esses dispositivos são hackeáveis, mas o verdadeiro perigo é quando tudo na sua casa está conectado, e ainda não chegamos lá. Essa tecnologia ainda está em seus primeiros anos, reservada aos muito ricos."

Perguntei quem faria esses hacks, e ela observou a cafeteria ao nosso redor, como se as pessoas ao nosso lado estivessem prestes a começar. Na verdade, estávamos sentadas entre uma mulher idosa com um casaco floral que comia bolo de mirtilo, um casal japonês ocupado tirando selfies um do outro, e um jovem com cabelo escuro e um casaco bem cortado entretido em um livro, sentado três mesas à nossa frente.

"A coisa pesada é feita por países. China, Rússia, Estados Unidos... mesmo que eles neguem. Hackeamento de segunda categoria tende a ser feito por grupos focados em extorsão, usando webcams para chantagear pessoas LGBT no Oriente Médio, por exemplo. Depois temos adolescentes isolados nos seus quartos que são autodidatas e fazem isso por diversão, porque estão entediados, quem sabe? Eles têm tempo para se meter com alguém, interferir na campainha ou desligar o aquecimento, e depois se gabar disso no Reddit, no 4Chan ou no Babel..."

Depois de mais algumas perguntas e uma promessa de entrar em contato quando o artigo fosse publicado, fui embora, tomando o cuidado de evitar o casal ainda determinado a obter aquela selfie perfeita, e retornei ao trabalho. Andei pelas ruas atrás da Oxford Street, pensando se valia recrutar um cúmplice para me ajudar a invadir a casa da Janine ou não. Eu estava relutante em terceirizar qualquer parte do meu plano desde o início, sem querer adicionar quaisquer problemas óbvios quando já haveria tantos, mas tinha certeza de que não poderia fazer aquilo sozinha — minha compreensão de tecnologia se limitava a atualizar meu software de celular — e eu já estava completamente apaixonada pela ideia da própria casa de Janine se virar contra ela. Será que conseguiria encontrar alguém em quem confiasse o bastante para me ajudar?

* * *

Naquele fim de semana, passei 28 horas on-line, esfregando os olhos a cada cinco minutos e alternando entre café e vinho, dependendo dos meus níveis de energia. Acessei os sites que Kiran havia mencionado, lendo milhares de posts de hackers amadores que se vangloriavam de seus sucessos, falando sobre infiltração de nuvens, hubs, celulares e câmeras, em linguagem que era quase completamente alienígena para mim. Era preguiçoso imaginar que eram todos magricelas de 16 anos que não viam a luz do dia havia semanas? Talvez, mas não tenho dúvidas de que estava certa. Havia muitos posts de pessoas pedindo a hackers para ajudá-las, principalmente para espionar parceiros suspeitos de traição. "Garota (22) precisa de ajuda para provar que o namorado

(28) está saindo com a colega de trabalho. Socorro!" era o apelo típico. Normalmente, as respostas ofereciam ajuda em mensagens privadas, então eu não podia ver qual era o resultado e se um hacker prestativo se apresentava ao trabalho.

Mas eu estava exausta, e a cafeína percorria meu corpo, por isso enviei uma mensagem. Não importava se não atraía ninguém, mas valia a pena tentar. Era vago e curto, explicando que eu era uma garota de 16 anos (imaginei que poderia apelar para algum nerd cavaleiro branco) que queria ajuda para dar um susto na minha madrasta horrível. Não vou entrar nos detalhes de algumas das mensagens que recebi nos dias que se seguiram. Basta dizer que meu pedido foi como mel para uma abelha, se o mel fosse uma adolescente vulnerável e a abelha fosse um enxame de velhos nojentos. Respondi às mensagens menos asquerosas e bloqueei todos os outros. Passei a semana seguinte dando mais detalhes a três usuários, vendo como reagiriam, o que sabiam sobre hackear e o que queriam em troca. O que eu tinha menos esperança era ColdStoner17, que parecia não ser capaz de usar palavras que existiam e respondia nas horas mais aleatórias do dia, muitas vezes com gifs que eu não entendia. Eu estava prestes a largar dele quando me enviou uma mensagem às 7h, um dia, quando eu estava me arrumando para o trabalho.

Aí, ele escreveu, *quando a gente vai assustar a velhota? Eu odeio a minha madrasta também. Pode servir como a terapia que o meu pai não vai pagar.* A linguagem era básica, mas as frases completas eram um começo. Descobri que ele tinha 17 anos (daí o nome de usuário), vivia em Iowa com o pai e a já mencionada madrasta má e passava muito tempo se divertindo na internet quando deveria estar fazendo lição de casa. Eu disse sem rodeios que parecia improvável que ele fosse um hacker superstar, mas aparentemente eu não entendia muito bem os moleques de 17 anos. Ele passou a manhã inteira me bombardeando com todas as formas de se infiltrar em câmaras de laptop, bagunçar babás eletrônicas e desligar o aquecimento das pessoas. Nada muito extraordinário, mas parecia mais convincente do que qualquer coisa que eu pudesse tentar sozinha, então, em vez de desistir do moleque, interagi com ele.

Conversamos a noite toda em um app criptografado de mensagens, ele me disse como era solitário, e eu contei histórias forjadas sobre o quanto odiava os meus pais. Quanto mais falávamos, mais ele relaxava e escrevia com a ortografia correta. Ele me disse o quanto adorava ler, e nós criamos um elo por amarmos Jack Kerouac (eu nunca li nenhum Kerouac, mas uma pesquisa no Google me deu uma boa ajuda). Deliberadamente evitei qualquer detalhe preciso sobre o meu plano, feliz em criar uma relação com ele primeiro, ainda que baseada em mentiras e contos de fadas sexistas sobre madrastas.

Isso continuou por algumas semanas, eu agindo como a menina fictícia que ele pensava que eu era, ao mesmo tempo em que dava ao rapaz um upgrade de confiança, torcendo para que se sentisse em dívida comigo. Ele me confidenciou que tinha sofrido bullying quando mais novo porque os pais tinham se divorciado (acho que Iowa não era o mais moderno dos lugares) e me contou sobre seu medo de que nunca fosse ter uma namorada. Apesar das minhas tentativas de manter a conversa totalmente casta, às vezes acordava com mensagens em áudio em que ele me cantava musiquinhas sobre o quanto eu o animava, e eu as respondia com emojis de sorriso. Ele estava se apaixonando. Eu tinha me esquecido de como era fácil manipular garotos adolescentes, mas peguei o ritmo rápido. Senti que estava no caminho certo com Pete (ele me disse seu nome real no quarto dia, eu lhe disse que meu nome era Eve) e decidi avançar e dizer-lhe um pouco mais sobre o que eu queria fazer com Janine, minha terrível madrasta.

Expliquei que ela vivia em Mônaco (sim, tipo a França) e que tinha virado o meu pai contra mim ao longo dos anos, de modo que estávamos quase totalmente afastados (não uma mentira completa). Eu queria assustá-la e dar uma lição nela. Ele sabia alguma coisa sobre casas inteligentes? Um pouco, disse ele, mas voltou um dia mais tarde totalmente expert nos diferentes métodos utilizados por empresas que ofereciam tecnologia inteligente. O garoto deve ter ficado acordado a noite toda lendo sobre todas as formas de se infiltrar em uma casa como a da Janine, e ele estava confiante de que podíamos invadir o hub dela. *A melhor maneira seria colocarmos um novo dispositivo na casa. Se você puder adicionar outro item ao sistema, podemos assumir o controle de tudo. Está planejando uma visita em breve?* Isso me confundiu. Eu esperava que desse para acessar o hub sem precisar entrar na propriedade e não fazia ideia de como podia entrar no apartamento de Janine sem arriscar tudo. Eu não era uma ladra nata e não tinha ilusões sobre que tipo de segurança a propriedade tinha, se bem que eu nunca tinha estado em Mônaco para ver como Janine vivia. Eu tinha umas férias para tirar: não havia mal nenhum em ver aquelas terras, mesmo que isso significasse ter a certeza de que não daria para realizar aquele plano específico.

Disse ao Pete que ia dali a umas semanas, mas não tinha certeza se ia ser convidada a entrar. *Ela me odeia rs*, escrevi, *e normalmente fico com a minha mãe em um hotel e vejo o meu pai quando ela não está por perto*. Foi fraco, mas se Pete achou que essa era uma situação familiar estranha, não comentou nada. Apesar de ser quase adulto, sua família o obrigava a ir à Igreja duas vezes por semana e todos os dias durante as férias, então acho que ele não tinha muitos parâmetros sobre o que era saudável.

Tirei uma semana de folga e reservei um hotel em Mônaco, o que comeu um bom pedaço das minhas finanças. Todo esse projeto tinha drenado grande parte das economias que eu juntara com tanta diligência e me doía ver os fundos sendo gastos assim. Guardo um pouco todo mês desde que comecei a receber uma mesada de Sophie e John (eles obviamente sentiram como se tivessem que me tratar como um de seus próprios filhos a esse respeito. Eu me sentia desconfortável, mas aceitava o dinheiro), e isso me dava uma sensação de segurança que eu não conseguia de outros modos. Sempre que olhava minha poupança, sentia uma pontada de fúria pelo desequilíbrio entre a paisagem financeira dos Artemis e a minha. Admito que isso talvez seja ridículo, uma vez que eu estava gastando o meu dinheiro para matá-los, mas nem todas as emoções são racionais.

Ainda assim, uma semana ao sol não era algo para se esnobar, e Mônaco era um lugar pequeno, mais ou menos do tamanho do Central Park, por isso, esbarrar deliberadamente com Janine não seria um problema enquanto ela estivesse na cidade. Infelizmente, não havia garantias, dada a propensão que os super ricos têm de sair de jatinho a qualquer momento. O Instagram dela era fechado, mas ela aceitou um pedido para segui-la do usuário "Monaco deluxe", que era uma conta que eu tinha feito com fotos roubadas de sites da alta sociedade. Mostravam os ricos e poderosos em festas e eventos beneficentes — foi fácil repostá-los com homenagens a "Daphne Baptiste, generosamente doando um belo casaco de visom ao fundo de assistência às crianças" ou à "Sra. Lorna Gold, que organizou uma noite elegante na sua bela *penthouse* para a sociedade dos cães de rua". Se essas mulheres alguma vez olhassem o meu perfil, era capaz de se sentirem lisonjeadas. Ali estavam os pilares da sociedade de Mônaco: é claro que as pessoas queriam expressar gratidão. Usando esse perfil, pude ver um pouco do que ela estava fazendo, mas Janine não era uma usuária frequente, nem uma fotógrafa talentosa. Além de algumas imagens tiradas por profissionais, seus posts eram principalmente fotos desfocadas do pôr do sol tiradas de janelas de um jatinho particular, um ou outro registro de uma mesa de almoço com legendas do tipo: "Ótimo dia revendo Bob e Lily no Café Flore", e algumas fotos de eventos familiares. Bryony exibia sua vida em tempo real no Instagram e isso sim era valioso. Janine era velha guarda. Sua última foto tinha sido postada fazia três dias: um close das suas mãos gorduchas, decoradas com joias e mostrando as unhas vermelho-escuras recém-feitas. A legenda dizia: "Obrigada novamente a @Monaco-Manis por mais um ótimo trabalho", então deduzi que pelo menos ela estava por perto.

 Embarquei em uma segunda-feira e depois de um bom banho para me livrar da tristeza de um voo barato e um transfer de ônibus, saí para explorar. Claro que eu sabia onde era o apartamento da Janine. É impressionante como é fácil descobrir onde as pessoas moram. Mesmo que não estejam nos cadernos eleitorais, muitas pessoas marcam suas localizações, ou seguem contas da sua área nas redes sociais. Se você seguir oito contas diferentes com "Islington" no nome, ninguém recebe um prêmio por descobrir onde você compra o jornal da manhã. Pior ainda, as pessoas são tão confiantes que postam fotos da vista de suas janelas de quarto, ou de suas próprias portas da frente. E, para as celebridades, é ainda mais fácil. A maior parte do tempo, a imprensa vai relatar a localização exata da casa de alguém. Se estiverem envolvidos em algo realmente escandaloso, podem até sobrevoar com um helicóptero, ou imaginar a planta baixa. Janine me ofertou seu endereço exato. Ela o deu a todos os leitores da *Hello!* dois anos antes, quando abriu as portas para um coquetel em homenagem a uma empresária turca que estava em alta por inventar uma possível cura para o eczema. O artigo começava literalmente com "Janine Artemis nos dá as boas-vindas à sua bela *penthouse* no edifício Exodora, no parque dourado de Mônaco". A empresária, a propósito, foi mais tarde condenada a oito anos de prisão por roubar cerca de 100 milhões de libras em financiamento e forjar sua pesquisa. A luta para erradicar o eczema continua.

O dia estava belo e quente, e usei o mapa no meu celular para chegar ao edifício Exodora, passando por cafeterias lotadas de mulheres plastificadas e homens gordos usando camisas com colarinhos contrastantes. Todos poderiam ter começado a usar FPS50 mais cedo na vida. O edifício ficava a apenas dez minutos do meu hotel, o que era um alívio, porque o calor estava cada vez mais intenso e os supercarros que deixavam um rastro de fumaça de gasolina pelo caminho arruinavam minha esperança de uma boa caminhada. Dizem que um a cada três habitantes de Mônaco é milionário. Sei que o propósito dos ricos basicamente é preservar seu dinheiro e que um paraíso fiscal como esse talvez ajude, mas parecia um enorme condomínio fechado que nem precisava de espaço aberto ou ar fresco, já que um helicóptero pode levantar voo em vinte minutos e levar você para a Suíça ou para Provença se você estiver muito a fim.

A propriedade onde Janine vivia era deslumbrante, uma espécie de McMansão. Era uma casa de estuque cor de creme, embora *casa* não a descreva com precisão. Eu me perguntava por que os Artemis tinham escolhido um apartamento em vez de uma *villa* isolada qualquer, mas, depois de ver o lugar, entendi. O edifício era vasto, com o comprimento de pelo menos seis casas e, à medida que subia, varandas apareciam, ficando cada vez maiores. As rosas floresciam nas laterais, caindo como se lhes fosse permitido crescer selvagens, mas mantendo uma aparência bastante simétrica. Tudo cuidadosamente arranjado para parecer casual. As janelas iam do chão ao teto, mas todas cobertas por persianas, e o topo do edifício tinha um grande mastro de bandeira do qual pendiam as cores do principado. Me afastei e contei os andares. Oito no total, e eu soube pela revista de design que a propriedade dos Artemis ocupava três. Esticando o pescoço, conseguia ver a varanda de vidro no topo, onde Janine gostava de fazer ioga ao sol da manhã. Dei a volta até os fundos, mas a entrada estava fechada por um muro grande e imponente e um portão que provavelmente levava ao estacionamento. Havia uma grande porta de entrada de metal para um lado, que indicava um elevador de serviço.

Como era de se esperar, havia câmaras do circuito interno espalhadas por toda parte; contei em pelo menos cinco lugares. Ainda assim, a porta principal era fácil de acessar, apenas um portão de ferro forjado e uma grande aldrava de ouro me separavam do interfone. E um homem de guarda à porta. Era loucura achar que dava para ir entrando na cara dura. A segurança com certeza era a razão pela qual tinham escolhido aquele lugar. Era blindado e provavelmente havia porteiros alertas 24 horas por dia.

Desanimada, desci a rua e encontrei uma cafeteria onde pedi um café com creme e mandei mensagem para Pete. *Tive uma grande discussão com meu pai e não posso ficar aqui, sem chance de entrar na casa da madrasta má. Parece que está tudo acabado.* Adicionei um emoji chorando para completar e acendi um cigarro. Ele respondeu na hora: *Putz, que merda. Pode dar ao seu pai algo para levar para casa?* Tive uma ideia. Talvez não conseguisse entrar no apartamento, mas devia haver funcionários entrando e saindo o dia todo. Janine não levantava um dedo havia várias décadas para fazer mais do que apontar na direção dos empregados. Devia haver alguém disposto a levar um pequeno dispositivo para a propriedade em troca de uma boa compensação.

Passei os dois dias seguintes observando as pessoas que acessaram o edifício pela entrada lateral. No início, era difícil dizer para que apartamentos iam, mas montei um perfil de cada um, usando os meus olhos de águia e a minha perspicácia para descobrir quem trabalhava em qual lugar. Estou brincando. O que aconteceu na verdade é que todos os funcionários da Janine tinham que usar uniformes de hotelaria brancos com Artemis costurado em itálico no peito. Nada diz mais "perdi minha humanidade" do que fazer trabalhadores migrantes mal pagos usarem seu nome no peito: estava muito de acordo com essa família. Mulheres de aparência nervosa surgiam carregando sacos de roupa e os entregavam a motoristas de vans de limpeza a seco, ou assinavam encomendas de entregadores e voltavam para casa depressa, como se estivessem sendo cronometradas. Nunca tive a oportunidade de falar com nenhuma delas, de tanta pressa, mas havia também uma senhora que surgia todos os dias às 8h, às 14h e às 16h em ponto, com um bichon frisé de pelo fofo para passear na calçada. Odeio cães fofinhos. São sempre tão tagarelas. Presumo que sejam assim por culpa dos donos. Nunca se vê uma pessoa zen com um bichon frisé. É sempre uma mulher de meia-idade com insatisfação crônica que usa o cão para verbalizar as suas mazelas. "A Betty não pode se sentar aqui, está muito calor e ela está ficando ansiosa." Betty está de boa. Você, por outro lado, talvez queira procurar um terapeuta.

No segundo dia de vigilância, fui buscar um café e segui para a calçada, esperando o passeio do cachorro. Como esperado, a senhora do uniforme desumano apareceu, arrastando o cão fofo e relutante. Esperei que ela passasse por mim e a segui por alguns minutos, antes de caminhar ao lado dela.

"Que doguinho fofo", falei, sorrindo. A empregada era miúda, com cabelo escuro preso em um coque baixo. Ela me ignorou e teria continuado o passeio se o cão não tivesse pulado em cima de mim, deixando marcas de terra na minha calça clara.

"Não, Henry!", ela gritou, curvando-se para ralhar com o cão, que parecia alheio ao pito. Garanti que estava tudo bem, mas ela parou perto de uma parede, tirou um lenço do bolso e tentou limpar minhas pernas vigorosamente.

"É seu cachorro?", perguntei, embora fosse óbvio que ela não tinha qualquer afeição pelo animal. Ela disse que o levava para passear para sua patroa. Expressei empatia, comentando como era chato passear com um cachorro todo dia, ainda mais um tão sem educação. Isso a fez abrir um sorriso, antes de olhar rapidamente ao redor como se Janine pudesse brotar na nossa frente e repreendê-la por não elogiar o amiguinho.

Segui caminhando ao lado dela, perguntando o que achava de Mônaco e dizendo-lhe que eu tinha chegado recentemente e estava achando tudo um pouco opressivo.

"As pessoas são grosseiras", disse ela abruptamente. "Todos pensam que dinheiro é tudo, e ninguém é gentil." E sua patroa, perguntei, ela não era gentil? Então ela desabafou. Contou como Janine a atormentava com as coisas mais inúteis, como ela trabalhava seis dias por semana e só tinha folga às quintas-feiras e, mesmo assim, era chamada se necessário. "Ela tirou dinheiro do meu salário na semana passada porque uma camisa encolheu na lavanderia!", exclamou, balançando a cabeça. Lacey, esse era o nome dela, mandava dinheiro para casa e sustentava três adolescentes. Ela trabalhava ali havia três anos; antes, tinha passado por Dubai, trabalhando para outra família. Não tinham sido muito melhores, mas pelo menos lá teria a própria casa. Percorremos o comprimento da calçada antes de ela se virar, o cão choramingando em protesto.

Expressei empatia e disse a ela que Janine parecia um verdadeiro monstro, cuidando para não dizer seu nome ou dar qualquer pista de que eu a conhecia. E, assim, de repente senti que tinha uma entrada.

"Trabalho para um jornal no Reino Unido. Acho que há uma história para contar sobre mulheres ricas como essa explorando seus empregados. Podíamos expor essas pessoas e envergonhá-las para que comecem a se portar direito."

Ela balançou a cabeça. "Não, preciso desse emprego. Não posso falar mais com você." Lacey aumentou o ritmo, mas segui ao lado dela.

"Eu jamais usaria o seu nome nem diria para quem você trabalha, mas poderíamos expor esse comportamento para que as pessoas se enxergassem e mudassem de atitude. O jornal é famoso, e essas mulheres o leriam. Se todas soubessem que a sociedade acha esse comportamento inaceitável, seria melhor. Se não por você, pelo menos para que as pessoas pensassem que eram bons empregadores." Isso era pura mentira, claro. Uma centena de artigos já tinham sido escritos sobre a forma como os ricos tratam seus empregados e nada havia mudado. Quando muito, estava piorando, com histórias surgindo toda hora sobre empregadas que tinham escapado de condições terríveis e desumanas, enquanto os seus antigos patrões sofriam poucas ou nenhuma consequência. Eu também a estava explorando, sei disso, mas não tinha outro jeito, e pelo menos eu poderia oferecer algo pela cooperação dela.

Ela balançou a cabeça outra vez, com mais veemência. "Não posso. Eu preciso desse emprego." Estávamos quase na casa.

"Ok, eu entendo, mas você não precisaria fazer quase nada e, é claro, seria remunerada pela sua contribuição. Isso seria dinheiro para sua família, Lacey." Ela diminuiu o passo, mas não olhou para mim. "Pense nisso?", pedi. "Se estiver interessada, espero você aqui amanhã às 14h. Ajudaria muitas pessoas na mesma situação." Com um último puxão na guia, ela e Henry voltaram para a casa. Ela viria, pensei, quando vi seu olhar para mim. Se Janine a tivesse tratado com um pingo de decência, eu não teria como entrar ali. Para minha sorte, a situação era outra.

Saí para jantar sozinha naquela noite e caprichei no look. Mesmo com o meu vestido preto midi e saltos rosa neon, ainda parecia bem casual para o padrão de Mônaco. Apesar do calor, notei que muita gente usava casaco de pele; a PETA obviamente não tinha vindo ao principado nos últimos tempos. Havia diamantes do tamanho de ovos de codorna presos a lóbulos e dedos por toda parte e relógios que eu não conseguiria identificar, mas sabia que valiam mais do que o suficiente para dar entrada em um apartamento. Seria assim quando eu tivesse dinheiro? Era difícil pensar em uma pessoa muito rica que tivesse tomado um caminho diferente. Bill Gates talvez, mas quem quer usar tênis feios, calça de sarja e ser tão circunspecto? Nenhuma daquelas pessoas parecia feliz. É clichê dizer que dinheiro não compra felicidade — diga isso a alguém que luta pelo salário mínimo —, mas é verdade que gera insatisfação para muitos. Talvez a diferença para mim seja que o dinheiro seria meu. Muitas dessas mulheres eram ricas por causa dos maridos, e isso deve gerar uma baita insegurança. Porque os homens ricos não tendem a ficar só com uma mulher, não é mesmo? Eles trocam, atualizam e muito raramente dizem: "Obrigado por estar ao meu lado, querida. Obrigado por criar os nossos filhos, gerir a nossa casa e se encarregar do emocional da família, o que me permitiu focar no trabalho. Está na hora de algo novo agora, mas aqui estão 50 por cento de tudo o que construímos juntos". Não. Eles arrumam um advogado e tentam te passar a perna, escondem o dinheiro deles no exterior, alegam pobreza, argumentam que você nunca contribuiu de forma alguma, dizendo que os filhos nem precisam de tanto. Ou fazem o que o meu pai fez e se isentam de toda a responsabilidade o mais depressa possível.

A caminho de Mônaco, vi duas mulheres olhando para uma vitrine de anéis no *duty-free*. Ouvi uma delas dizer à outra: "Uma vez na vida gostaria de poder comprar algo assim sem ter que pedir autorização para o meu marido". Eu nunca teria esse problema. Nunca ficaria em dívida, tímida ou amarrada a alguém assim. E, se eu encontrasse um parceiro, seria magnânima em relação ao dinheiro. Nós o compartilharíamos em termos de igualdade e apreciaríamos as vantagens que poderia nos dar. Não gastaríamos em anéis de diamantes que faziam a gente ter medo de ser assaltada na rua, mas em experiências e conforto. Uma vida com possibilidades infinitas. Talvez eu não soubesse como seria afetada até ter dinheiro, mas, olhando para as pessoas ao meu redor no restaurante, prometi que tentaria me lembrar do que *não* fazer. E ter a família Artemis como lembrete me ajudaria. De vez em quando, daria muito dinheiro a instituições de caridade que eles certamente teriam odiado. Não ia melhorar sua reputação, mas me traria um jocoso prazer criar um fundo em seu nome para ajudar os moradores de ocupações a lutar contra ações de despejo.

De volta ao hotel, mandei uma mensagem a Pete. Disse que achava que conseguiria fazer o meu pai levar algo para dentro da casa e perguntei o que funcionaria melhor, antes de desligar o celular e cair em um sono profundo.

Na manhã seguinte, acordei cedo. Pete havia respondido com um fluxo de mensagens sobre hubs, dispositivos não criptografados e roteadores, escritos em uma linguagem tecnológica que eu não conseguia decifrar. Enviei uma mensagem pedindo que explicasse melhor e saí para correr. Uma hora depois, peguei um livro, fui para a calçada e me instalei em uma cafeteria, à espera de Lacey. Foi bom ficar a manhã inteira sem fazer absolutamente nada, e quase parecia que eu estava de férias — se ignorasse a queimação no estômago que me dizia que estava um pouco nervosa. Li alguns capítulos de *Israel Rank: A Autobiografia de um Criminoso*, livro que encontrei há anos, quando ainda estava pensando no que fazer com a família Artemis. Estava na minha estante havia algum tempo, mas me chamou a atenção quando estava fazendo as malas para Mônaco e o enfiei na minha bagagem. É um livro sobre um sujeito na Inglaterra eduardiana que mata a família por vingança. Dá para entender o interesse? Às 13h45, paguei minhas três canecas de café e um minidonut, tentando não dar na garçonete quando vi que tinha sido desfalcada em 26 euros, e caminhei em direção ao apartamento de Janine.

Pouco depois das 14h, avistei Lacey e Henry. À medida que ela se aproximava, acenei e diminui o passo. Trocamos breves saudações, e eu comentei sobre o calor por alguns minutos até que o cão nos forçou a uma pausa para se aliviar.

"O que você precisa que eu faça?", Lacey perguntou ansiosamente, enquanto procurava um saco de plástico no bolso. Tive vontade de abraçá-la e olha que não gosto de contato físico espontâneo.

"Acho que a maneira mais fácil seria colocar um pequeno microfone no apartamento e gravar o modo como ela fala com você. Assim, teríamos provas concretas para uma matéria, mas não vamos usar o seu nome nem te implicar de forma alguma. Depois disso, nós duas poderíamos conversar sobre o sistema e o que precisa mudar. O que acha?"

Lacey se abaixou para pegar o cocô do cachorro e murmurou algo que eu não ouvi. "Eu perguntei quanto", ela reforçou quando lhe pedi para repetir. Pensei rápido. Eu tinha de manter o valor baixo por razões financeiras, mas quanto é que ela esperava? Se eu jogasse muito alto, ela poderia achar que havia mais para vir.

"Mil", respondi. "Pode escolher em qual moeda prefere, pago em dinheiro vivo, mas o meu editor não vai aprovar mais do que isso. Isso ajudaria sua família, Lacey?" Pela sua expressão, não deu para saber se tinha achado muito ou pouco, e nós continuamos andando.

"Está bem", disse ela, por fim. "Mas o dinheiro é adiantado e você promete não usar o meu nome ou o nome da madame nem mencionar nada sobre o Henry." Fiquei perplexa, e isso obviamente transpareceu na minha cara. "Ele é um cão sem educação, mas eu adoro ele", disse ela.

"Ok, nada sobre o Henry", prometi, tentando não parecer incrédula. Ela ia deixar uma estranha pôr um gravador na casa da patroa horrível e estava preocupada com um cachorro chato que a odiava. As pessoas são um verdadeiro mistério.

Expliquei que me encontraria com ela no dia seguinte no mesmo horário e lhe daria um dispositivo, que ela teria de ligar ao hub. Ela sabia como fazer isso? Sabia. Afinal, ela era a empregada que tivera que aprender a usar a tecnologia da casa inteligente.

"A madame não compreende, mas agora ela pode usar comando de voz." Ótimo, bom. Assim que estivesse ligado, ela não precisava fazer mais nada, o dispositivo pegava a conversa e me mandava para o artigo. Podíamos ter uma conversa no dia de folga dela e pronto. Lacey acenou e foi embora para a casa.

"Traga o dinheiro amanhã, em euros. Não farei nada sem o dinheiro primeiro." Esperta. Merecia respeito.

"Claro", falei e desejei-lhe uma boa tarde. Henry me mostrou seus dentes minúsculos e eles se retiraram.

Passei a hora seguinte enviando mensagens a Pete, que tinha finalmente acordado, sobre que dispositivo funcionaria melhor. Disse que tinha de ser algo que pudesse dar ao meu pai como presente, e conversamos sobre itens que achávamos plausíveis. Eu enfatizei que deveria ser algo pequeno, para que minha madrasta não visse. Só queria que fosse fácil para a Lacey entrar em casa sem preocupações. O aspirador sem fio era grande demais; a lâmpada, muito aleatória. Até que Pete desapareceu por alguns minutos e voltou com um link para um filtro de linha controlado por wi-fi. Isso, em nossa língua, era apenas uma tomada dupla e caberia facilmente em um bolso.

Você é um gênio!, eu disse a ele, quando comecei a pesquisar no Google onde raios encontrar aquilo em Mônaco. Pete queria conversar mais, estava às vésperas de uma prova e muito ansioso, mas eu o despachei, dizendo que a minha bateria estava acabando. Se aquele era o seu melhor repertório, era fácil compreender porque temia nunca arranjar uma namorada.

Acontece que não há lojas para esse tipo de coisa em Mônaco, então tive que encomendar o filtro de linha para entregar no dia seguinte, pagando um frete caríssimo. Depois, verifiquei o Instagram de Janine, e vi que tinha um post novo. Era uma foto de dois vestidos pendurados um ao lado do outro. Um era um longo dourado com mangas compridas de paetê e o outro tinha um modelo semelhante, mas vermelho-escuro, com um leve acabamento de plumas no decote. Janine era obviamente uma entusiasta da peruagem. A legenda dizia: "Me preparando para o jantar, qual lindeza eu escolho?". Os comentários jorravam, todos exclamando que era difícil escolher entre os dois e garantindo que ela ficaria maravilhosa em ambos. Dolly Parton teria ficado orgulhosa. Como ela disse: "É preciso muito dinheiro para parecer tão barata".

Decidi arriscar. Vesti um terninho preto com uma camiseta branca e acrescentei os saltos de néon da noite anterior. Um táxi me deixou na casa da Janine às 19h30 e pedi ao motorista para esperar por uma amiga do outro lado da rua. Em menos de quinze minutos, Janine saiu pela porta da frente (escolhera o dourado), acompanhada por um homem extravagante em um blazer cinza, e desceu os degraus para entrar em um Mercedes estacionado na calçada. Quando o carro saiu, dei um suspiro teatral e disse ao motorista que minha amiga devia ter esquecido que eu iria buscá-la. Seguimos o carro por cerca de oito minutos, parando fora de um restaurante com um grande dossel vermelho e buquês de flores em torno da porta. O amigo jovem de Janine a ajudou a sair do carro, e eles entraram no restaurante, um porteiro curvando-se um pouco quando o casal passou por ele ignorando-o. Esperei um minuto para segui-los. Uma mulher vestindo uma blusa justa de gola alta me cumprimentou sem sorrir. Quando pessoas como essas tentam te intimidar, a única coisa a fazer é espelhar suas ações. Sem dizer "olá", pedi uma mesa.

"Tem reserva?", perguntou ela, me olhando de cima a baixo.

"Não. Não creio que seja necessário para uma pessoa só", respondi, fazendo uma cena ao checar meu celular. Ela suspirou e foi até o *maître*. Uns minutos depois, me deram um lugar no bar e me deixaram em paz. Janine estava sentada em um nicho de veludo vermelho, cuja cor e tecido davam ao seu vestido um infeliz visual natalino. Seu companheiro espalhafatoso estava ao lado, e duas outras mulheres completavam o grupo. Eu estava muito longe para ouvir a conversa, mas me contentava em observá-los. Era pouco provável que falassem de algo interessante, mas foi bom vê-la de perto. Teria sido quase um desleixo não vê-la em cera e osso antes de matá-la. Assim, senti que era uma despedida justa.

Comi um prato de frango ligeiramente nojento e bebi duas taças de vinho, de vez em quando notando o jovem ajeitar o cabelo de Janine ou oferecer uma garfada do seu prato. Era um flerte curioso, embora ele fosse obviamente gay e pelo menos vinte anos mais novo que ela. Talvez o acordo fosse que ele a acompanhasse pela cidade e lhe desse a atenção que Simon nitidamente não dava. Em troca, ela pagava o jantar e comprava uns presentinhos? Que retrô. De vez em quando, todos riam e Janine esticava o rosto em um sorriso. Quando vi o sinal dela para a conta, pedi também a minha e os segui para fora do restaurante. O homem acendeu um cigarro enquanto as mulheres conversavam, uma delas dizendo para Janine que ela iria tomar um café com ela na quinta-feira. Janine balançou a cabeça. "Não, vem amanhã. A empregada está de folga às quintas, e eu vou dormir o dia todo. Vou para o Marrocos na sexta-feira e preciso relaxar antes do voo."

Voltei para o meu hotel. Será que Pete conseguiria arranjar tudo para quinta-feira? Temia que fosse um trabalho apressado, e eu sabia que a pressa era a inimiga da perfeição. Mas a ideia de estar presente quando ela morresse me agradava, me dando a sensação de controle que faltava nesse plano. E eu não fazia ideia de quanto tempo ela ia ficar fora, o que poderia significar semanas esperando uma próxima oportunidade. E se Lacey ficasse com medo nesse meio tempo? No caixa eletrônico ao lado do hotel, saquei 500 euros, o máximo que o meu banco me permitiria tirar de uma só vez. Os residentes de Mônaco ficariam chocados com essa regra. As opções iniciais de saque aqui *começavam* em 500, o troco básico para gorjetas aos garçons de iates, acho.

Pete ficou chateado por eu ter ficado offline a noite toda, e tive que escutar vinte minutos de reclamação sobre o pai não deixar ele ter uma tranca na porta do quarto antes de voltarmos ao que realmente importava. Os adolescentes são muito egocêntricos para quem está na fase menos interessante da vida. Precisei me conter para não dizer a ele que a liberdade de se masturbar o dia todo não era um direito básico, nem que tirar a tranca de sua porta era uma violação de privacidade, por mais que ele evocasse a Constituição. Falei sobre o filtro que encomendei e que estaria na casa no dia seguinte. Depois expliquei que queria assustar a minha madrasta antes de ir embora no sábado. Imaginei que um pouco de psicologia reversa pudesse funcionar bem com o Pete e assegurei que, se ele não estivesse à altura do desafio tecnológico disso, então tudo bem.

Foi bom fazer amizade com vc, escrevi, *tvz ache alguém que pode ajudar agora.*

Isso fez com que ele voltasse ao jogo. Era muito previsível. Ele respondeu com um emoji de coração partido, dizendo estar pronto e prometendo ficar acordado a noite toda para trabalhar no plano. Eu tinha dito o que queria fazer, até certo ponto. Ele sabia que eu planejava trancar Janine na sauna e aumentar a temperatura, mas ele não sabia que eu queria mantê-la presa até ela entrar em pânico. E ele também não estava a par de um certo problema cardíaco que podia acelerar o processo. Apesar de toda a sua bravata adolescente, acho que ele não toparia ser cúmplice das minhas verdadeiras intenções, por mais que estivesse querendo me impressionar. Achei melhor fingir que tinha ido longe demais e depois colocar o fardo da responsabilidade nele se ele surtasse.

Precisamos de acesso ao circuito de TV para saber onde ela está, disse ele, começando a entrar em ação. *Deve estar na mesma rede, mas só teremos a certeza quando o plug estiver ligado. Depois, controlamos o lugar do nosso celular. Me diz o que quer fazer e deixa comigo. Você até pode falar com ela se quiser, ela ia se cagar de medo, né?*

Ficamos debatendo madrugada adentro, Pete me explicando em tecnês, eu pedindo tradução. Lá pelas três da manhã, ele voltou a tentar falar de assuntos pessoais e a mandar áudios pavorosos. Desliguei o wi-fi e fui dormir sem me despedir dele. Acordei com o sol filtrando pela janela e fiquei deitada na cama um pouco mais, mais satisfeita com o meu avanço. Janine seria um peixe grande. Simon podia não ser um marido fiel ou devoto, mas eles estavam casados havia décadas, e ela era sua guardiã de muitas maneiras. Os pais dele devem ter sido uma perda, o irmão provavelmente doeu um pouco menos. Duvido que tenha sentido a morte do sobrinho, mas perder a esposa o desestabilizaria. Será que começaria a ver um padrão, a questionar aquela sequência de mortes? Ele não me parecia muito propenso a acreditar em maldições, mas será que chegaria a cogitar algum inimigo em seu encalço, exterminando a família dele, envolto em mistério? Eu torcia para que essas ideias surgissem. Não a ponto de ele tomar qualquer atitude, mas tenazes o suficiente para que tivesse dificuldade em pensar em qualquer outra coisa. Ele tinha feito inimigos nos negócios: havia pessoas que tinha prejudicado em negociações, empresas que tinha comprado e reestruturado (uma maneira educada de dizer que tinha despedido muita gente). Ele teve outras amantes desde a minha mãe, de acordo com os jornais. Será que reveria o passado, se perguntando se alguma o odiava o bastante para armar uma vingança tão dramática? Os ricos são em geral paranoicos, com seus sistemas de segurança e seus carros blindados. Talvez ele aumentasse a segurança, contratasse um detetive particular para investigar possíveis inimigos. Talvez até fosse à polícia. Táticas sensatas, mas, em última análise, inúteis. Jeremy e Kathleen já estavam mortos e enterrados havia muito tempo, e o acidente de carro sempre pareceria produto de um descuido de Jeremy ao volante. Andrew não passava de um loser excêntrico aos olhos da família; sua morte tinha sido uma tragédia, mas em nada suspeita. Sobre Lee, quanto menos as autoridades descobrissem sobre seu fim sórdido, melhor. E Janine tinha problemas cardíacos de longa data, nem deveria entrar em uma sauna, para começo de conversa. A pergunta ia ficar na ponta da língua dos fofoqueiros. "Mas ela não era...?" As pessoas adoram colocar culpa na vítima.

 Chequei o celular. Uma mensagem do Jimmy, perguntando se eu queria sair para beber alguma coisa naquela noite, uma da minha vizinha dizendo que havia um pacote à minha espera no apartamento dela. Dois e-mails do trabalho que ignorei. Depois liguei o wi-fi no meu outro celular, o que usava para assuntos relacionados aos Artemis, e uma série de bips notificou novas mensagens. Nove do Pete. Rolando a tela, uma dizia que eu tinha que descobrir em que sistema o hub estava. Posso pedir à Lacey para obter essa informação. As seguintes eram links para artigos sobre campainhas inteligentes que tinham sido hackeadas. Depois havia uma mensagem perguntando aonde eu tinha ido e uma foto, que, quando abri, mostrou Pete na frente de um espelho. A cabeça dele estava cortada do frame, mas as calças de moletom estavam arriadas e dava para ver seu pênis, erguido para a câmera como uma oferenda muito especial. Por que é que os homens enviam fotos não solicitadas dos seus paus? Não me dou com muitas mulheres, mas acho que falo pela maioria quando afirmo que ninguém quer acordar com uma imagem dessas. Ainda mais vinda de um adolescente com um excesso de pelos lá embaixo e um surto deprimente de acne no peito. Fiquei ao mesmo tempo triste por ter que ver isso e com pena de Pete, que obviamente achava que era um ritual de passagem obrigatório agora que estava conversando direto com uma garota. Salvei a foto e enviei para o meu celular verdadeiro. Mais valeria guardá-la, caso Pete tivesse uma crise de consciência. Mandei uma mensagem perguntando se poderíamos ir mais devagar. A ideia era deixa-lo um pouco envergonhado mas, ao mesmo tempo, dar esperanças para o futuro. É óbvio que nunca houve a menor possibilidade de qualquer coisa entre nós, mas eu não teria pena do adolescente solitário se fosse você. Quando você faz uma amizade baseada em hacking, merece ser enganado. Na verdade, deveria esperar por isso.

* * *

Assim que minha encomenda chegou, levei-a para o quarto, abri e li as instruções. Copiei em um pedaço de papel um resumo das informações e enrolei o filtro de linha, colocando em uma pequena nécessaire com o dinheiro. Estava bem compacto agora e cabia no bolso da Lacey sem chamar atenção, caso Janine a visse voltar da caminhada. Voltando ao caixa, saquei mais 500 euros, adicionei ao embrulho e fui até a calçada, vendo Lacey aparecer de longe. Ela estava de bom humor, na certa tinha passado algum tempo planejando como usaria o dinheiro. Ou talvez Janine tivesse sido muito odiosa naquela manhã e Lacey só quisesse recuperar algum poder. Provavelmente, um pouco de ambos.

Dei-lhe o dinheiro e disse o que tinha de fazer. "Deixei instruções na bolsa, se precisar. E o meu número, então, por favor, me mande uma mensagem quando estiver instalado e me envie a marca do hub e o número de série do lado. Tem dezesseis dígitos." Ela fez que sim e disse que Janine ia viajar na sexta-feira. Garanti a ela que desligaríamos o modo de escuta enquanto ela estivesse fora e só o ativaríamos de novo quando ela voltasse. Me perguntei se Lacey aproveitava quando a Janine estava fora da cidade, pintava as unhas dos pés na sala cheia de almofadas, fumava na cozinha, tomava banhos demorados na banheira da Janine. Eu esperava que sim, mas ela provavelmente não tinha coragem.

"Só precisamos de uma semana de áudio. Isso deve nos dar exemplos suficientes desse tipo de comportamento abjeto. Depois pode você remover o filtro e jogar fora, tá?" Ela assentiu de novo e se abaixou para acariciar uma das orelhas de Henry.

"Faço isso pela minha família, para que outras mulheres não sofram como eu sofro com uma patroa ruim. Faz bem ajudar." Henry estava ocupado tentando morder os dedos dela, e, de repente, senti uma pontada de culpa. Ela não estava ajudando ninguém, exceto a mim. E também ficaria desempregada em breve.

"Qual é seu sobrenome, Lacey?", perguntei de repente. Ela me olhou, muito desconfiada. Henry também parecia desconfiado, mas isso era típico do bostinha. "Prometo que não é por nada, a não ser pelos meus registros, não vou usá-lo em lugar nenhum." Ela ainda parecia desconfortável. "Se a história for vendida globalmente, você receberá uma porcentagem", falei, tentando pensar rápido. E funcionou: dinheiro costuma funcionar.

"É Phan", ela me disse, soletrando. Agradeci e a fiz prometer enviar uma mensagem mais tarde naquele dia, quando instalasse a tomada. Ela pareceu solene e me disse que faria. Nos separamos e voltei para o meu hotel para esperar.

Quatro horas depois, após ter completado um treino pela internet, tomado banho e passado uma hora vendo os vídeos da Bryony no Instagram, o meu celular tocou. *Pronto*, a mensagem dizia. *Está instalado, luz azul piscante. A marca é Henbarg. O código é 1365448449412564.*

Rolei pela cama, esmurrei as almofadas durante alguns segundos, antes de me sentar e respirar profundamente. Mandei uma mensagem para Pete, que tinha ficado calado o dia todo. Mesmo com a diferença de fuso horário, não era típico dele. Normalmente ele passava metade da noite acordado, saltitando em seu playground, a internet. As marquinhas azuis na minha última mensagem indicavam que ele tinha lido. Talvez estivesse envergonhado, ofendido ou zangado. Nada como um toque educado para irritar um homem. Escrevi que o filtro tinha sido instalado e dei a informação do hub. Terminei com: *Podemos fazer algum alarde amanhã? Vai ser muuuuito engraçado fazer ela surtar, rs.*

Era perto das 19h, e eu estava cheia de adrenalina, apesar do treino, por isso tornei a vestir a roupa de ginástica e saí para outra corrida. Consegui 10km, correndo pelas ruas limpas, forradas com suas calçadas de pedra e plantas bem cuidadas. Era como uma cidade de brinquedo, um lugar em que dava para achar que o resto do mundo estava longe e não podia me afetar. Comprei um sorvete e voltei para o hotel, apreciando a dose de açúcar ao me refrescar.

Ainda não havia notícias de Pete, mas ele tinha visto a última mensagem. Duas marquinhas azuis apareceram outra vez na tela. O pai tinha confiscado o celular? Ele estava ocupado descobrindo como hackear o sistema? Ou havia uma razão mais sombria para o seu silêncio? Talvez tivesse usado o número de série para descobrir quem era Janine. Se assim fosse, teria pesquisado a fundo e com certeza descobrira que eu estava mentindo sobre quem era e o que eu queria dele.

Eu sempre soube que era uma possibilidade. Ele era o especialista em tecnologia, se é que dá para chamar um moleque de 17 anos de especialista em qualquer coisa além de secreções corporais nojentas. Isso significava que eu estava abrindo mão do controle e não sabia o quanto ele iria investigar meus planos. Esperava que ele me ajudasse a invadir a casa da Janine, ficasse chocado quando ela caísse morta e sumisse. Seria o melhor dos mundos, mas eu não era ingênua, e sabia que era bem possível que ele descobrisse que eu queria mais do que dar "um susto", e me interrogar a respeito. Ou pior, procurar a polícia.

Esse era o problema de pedir ajuda a outra pessoa. Em resumo, eu ainda sentia que era melhor pedir ajuda a um moleque idiota, usando manipulação leve para obter o que eu queria e alegando ignorância sobre o resultado final, do que contratar um "profissional" capaz de me chantagear para o resto da vida. Alguém com esse perfil teria pesquisado tudo o que podia a meu respeito e usado contra mim para sempre. Provavelmente em troca de uma quantidade exorbitante de dinheiro. Se Pete era o adolescente entediado e um pouco triste que eu pensava que era, então não ia ser difícil mantê-lo calado.

Mas onde é que ele estava? Eram nove da noite quando tomei banho e me preparei para ir comer, e nada. Voltei a mandar mensagens, perguntando se tinha ficado chateado e dizendo que estava com saudade dele. *Responde, muitooo tédio aqui e preciso de vc bj bj.*

Jantei em um bar turístico com fotos da comida no menu. Sempre um erro fatal, mas estava distraída e com pressa para encerrar a noite. Uma salada murcha e duas taças de vinho mais tarde, paguei a conta e voltei para o hotel. A caminho, enviei uma mensagem a Lacey, perguntando quem estaria em casa no dia seguinte, explicando que seria bom identificar quem falasse para podermos entender o áudio que recebêssemos. Ela respondeu rapidamente, dizendo que estaria de folga das 9h às 18h, quando voltaria ao apartamento. Quando ela estava fora, uma menina vinha cedo para fazer o café da manhã de Janine e dar um jeito na casa, mas não deveria haver mais ninguém por perto até de noite. *A madame gosta de passar as quintas relaxando em casa. Ela diz que é bom ter a casa só para ela. Às vezes ela faz as unhas, ou o cabeleireiro vem. Arrumo tudo de novo quando volto.*

Era curioso que Janine precisasse de um dia inteiro por semana para relaxar, quando toda a sua vida já era centrada nisso, mas o hábito a mantinha bem onde eu a queria, por isso fiquei feliz por ela dar prioridade ao autocuidado com aquela rigidez.

Deitei às 23h, o que era muito cedo para mim. As pessoas matutinas tinham vencido a batalha havia muito tempo, mas eu ainda resistia, normalmente indo para a cama às 2h e não levantando antes das 11h, sempre que possível. Estava ansiosa para que a noite acabasse, como uma criança à espera do Papai Noel que se força a dormir apenas para acordar com presentes, mas não consegui pegar no sono. Pete não mandava mensagem há horas, e fiquei deitada na cama ciente de que, se ele não entrasse em contato em breve, não havia hipótese de matar Janine no dia seguinte. E depois disso o plano seria impraticável, e eu teria que começar tudo de novo. Tentei ouvir uma trilha sonora de ondas calmantes, mas só me deu vontade de fazer xixi. Fiz os exercícios de respiração que tinha aprendido anos antes, mas não conseguiam acalmar o frio intenso na barriga. Às 2h, me levantei e gravei uma mensagem de voz para Pete. Subi uma oitava, a fim de soar mais jovem do que eu era e adotei um tom adequadamente agitado.

"Não sei onde você está, ou se está bem. Estou chorando há horas, preocupada por ter te magoado ou estragado tudo. Tenho medo dos meus sentimentos por você, gato, e acabei te dando um corte, mas não queria te magoar. Por favor, me responde. Não quero saber dos nossos planos para a madrasta má, só quero saber se você está bem. Estou aqui quando quiser. Por favor, responde."

Cinco minutos depois, ele enviou uma mensagem. *Fiquei malzaço quando você me disse para ir mais devagar rs. Pensei que tivesse nojo de mim e fiquei com vergonha. Tava puto, entrei numa viagem* incel, *fodam-se as garotas, foda-se ser um cara legal. As pessoas são falsas, sabe? Achei que você fosse falsa e queria te punir. Rs, eu sou um fodido. Eu tb gosto de vc, gata. Desculpa por ir longe demais. Quando ouvi sua voz, vi que sou um idiota, mas vou te recompensar.*

Aquele vislumbre da mente dele era perturbador de verdade. Sua vontade de punir uma garota por não cair de amores por uma foto do seu pênis era de dar arrepios, e eu olha que matei cinco pessoas. Seria um alívio quando tudo aquilo acabasse e eu pudesse desaparecer da vida dele, guardando aquela foto ridícula do seu pau como garantia.

Conversamos durante uma hora, eu fazendo o papel de uma adolescente ferida e tímida, ele inflado com a minha demonstração de afeto e querendo me proteger de novo. Deixei Pete falar sobre hackear, para que se sentisse no controle. Ele me explicou como estava trabalhando no sistema inteligente, sempre usando uma linguagem que eu não entendia muito bem. Devo ter cochilado em algum momento. Ele deixava grandes vácuos na conversa enquanto descobria como acessar o sistema que controlava a casa de Janine e, apesar da importância da tarefa, a espera tornou-se chata.

Acordei às 9h com um susto, meu cérebro fazendo um esforço para me lembrar da importância daquele dia. Peguei o celular extra e vi 22 novas mensagens do Pete. Seriam sobre o plano ou seriam nudes? A primeira mensagem era uma figura de desenho animado nua, de abdômen torneado, segurando um troféu dourado. Típico adolescente, Pete preferia se comunicar por memes em vez de texto. Eu torcia para que a imagem significasse sucesso e não uma maneira incompreensível para ele expor ainda mais suas tendências *incel*. A mensagem seguinte era um vídeo, a miniatura borrada. Me preparei emocionalmente e cliquei no play. O vídeo era escuro e difícil de entender. Cerrei os olhos, tentando discernir uma forma pálida no meio da tela. Houve um movimento, algo se mexeu e depois um som bem discreto. Foi isso. Vi de novo. Era... sim, era. Era uma cama. E o movimento era uma pessoa. Estava mais fácil ver o contorno do colchão dessa vez e o negócio era um braço, ou uma perna, talvez? Pete estava me mandando vídeos dele dormindo agora? Credo, estamos indo de mal a pior.

Um pouco alarmada, abri a terceira mensagem, que era um arquivo de áudio. "Se for sair, arruma a cama antes, por favor. Não quero ficar vendo lençóis amarrotados o dia todo. E liga para manicure e diz que não vou chegar antes de meio-dia. Não, não sei com quem eu marquei, provavelmente Manicures de Mônaco. Descubra, não é difícil, Lacey! Vou tomar um banho, diga ao porteiro para ligar quando a entrega chegar." Fiquei completamente quieta, com a voz imperiosa ainda ecoando nos ouvidos. Era Janine. Sem dúvida. Voltei e vi o vídeo outra vez. Devia ser ela dormindo. Verifiquei a hora em que Pete a enviou, 6h. E a gravação de voz às 8h. Só uma hora atrás. As mensagens seguintes eram fotos do apartamento tiradas das imagens do circuito interno. O vestíbulo bege com seus detalhes de mau gosto em ouro, como uma versão barata de Versalhes; os corredores, com pinturas emolduradas típicas de pessoas que não se importam com arte, mas compram quadros tentando parecer cultas. Paisagens, cavalos, alguns esboços de bailarinas. A cozinha era o único espaço elegante no apartamento, com armários brancos e piso de mármore. Parecia nunca ter sido usada. A sala de jantar era um ataque aos olhos: paredes vermelho-escuras, um tapete felpudo sob uma mesa de mogno gigantesca, decorada com um aparelho de jantar completo. Há algo mais trágico do que achar que uma mesa permanentemente posta é o auge da sofisticação? Como se um membro menos importante da realeza pudesse aparecer a qualquer momento e ficar decepcionado com a falta de pratos.

A foto do banheiro foi o ponto alto para mim. Mostrava uma vasta sala de mármore branco, quase do tamanho do meu apartamento, com um chuveiro redondo enorme, uma banheira de imersão e duas pias sob um espelho ornamentado. Atrás do espelho havia uma parede decorada em mosaicos de ninfas tomando banho de rio. Uma porta de vidro do chuveiro dava para a sauna, construída em madeira, como mandava a tradição.

Pete tinha enviado mais algumas mensagens, nas quais expressava com gifs o imenso orgulho que sentia pelo seu trabalho, e depois um comentário final, que dizia: *E minha obra-prima...*

Cliquei no último vídeo. Era uma imagem do quarto outra vez, as cortinas abertas; Lacey tinha feito a cama. Observei a porta se abrir, fechar, então abrir de novo. Pete estava mostrando o que podia fazer. Ele controlava a casa. E eu tinha o controle da vida de Janine.

Respondi a Pete da forma mais grata que pude. Mandei um gif de líder de torcida sexy atirando os pompons para o ar. Ele estava on-line na hora e disse que não tinha dormido.

É uma loucura, Eve, posso fazer o que quiser nessa casa. O sistema não tem criptografia de ponta a ponta. Investiguei a empresa e logo vi que seria sucesso garantido. É gerida por um velho na Alemanha que só vende para os ricaços, mas não se dá ao trabalho de atualizar a tecnologia ou de proteger os dados. Esses idiotas estão pagando 100 mil por algo com menos segurança do que a porra de um Fitbit.

Perguntei se era possível falar com Janine através do sistema, e ele achou graça da minha falta de conhecimento. *"Pelo sistema" rs, parece a minha mãe, mas, sim, pode dar um susto fodido nela quando ela estiver trancada no chuveiro, aliás, viu aquele mural? Ninfas gostosinhas, curti muito. Faz parte do nosso plano a sua madrasta ficar pelada?*

Ignorei isso, e trocamos mais mensagens sobre como eu poderia acessar o sistema do meu celular também. Ele enviou um link para um arquivo e me disse para baixar. O pequeno ícone ficou verde, cliquei nele e surgiu uma página mostrando uma imagem ao vivo do corredor na casa. Pete explicou o que eu via e como podia acessar as câmeras em cômodos diferentes.

Eu controlo as outras coisas daqui e, quando quiser, você pode falar pelo celular e eu ligo com a casa.

Ela está em casa agora?, perguntei, clicando em pontos pelo apartamento, curiosa.

Não, ela saiu há dez minutos. Você não me disse como seu pai é rico. Esse lugar é irado.

O dinheiro é dela, respondi, não querendo que ele pensasse que eu era uma herdeira.

Sorte dele, então. Quer ver uns truques legais enquanto a casa está vazia?

Fiquei vendo as persianas começarem a subir e a descer no salão, enquanto música alta ribombava pela casa de uma caixa de som invisível. Ele era realmente bom naquilo, não era brincadeira de adolescente. Falei para parar, não queria que os vizinhos reparassem e avisassem Janine quando ela chegasse em casa. Janine não me parecia do tipo que escuta música eletrônica de manhã. Ninguém devia escutar música eletrônica, ponto.

Pedi a Pete para continuar explorando os cômodos e me mandar uma mensagem assim que Janine voltasse ao apartamento. Tomei banho e me vesti em menos de cinco minutos. Peguei meu celular, uma bateria portátil, fones e fui até a praia, onde escolhi o café mais bonito e me sentei na varanda, debaixo de um guarda-sol, observando as ondas. Voltei a minha atenção para as imagens do apartamento da Janine e olhei pelos quartos para ver se havia algum sinal dela outra vez. Nada ainda. Pete também não tinha mandado mensagens, por isso pedi um café e um croissant e continuei a olhar para a praia, me forçando a não verificar o celular a cada dez segundos. Não tive que manter essa disciplina por muito tempo. O celular tocou quando terminei o croissant, e limpei as mãos em um guardanapo antes de abrir a mensagem.

Ela voltoooou, avisava Pete.

* * *

Clico na vista da câmera e vejo Janine entrar no quarto. Ela coloca sua enorme bolsa Hermès laranja na cama, ao lado de uma sacolinha de papel, de onde tira uma vela dourada, que coloca na mesa ao lado da cama. Ela anda pelo quarto por alguns minutos, afofando almofadas com fios dourados, inspecionando o dedo para verificar se encontrava poeira depois de deslizá-lo no parapeito da janela. Acho que está entediada. Não é o tédio de um raro dia livre quando sentimos que estamos perdendo tempo. Isso são anos de *ennui* acumulado, uma vida cheia de almoços e organização de empregados e muito tempo gasto em manutenção da aparência. Comprar uma vela, fazer uma escova, ter uma aula de ioga, embarcar para sua outra casa e repetir a rotina de novo e de novo. Ela preenche suas horas com atividades, mas nenhuma resulta de fato em algo útil. Era apenas um carrossel de banalidade. Então, aqui está ela em um dia sem empregados e amigos por perto, vagando pelo apartamento em busca de algo para se queixar com Lacey mais tarde. Se ela tivesse consciência do quão deprimente era a sua vida, teria se jogado da varanda onde faz ioga.

Pete manda uma mensagem. *Mulher segurando sacola. Na câmera da porta.*

Janine caminha pelo corredor. Henry aparece de repente atrás dela, latindo ferozmente. Ela afasta o cão e abre a porta. Uma jovem de camiseta preta e calça jeans entra e a segue até o salão em silêncio. Quando ela tira as coisas da bolsa, vejo que é a manicure, recrutada para preencher uma hora do dia da Janine.

Pete e eu conversamos enquanto ela faz as unhas, rindo da decoração na sala de estar e debatendo sobre o que era pior. Eu escolho o pequeno adorno de neon na parede que diz "amor" em itálico, uma imitação de alguma peça antiga da Tracey Emin, e a única concessão à modernidade no cômodo. Pensando bem, talvez fosse um Emin de verdade. Não o torna menos hediondo. Para Pete, nada pode ser pior do que a mesa de centro feita de vidro e quando ele me diz para dar zoom nos pés da mesa, vejo pequenos querubins sustentando o peso. Peço outro café, e nós continuamos a nossa vigília atenta, dois estranhos invadindo uma casa sem precisar mover um músculo.

Finalmente, a manicure termina seu trabalho e sai, mas não antes de Henry se atirar nela, derrubando um vidro de esmalte vermelho e sujando sua blusa. Janine repreende a garota por ter levado um susto com o pulo de Henry e lhe diz para não voltar se ela tem medo de cães. "Você deveria ser mais profissional, por pouco não arruinou o tapete", diz ela, enxotando a garota para fora.

Depois de fechar a porta na cara da manicure humilhada, Janine suspira e vai para o banheiro. Ela começa a preparar o banho e cuidadosamente prende o cabelo na frente do espelho. Envio uma mensagem a Pete:

Pode ligar a sauna agora, sem alertá-la com luzes?

Volto a olhar para a câmera. Janine está aplicando um creme no rosto.

Feito, responde Pete.

Ótimo. *Quando ela acabar de tomar banho, acenda as luzes na sauna — ela deve entrar para desligá-las e depois fechamos a porta.*

Ele responde logo com um joinha.

Decidi não ver Janine tomar banho, sentindo que ela merece um pouco de privacidade nos seus últimos momentos, mas Pete não tem tais escrúpulos, narrando cada detalhe e rindo de como ela canta Celine Dion enquanto relaxa imersa nos seus sais. Algumas pessoas adoram ficar enrolando na banheira, chamando isso de autocuidado e fingindo que não tem nada a ver com querer fugir da sua família por uma hora ou mais. Janine é uma delas, apesar de não ter ninguém de quem escapar, a menos que conte o cachorro babaca. Ela passa quase uma hora na banheira, ajustando a temperatura da água e adicionando vários óleos. Enquanto espero, percebo que estou ficando pilhada com o café, por isso, peço uma taça de rosé para compensar a cafeína.

Por fim, Pete avisa que ela está saindo do banho. Ele faz uma piada grosseira sobre os seios dela, e por pouco não respondo com um comentário sobre o pinto dele. Pete me faz querer defender Janine, sinal que ambos precisam sair da minha vida imediatamente.

A sauna deve estar escaldante agora. Respiro fundo e digo a Pete para ligar as luzes. Nas imagens da câmera, vejo a sauna de repente clarear. Janine não reparou. Ela está enrolada em uma toalha em frente à pia, limpando o rosto com um paninho.

Faça piscar, escrevo. As luzes acendem e apagam rapidamente. Janine para de limpar o rosto e franze a testa. Ela caminha em direção à sauna com uma expressão de aborrecimento. *Se prepara para fechar a porta, Pete, por favor, se prepara.*

Estou preparado, sou o rei desse lugar gata, vem a resposta.

Ela entra na sauna, e eu prendo a respiração e coço o pescoço. A porta fecha sem baralho atrás de Janine. No início, ela não parece notar. Consigo ver o topo da sua cabeça enquanto ela tenta apagar as luzes, se abanando enquanto percebe que o calor está insuportável. Eu vejo quando ela puxa a porta; o vidro sacode de leve, mas não cede.

Rs, ela percebeu que está presa, escreve Pete, mas eu o ignoro, hipnotizada por uma Janine cada vez mais em pânico, que está agora clicando sem parar em um botão. É o alarme, diz Pete. *Desativei*, óbvio. *Ninguém pode te ouvir gritar, dona.*

Janine senta e desaparece do meu campo de visão. Ela bate no vidro, e Henry corre para o banheiro, atraído pelo barulho. Ela consegue ouvi-lo e se levanta, espiando por cima da faixa fumê na porta. Ela diz para ele pedir ajuda, uma ordem absurda que me mostra que está ficando desesperada. Henry olha para ela, as orelhas para trás e o corpinho tremendo de euforia. Depois inclina a cabeça, vira e sai do banheiro. Eu passo as imagens e o vejo deitado na sua caminha no corredor, caindo no sono. Talvez Henry seja mais sagaz do que eu pensava.

Vejo as horas no celular. Ela está na sauna há quinze minutos. *Qual é a temperatura?*, pergunto a Pete.

Deixa eu ver. Ele volta dois minutos depois. *Desculpa, tive que converter nos seus graus estranhos. Está 110 graus. Quer mais alta? Ela pode desmaiar.*

Pondero. Não temos horas para deixá-la cozinhar lentamente até a morte, mas estou relutante em deixar a sauna chegar a um ponto em que ela possa ficar com queimaduras graves, um sinal de que não conseguiu sair. *Aumenta um pouco, foda-se se ela desmaiar. Ela merece.*

Bebo meu vinho e saboreio a brisa fresca de novo, sabendo que todo o corpo de Janine está ansiando por isso. Distraio Pete para ele não ficar vendo as imagens do circuito interno de TV com muita atenção, inventando uma possível viagem a Iowa, e ele morde a isca de cara, me dizendo que seria legal me encontrar ao vivo. Falamos sobre o que faríamos juntos, ele flertando cada vez mais e eu sugerindo atividades saudáveis que seu líder da igreja aprovaria.

Enquanto isso, fico de olho em Janine, presa naquele cubículo quente. Não vejo movimento algum, e percebo que, se eu quiser falar com ela, não posso esperar mais. Digo a Pete para me ligar com o local, sabendo que o que eu ia dizer geraria perguntas mais tarde.

Há uma pequena pausa, e Pete diz que posso falar. Bebo um gole de vinho e olho em volta para me certificar de que ninguém pode me ouvir. Levo o celular ao queixo e falo baixinho, mas de modo bem audível.

"Você não deve estar no clima para uma conversa franca agora." A cabeça dela se ergue por cima do vidro fumê e ela limpa o vapor com uma das mãos. "Mas queria que você soubesse por que isso está acontecendo com você. Não é um acidente. Você já deve ter percebido, mas não sou um gênio do crime que quer roubar seus diamantes. Não há nada que você possa me dar para me fazer mudar de ideia." Ela começa a gritar algo, batendo freneticamente na porta de vidro. "Fique quieta. Você não tem energia para ficar tão nervosa. Seu marido largou a minha mãe grávida. Ele a abandonou. Ele me rejeitou. E a sua família viveu em completo luxo e conforto desde então. Você acha isso justo? Não me pareceu nem um pouco justo ver minha mãe se matar em empregos de merda, mais fraca dia após dia. Você acha justo que sua filha tenha tudo e que eu tenha sido criada por pessoas que só me acolheram para se sentirem compassivas?"

Janine parece desesperada agora, com uma das mãos arranhando o pescoço.

"Está cada vez mais difícil respirar, não? Bem, isso não vai ser um problema por muito tempo, então tente se acalmar. Entrar em pânico será pior. Vou ser honesta contigo, não queria explicar nada, mas ao mesmo tempo queria que você soubesse da história toda. Por cortesia, pura e simples. O meu pai. O seu marido. É por ele que você está aí. É bom saber quem culpar, não?"

Pete manda uma mensagem. *Hilário, mas já faz muito tempo. Acho que ela está mesmo sofrendo, bb, vamos deixá-la sair? Não ligo se ela desmaiar, mas a decisão é sua.*

Um minuto. Ela está bem. Aumenta o calor e deixa mais um pouquinho. Eu respondo, olhando para Janine, que está traçando algo com o dedo no vidro. Eu forço a vista, tentando ler. Ela diz algo, mas o som está abafado.

"Quer falar alguma coisa?", pergunto. Ela sussurra outra vez. Minha irritação aumenta. "Mais alto, por favor, você não deve ter muito mais tempo, por isso, se quer dizer alguma coisa, fale mais ALTO."

Mas ela não está prestando atenção, concentrada em deslizar o dedo pelo vidro outra vez. Ela mal consegue mexer mais um milímetro antes de parar. Observamos em silêncio, até que o traço fique mais nítido. Uma letra G, trêmula e pequena, mas bem visível. Sinto uma pontada de náusea. Pete está entretido. *O que ela está escrevendo, um pedido de socorro?* A letra seguinte começa a tomar forma, uma longa linha, e então, enquanto ela tenta se apoiar contra a porta, surge um círculo. Ela desenhou um R. As ondas batem na praia enquanto minha visão fica um pouco desfocada. Ela vai escrever Grace. Ela sabe. Ela sabe de tudo. Ela provavelmente sempre soube de mim, da minha mãe, e pouco se lixou por nos deixar na pobreza enquanto a sua filha tinha tudo. E agora ela vai me expor. Quando o Simon encontrar a mensagem, vai saber. Talvez não logo de cara, mas vai juntar dois mais dois, lembrar das outras mortes e perceber o que estava acontecendo. Ele e Bryony estarão a salvo, e eu na cadeia para o resto da vida.

AUMENTA O CALOR, envio para Pete. *Bota no máximo. A vaca merece.*

Nossa, você odeia mesmo ela, né? Essa história foi uma loucura, faz a minha madrasta parecer um anjo. Aumentando agora.

Janine está tentando terminar o R. Seu cabelo perfeitamente escovado está grudado no rosto, que já está todo manchado, algumas partes em tom de púrpura. Eu fico sentada ao sol, uma mão agarrando o celular, a outra beliscando o meu pescoço com tanta força que consigo sentir os olhos lacrimejarem. E depois, enquanto observo, o dedo dela escorrega pelo vidro, a cabeça desaparece de vista e há um baque alto. Silêncio. Bebo um copo de água inteiro. Nenhum movimento.

Meu celular apita.

Isso foi DRAMÁTICO. Acho que ela desmaiou. Quer que eu abra as portas?

Faço sinal ao garçom para me trazer outra taça de vinho.

Pode abrir.

Aquela pancada não era só o corpo caindo no chão. Foi muito alto. Janine tinha batido com a cabeça. Olho no meu relógio, Lacey só volta daqui a duas horas. Tempo suficiente para ela sofrer danos irreversíveis, isso se já não estiver morta. A porta para a sauna se abre e o vapor sai, obscurecendo a vista por um minuto. Quando o garçom me traz uma nova taça, posso ver o banheiro começar a reaparecer. Os pés de Janine estão rentes à porta da sauna, o corpo ligeiramente fora de vista, inerte e pequeno. O G trêmulo já estava desaparecendo.

Henry dormiu profundamente durante todo o episódio. Sério, não merecemos os cães.

* * *

Bem, ela morreu. O calor, o choque e as queimaduras teriam dado conta do recado, mesmo que ela não tivesse um leve problema cardíaco. Acho que nenhum problema cardíaco é leve quando se está preso em uma fornalha. Deus abençoe Lacey, que nunca me fez uma única pergunta quando a esperei na calçada no dia seguinte. Ela suspeitava de alguma coisa? É difícil dizer. Fingi choque e compaixão pelas notícias, mas Lacey parecia completamente de boa com a cena de horror que havia presenciado. Quando muito, ela andava com a postura mais ereta, já sem uniforme, mas de calça jeans e camiseta, com sandálias douradas exibindo unhas dos pés pintadas de laranja. Ela pegou Henry e acariciou suas orelhas macias. "Vou te dar algum dinheiro, Lacey, é o mínimo que posso fazer neste momento difícil", falei, com um ar preocupado. "Você vai para casa agora? Ou a família vai mantê-la aqui?"

"O sr. Artemis me deu um mês de salário e disse que posso ficar por uma semana, mas está tudo bem. A melhor amiga da madame Janine, a Susan, ligou ontem à noite e me convidou para ir trabalhar para ela. Ela tem uma casa muito maior nas colinas e está oferecendo mais dinheiro. Ela disse que já tinha planos de me pedir para sair há algum tempo." Lacey sorriu. "Ela não é uma megera como a defunta. E vou levar o Henry. Ninguém vai me impedir." Fiz um aceno de despedida para ela, maravilhada pela incrível audácia de Susan, uma mulher que contratou a empregada da melhor amiga menos de 24 horas depois de ela ter morrido. Em outra vida, poderíamos ter sido amigas.

* * *

Já Pete era uma tarefa um pouco mais complicada. Ele não ficou arrasado e em pânico com o que tínhamos feito, como eu receava que acontecesse. Em vez disso, mostrou-se eufórico, querendo repassar cada momento e enviando memes sobre churrascos, perguntando quem poderia ser a próxima vítima.

Podemos montar um negócio, gata, foi a mensagem que me mandou uma semana depois, enquanto eu bebia uma taça de vinho e decidia a cor que pintaria as unhas dos pés. Não se deve mexer com hormônios de adolescentes, então não joguei o celular em um rio para me desconectar dele por completo. O rapaz estava apaixonado, e eu não queria colocar suas habilidades tecnológicas em teste, por isso lidei de maneira delicada com o assunto. Principalmente, encontrando Deus. Sempre que ele me enviava alguma coisa sugestiva, uma inesperada torrente de passagens bíblicas como resposta ajudou a diminuir a frequência da interação. Não há nada como um pouco de santidade para se livrar da ereção espontânea de um adolescente excitado; mas, três meses depois, ele ainda não tinha desistido por completo. Ainda estava vidrado com a nossa aventura juntos e não me deixava em paz. Por isso, segui um caminho mais difícil. Fingi tê-lo enganado. Quero dizer, eu *tinha* enganado, mas mudei a história um pouco. Ciente de que uma pesquisa reversa de imagem seria fácil para ele, entrei em um desses chats em que você faz chamadas em vídeo com estranhos e cliquei até achar algum sujeito de aparência asquerosa que arranhasse um mínimo de inglês. Suportei cinco minutos da sua companhia, em um "papo" que consistia principalmente em gestos para que eu mostrasse os peitos. Pedi que me mandasse uma selfie primeiro, guardei-a no celular e depois apaguei minha conta. Com a foto, que mostrava um homem careca sorrindo e acenando, esperei pelo próximo vídeo sugestivo (leia-se, masturbatório) de Pete. Tão certo quanto a luz do sol, um vídeo de punheta veio na hora certa. Imediatamente, enviei a foto.

Somos uma cooperativa. Salvamos os seus vídeos patéticos e temos prova do que você fez. A menos que queira que esses arquivos sejam enviados à sua família, pare de entrar em contato e volte à sua vida normal. *E seja grato todos os dias por permitirmos isso.* Ele ligou 22 vezes naquela noite, mas não atendi e enviei a mensagem novamente com um adendo de AVISO FINAL. Ele respondeu dizendo que nunca contaria a ninguém e implorando para não enviar os vídeos ao pai dele. Acho que, apesar de toda bravata, o garoto não suportava a ideia de o pai pensar que ele tinha enviado vídeos pornô para homens de meia-idade. Ele podia ter ajudado a matar uma estranha, mas algumas coisas nunca mudam. A ideia de um pai descobrir que você tem vida sexual era muito pior. E essa foi a última vez que tive notícias de Coldstoner17. É assim que as relações entre adolescentes devem ser: intensas, mas bem curtas.

COMO MATEI MINHA ~~QUERIDA~~ FAMÍLIA

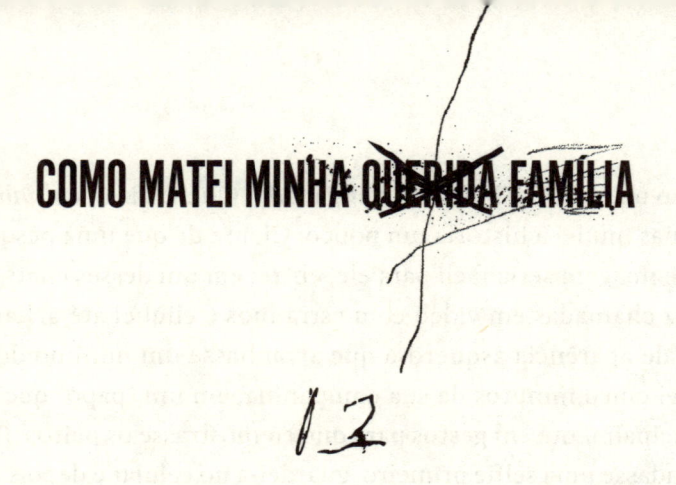

Kelly tem um celular. Ela fala disso há semanas, mas só para mim. A primeira vez que foi capaz de manter algo em segredo em toda a sua vida, imagino. Com razão, pois, se as outras mulheres aqui soubessem, fariam qualquer coisa para tê-lo. Kelly o esconde, assim como um terrier esconderia um osso. Ela se inclina sobre ele e escreve constantemente, suas unhas longas fazendo *clic-clic-clic* e o brilho da pequena tela visível sob os lençóis. Não pergunto onde ou como conseguiu. Imagino que o nojento do Clint tenha conseguido chegar a ela de alguma forma, mas não consigo pensar no que eles têm a dizer um ao outro que possa exigir tanta conversa. Espero mesmo que não seja sexual. Não suporto dividir um espaço minúsculo com alguém que transa por mensagem com um homem que usa gel na franja. Normalmente, Kelly é bastante generosa com as coisas dela, mas não se ofereceu para me emprestar a sua nova posse valiosa. Eu não pediria mesmo que tivesse para quem ligar. Deus me livre de ficar em dívida com alguém como a Kelly. Ela pode ser uma cabeça de vento, mas não hesitaria em pedir um favor em troca. Tento bloquear o som com uma almofada sobre a cabeça, desejando fervorosamente poder fazer o mesmo com ela.

* * *

Quer ouvir uma coisa engraçada? A primeira vez que vi minha irmã pessoalmente foi em um salão de manicure. Não havia nenhum plano, nenhum esquema cuidadosamente orquestrado para que pudesse esbarrar com ela de forma insuspeita. Foi um encontro completamente aleatório, se é que esse tipo de coisa existe. Não acredito no destino; não é improvável que duas mulheres mais ou menos da mesma idade se cruzem no centro de Londres. Encontros aleatórios não *significam* nada — não há nada remotamente interessante neles, apesar do tanto que sua amiga Sarah, que gosta muito de horóscopos e tarô, insista que sim. Mas admito que foi engraçado. Foi bom terem feito o trabalho por mim, para variar. Ela pertencia a uma família que viajava em carros com chofer e aviões particulares, que tinha portões de segurança, cães de guarda e um protocolo de emergência. Viviam muito acima de nós. Ainda incapazes de colonizar outro planeta, os ultrarricos podem até viver na mesma vizinhança que nós mortais, mas nunca estão ao nosso alcance. Podem estar na mesma rua que você (só se essa rua é a King's Road), mas não a vivenciam da mesma forma. As portas das lojas se abrem para eles em nanossegundos, calçadas são apenas uma passarela que os conduz a carros à espera, os restaurantes revelam salões privados, os museus os recebem a qualquer momento. Eles veem os lugares de outra forma. Já estão indo para a próxima atração enquanto você escorre a água do guarda-chuva e implora ao garçom por uma mesa. Não pode tocar neles. E, no entanto, ali estava ela, sentada ao meu lado, pedindo uma manicure de unha em gel. Sem pedir "por favor". Bryony Artemis tem um daqueles rostos que você jura já viu antes. Não que seja parecida com uma moça que você conhece — longe disso — mas ela tem um visual que as redes sociais tornaram onipresente. Lábios inchados, madeixas brilhantes e onduladas, um corpo envolto em roupas atléticas, magro demais, mas que ela diria que é forte, enfatizando seus bíceps, sua "bunda". O tipo de magreza que algumas mulheres dizem não ligar muito como se não fosse a única coisa que ligam. Mulheres como a Bryony ficam deslumbrantes nas fotos, mas um pouco "vale da estranheza" na vida real. Adoro essa expressão. O roboticista Masahiro Mori a criou em 1970 para descrever a nossa repulsa por robôs ou imagens geradas por computador que quase se parecem com seres humanos... mas não totalmente. As Bryonys do mundo são impecáveis, suas feições infladas, preenchidas e alisadas. Nas fotos, funciona. Na vida real, é um horror. Me faz olhar com nostalgia para os silicones tortos e os *liftings* mal feitos, quando pelo menos as inseguranças que faziam as mulheres se mutilarem ficavam visíveis na sua aparência. Você podia rir da Noiva de Wildenstein ou ficar triste por ela ter feito aquilo com si mesma. Já essa nova classe não expressa nada em seus rostos, nada que te leve a sentir empatia, piedade ou mesmo escárnio.

Bryony estava usando o tipo de tênis caros que jamais pisaram em uma academia, leggings coladas com listras azuis reluzentes de cima a baixo. Seu tronco miúdo estava envolto em uma enorme jaqueta *puffer*, com o zíper aberto, presa no lugar por uma bolsa a tiracolo enorme. Era quase idêntica a qualquer garota do Instagram. A não ser pela bolsa Chanel e o visual adornado por anéis de ouro, brincos de diamante e um delicado Rolex. Peças que mostram que você nunca será capaz de "imitar o look" porque o look custa mais do que você ganha em um ano. Mais do que os seus pais pagaram para terem onde morar. Mais do que algum dia você vai conseguir juntar para comprar a sua própria casa. Brincadeira, você nunca vai poder comprar uma casa.

Eu soube de cara que era ela. Não passei anos a acompanhando desde pequena pela internet, sem saber de cor como ela era de todos os ângulos possíveis. Que desperdício deprimente de espaço mental. "O que você fez quando tinha vinte e poucos anos, Grace?" "Bem, eu fiquei monitorando uma avoada metida fazendo vlogs sobre *balm* labial e aprendi tudo sobre seus cinco formatos de óculos de sol favoritos." Talvez eu também devesse me matar.

Ela olhava para baixo e digitava atentamente no celular, com uma mão estendida na frente da manicure como se estivesse lhe dando um presente. Me pergunto o que as mulheres que trabalham em salões como aquele comentam sobre as clientes no final do dia. Elas ficam irritadas com as mais grossas que nunca fazem contato visual? Fazem piada delas? Ou estão tão acostumadas que já nem percebem as descortesias? Me inclino e peço as amostras de esmalte emprestadas, que ela entrega sem levantar os olhos. Um fone de ouvido pendurado da orelha sinaliza que ela não está disponível para conversar, tática essa que não julgo, já que eu mesma uso. Deus abençoe o homem (estou supondo que seja um homem) que projetou fones de ouvido sem imaginar que as mulheres em todo o mundo o usariam para sinalizar que estavam indisponíveis para os homens que tentassem interagir com elas. O salão era barulhento como os espaços só para mulheres sempre são, mas eu bloquei o som e me concentrei inteiramente nela. Observar Bryony era fácil, ela era como um cão que diminui o passo para cada estranho que passa, achando que vão querer acariciá-lo. Ela estava habituada a ser olhada com admiração. Ela esperava por isso, ficava lisonjeada. Ignorá-la teria sido mais desconcertante, imagino. Não significava que ela retribuísse o olhar, claro. Só que eu tinha carta branca para observar sem ser notada. A adrenalina percorria o meu corpo com aquele oportunidade. Temi estar desperdiçando cada segundo. Tinha que fazer algo. Logo ela iria embora enquanto eu ficaria esperando minhas unhas secarem.

Essa era minha meia-irmã! Como deveria ser conhecer irmãos perdidos? Talvez vocês se encarassem, fizessem piadas do constrangimento e tentassem um aperto de mão. Tudo um preâmbulo para um abraço, quando se permitiriam sentir que a existência daquela pessoa era a última peça de seu quebra-cabeça, a que encaixava tudo no lugar.

"AI!", gritou Bryony, puxando a mão da manicure com um gesto ríspido e fitando a cutícula. "Você me machucou, porra. Dá pra ter cuidado?" A moça baixou a cabeça e pediu desculpas, mas eu não via sinal de sangue. Bryony suspirou e estendeu a mão outra vez, enquanto outra mulher se aproximava. Essa mulher, que deduzi ser a gerente, se curvou e olhou os dedos dela, examinado a gravidade. "Me desculpe, senhorita. Vou trazer um pouco de água, está bem?"

Minha irmã nem olhou para cima, mas assentiu. Estava rolando o feed do Instagram, curtindo fotos de muitas moças loiras em bares, empoleiradas em bancos de couro. Então ela abriu a câmera, colocou na frente do rosto e montou uma expressão de desdém. Observei-a tirar selfie após selfie, até se contentar com uma, os dedos esguios clicando e deslizando, até pousar o celular. Bryony não parou: pegou o aparelho de novo para rolar o feed.

Peguei meu próprio celular e abri o Instagram. Uso um pseudônimo nele, uma foto genérica de uma mãe jovem com dois meninos pequenos. Minha bio é: "Esposa de um grande cara, mães de dois terrores em miniatura, morando em Hertfordshire e sempre pronta para (emoji de vinho)". Eu tinha orgulho desse disfarce. Ninguém notaria uma Jane Field assistindo a seus vídeos ao vivo, nem a seguiria de volta. Cliquei nos stories da Bryony e achei a foto que tinha acabado de postar. Sobrancelhas erguidas em desgosto, lábios curvados, um filtro que deixava sua pele reluzente. O texto sobre a imagem era "Quando você tira um momento para relaxar e a manicure arranca um bife do seu dedo. #pessimoservico #burra".

Estou te contando isso só para deixar mais óbvio por que a cena de abraços era bem improvável. Eu não sentia nada por ela a não ser um fascínio enorme, mas distante. Será que eu teria sido como ela se tivesse crescido no seio farto da família Artemis? Provavelmente. Quantas pessoas ricas demais você conhece que são gente boa? Falo dos que nasceram na riqueza, não de Oprah. Não me iludo achando que seria diferente. O primo dela tentou, Deus o abençoe, mas ele não estava criando uma vida própria com os sapos. Estava apenas rejeitando a que lhe fora dada, uma vida que era poderosa e abrangente — da qual teria que combater para se afastar pelo resto da vida. E essa luta teria sido cansativa. Um dia, quando ele estivesse de saco cheio de viver em uma série de repúblicas horríveis e ajudar animais hediondos que não demonstravam nenhuma gratidão, seu pai teria lhe convidado para jantar. E, exausto, ele teria revelado uma falha na armadura desenvolvida para protegê-lo dos males da sua vida anterior. Teriam lhe oferecido uma pequena ajuda, nada de mais, a família saberia até onde poderia pressionar. Talvez apenas cobrir o aluguel daquele mês, por exemplo. E ele teria aceitado, relutante, mas querendo um descanso. A partir daí, a porta estaria aberta. A família Artemis o teria puxado de volta, seu caminho alternativo era uma afronta, e ele teria cansado de resistir. Talvez ele não fosse xingar os empregados da casa nem namorar uma sucessão de modelos mais jovens —tinha desenvolvido alguma bússola moral, apesar de seu passado —, mas acabaria gerindo um lado da empresa, alternando com fundos de caridade para tornar o processo menos aviltante.

Andrew não seria capaz escapar por completo, e Bryony tinha abraçado aquela vida com unhas e dentes. Tenho a certeza de que eu teria acabado em algum ponto entre um e outro.

A manicure pintou minhas unhas de vermelho-intenso, da mesma cor que a minha irmã. Não há nada de frívolo nesses pequenos rituais a que as mulheres de todo o mundo se entregam. São uma breve fuga do trabalho que assumimos. Pequenos escapes de uma sociedade que nos obriga a aguentar o tranco emocional e a criar uma carreira, mas mostrando que não somos emotivas *demais*. Esmalte não é futilidade. É um verniz, uma camada protetora.

Eu estava sendo inútil. Não estava tirando nenhum proveito daquele encontro casual. Estava ali sentada como uma batata, vendo Bryony absorta no celular, suspirando de vez em quando e alisando o cabelo, mas depois percebi que talvez o problema não fosse comigo, talvez não houvesse nada a aprender sobre aquela garota. Talvez fosse tipo quando as mulheres ficam loucas conjecturando porque um homem com quem estão saindo não ligou, dando uma desculpa atrás da outra, até chegarem a uma totalmente absurda como: "Ele gosta muito de você, mas, depois de perder o pai em uma idade precoce, ele desenvolveu questões complexas em relação à intimidade, e não ligar é um sinal de que ele, na verdade, está apaixonado por você e, provavelmente, só precisa de espaço, mas não muito... Você deve algo a ele", quando, na verdade, ele não está nem aí para elas.

Acho que eu não precisava saber nada sobre ela. Com alguns membros da família, procurei entendê-los melhor para me aproximar o suficiente e poder matá-los. Com Bryony, toda a sua vida é on-line. Consigo ver tudo, e o tudo não é grande coisa. Aprendi que os muito ricos normalmente não querem estar em nenhuma lista anual de ricos. Não querem viver sob os holofotes, onde as pessoas normais sabem o que eles têm e para onde vão. Se o clã Artemis fosse assim, meu trabalho teria sido infinitamente mais difícil. A frase cafona "o dinheiro fala, a riqueza sussurra" me vem à cabeça. Felizmente, Bryony não quer só falar, quer gritar. Mais especificamente no Instagram, o tempo todo. Sabe aquelas previsões sinistras — que todos fazem como se fossem muito originais e não apenas o episódio de uma série distópica da Netflix — sobre um futuro sombrio onde só existimos através dos nossos celulares? É a vida de Bryony.

Enquanto a manicure esfregava óleo nas mãos dela, indicando que tinha terminado, Bryony levantou a cabeça como se fizesse um tremendo esforço e inspecionou as unhas. Levou um bom tempo verificando cada dedo antes de sentar muito ereta e dar uma risada. Não uma risada alegre, mas uma calculada para expressar escárnio absoluto. Franziu as sobrancelhas e olhou fixamente para a mulher sentada à sua frente.

"Você retalhou minhas cutículas. Cada. Uma. Delas. É a sua especialidade? Não, sério, como conseguiu danificar todas as cutículas? Usou um pé de cabra?" A manicure gesticulou freneticamente para a gerente, ou por estar atordoada em silêncio ou não ter o vocabulário certo para responder. O silêncio dominara o salão em segundos, todas evitando olhar para Bryony, mas com o ouvido atento ao que estava acontecendo. Normalmente, esse tipo de atenção pode fazer alguém recuar, mas Bryony tinha muito pouco pudor. Há uma teoria sobre Eton que afirma que a célebre escola não produz os rapazes mais inteligentes, mas os mais confiantes. É por isso que todos esses medíocres bonecos de cera com um sistema nervoso acham que são super capazes de se tornarem primeiros-ministros. Bryony tinha esse tipo de confiança. Ela podia se comportar de forma horrorosa sem dar a mínima.

A gerente veio e levou Bryony para a recepção, nitidamente ciente de que era uma cliente pronta para *causar* e ansiosa em afastá-la de outras clientes, mas era inútil. Bryony tinha uma voz que se propagava e usou-a para conseguir o efeito completo.

"Isso é vergonhoso. Está dizendo que deixa as clientes saírem do seu salão com as unhas rasgadas? Disseram que este lugar era bom, mas minha amiga devia estar bêbada, porque nunca tive uma manicure tão terrível. Tenho um vídeo para filmar mais tarde. Quer que eu mostre as mãos assim na câmera?" A gerente tentava acalmá-la, imagino que com ofertas de paz e desculpas. Não preciso dizer que não tinha nada de errado com as unhas dela, preciso? Elas pareciam bem bonitas... Lindas, até. Essa era apenas uma mulher entediada exercendo poder, porque insatisfação é uma moeda de troca de uma maneira que a bondade não é. "Claro que não vou pagar por isso." Bryony nem sequer olhava para a mulher, estava analisando os vidros de esmalte em exposição. "E vou levar este esmalte comigo para casa, para quando as minhas unhas lascarem daqui a poucas horas. Você tem sorte de eu não pôr isso tudo nas minhas redes sociais." E, com isso, ela pegou um vidro de esmalte e saiu, a porta batendo atrás dela.

Caro leitor, ela postou nas redes sociais.

* * *

Já te disse que não havia muito a saber sobre Bryony. E é verdade. Não havia muita profundidade nela. Não era burra, mas nunca precisou ser esperta. Tinha uma vida incrível com tudo o que sempre quis e, assim sendo, não era muito simpática. Eu iria mais longe, até: ela parecia muito escrota. Uma palavra incrível, que pode ser enunciada de várias maneiras diferentes para transmitir níveis variados de ferocidade e define à perfeição muita gente. Não posso mascarar a verdade e chamar certas pessoas de algo mais polido como "desagradáveis". Jane Austen sabia como ninguém tecer críticas mordazes de tirar o fôlego sem precisar recorrer a baixaria, mas ela nunca foi parar na cadeia. Se tivesse, aposto que teria chamado Wickham de bem mais do que apenas "ocioso e frívolo".

Talvez eu devesse conhecê-la melhor. Algumas pessoas podem se perguntar por que eu a julguei quase inteiramente por sua persona on-line, quando é de conhecimento universal que ninguém mostra seu verdadeiro eu na internet. Esse assassinato, mais do que os outros, pode deixar pessoas assim mais inquietas. "Eu entendo matar os velhos avós nojentos, mas essa menina é tão jovem... Vocês provavelmente têm mais traços parecidos do que opostos", mas esta não é uma história de reencontro familiar. Esta não é uma história em que alguém descobre parentes que a acolhem. E eu não sou um pássaro caído do ninho em busca de abrigo. O que eu quero é que essas pessoas desapareçam. Com as devidas desculpas à Elizabeth I, não tenho qualquer interesse em fazer janelas para as almas dessas pessoas. Ou explorar a falta delas.

* * *

Bryony ainda morava com os pais. Acho que quando você vive em uma casa que tem dezesseis quartos e duas escadas você pode fingir para si que está morando sozinha. Imagino que ocupava um andar — ou uma *ala*, se a McMansão Artemis tem essas pretensões — mas ainda assim. Ela morava com os pais na vida adulta. Após ter feito um curso de design de joias em Londres e recusado a experiência da vida universitária, nunca mais saíra de casa. Nunca tinha morado em outro lugar, uma única vez na vida. Os pais compraram uma casa para ela em Chelsea quando ela fez 21 anos, mas ela nunca passou mais do que duas noites lá. Em vez disso, dava festas para pessoas jovens e bonitas, mas sempre voltava para o enclave da família. Isso diz algo sobre a personalidade dela? Repito: talvez eu esteja procurando significado onde não há nenhum, mas rejeitar todo o potencial que o mundo adulto oferece parece um desperdício. E ficar perto dos pais quando eles são Janine e Simon Artemis me parece uma grave falha de caráter.

Bryony não tinha nenhum parceiro, ou pelo menos, não um de quem ela falasse. Interpretei isso como ela sendo solteira, já que seus interesses amorosos anteriores tinham sido destaque em suas redes sociais e também nas páginas das revistas de fofoca. Ela se referia a si mesma como pansexual, mas só parecia ter saído com homens. Certo.

Havia um cachorrinho que durante uma época aparecia sempre com ela, até que um dia não apareceu mais. Muito foi comentado a respeito, e a hashtag #ONDEESTAFENDI foi trending topic no Twitter por um tempo, forçando-a a confessar que passara o cão adiante para seu personal trainer devido a "problemas inesperados de agressividade" (do cão, não dela).

Bryony tinha um milhão de amigos, mas não tinha nenhum. Havia selfies dela na cidade com outras mulheres ricas, lado a lado sem nunca se encostarem, mas a maioria de seus posts eram fotos dela sozinha, se observando no espelho, fingindo reagir a um fotógrafo imaginário.

Bryony não tinha emprego. É bem verdade que chegou a modelar (não estou falando de alta costura; me refiro à uma temporada como embaixadora de uma marca ultrapassada, ansiosa para receber um boost nas colunas sociais. Os outros embaixadores incluíam o filho de uma estrela decadente de rock e um membro distante da realeza, o suficiente para não se parecer em nada com o príncipe Andrew), mas Bryony nunca fez um trabalho realmente surpreendente. A filha de um multimilionário? *Ah, ela trabalha em uma corretora de imóveis e está empenhada em subir na vida começando de baixo.* Não. Claro que não. Ela sofreu apenas um único golpe, quando anunciaram que ia desenhar uma linha exclusiva de tiaras para a Sassy Girl e alguém do departamento de RP, tentando não perder o emprego, descreveu-a como "incrível prodígio das pedras preciosas" no release. Você culparia os jornais por desenterrarem seu curto percurso (leia-se seis semanas) no cursinho de design de joias e a apelidarem de "Diamante do Papai"?

Mesmo assim, Bryony não era completamente imune às críticas. Ela podia não precisar de um emprego em tempo integral, mas em um mundo onde toda mulher é instada a ser uma Girlboss, tinha que fazer algo para justificar uma vida de bolsas de grife e idas e vindas pulando de um treino ao outro (por um tempo, ela frequentou uma academia exclusiva chamada ss, cujas iniciais significavam Sarado e Saudável, mas que só serviu para demonstrar como não ensinam história direito nas nossas escolas). Então Bryony fez o que todas as pessoas sem um pingo de amor-próprio fazem hoje em dia: se tornou influenciadora.

Muitas pessoas podem não saber o que é isso. Não acho que devam se orgulhar por tamanha ignorância. A única coisa pior do que alguém que devora avidamente a cultura pop e a vomita (usando camisetas onde se lê "seja mais feminista" enquanto fica 45 minutos em uma fila para comprar tênis hypados fabricados por mulheres em situação de trabalho escravo) é alguém que se orgulha de não acompanhar as novas tendências. Você não é melhor do que ninguém. Não ganha pontos por se recusar a aprender o que está acontecendo ao seu redor. E tenho certeza de que leu algo em um portal esses dias, então chega de superioridade. Um influenciador é alguém que gera impacto nas redes sociais e usa isso para endossar marcas por dinheiro. Não é diferente dos tempos áureos em 1990, quando atores promoviam cremes dentais insistentemente por uma bolada em outros países. Bem, exceto que esse novo grupo não é famoso por nada além da influência em si. Não há talento por trás disso, nem canto, nem arte, nem escrita que lhes sirva como trampolim para fazer propaganda de produtos. Em geral, são apenas mulheres brancas e magras (ou homens brancos e fortes) que têm sorrisos clareados e casas beges demais (fica melhor nas fotos) e que tentam convencer os "seguimores" a adotar um estilo de vida a ser imitado por todos. O influenciador costuma também falar sobre gratidão, sobre viver o momento, e finge que sofreu de ansiedade leve ou luta com algumas dificuldades não especificadas para parecer mais acessível. As banalidades que jorram dessas pessoas são tão torrenciais que poderiam derrubar as barreiras contra enchentes do Tâmisa. Vendo alguns desses conteúdos, a gente chega a desejar que o Tâmisa alague tudo mesmo.

Ou seja, era um trabalho perfeito para Bryony. Talvez seja exagero chamar isso de trabalho. Era uma *arranjo* perfeito para Bryony. Ela fazia vlogs detalhando suas atividades do dia (um vídeo, com 180 mil visualizações, focava integralmente em uma ida ao osteopata) e postava selfies em várias poses entediadas, usando uma variedade de adornos e fundos. Com adornos, estou me referindo a um tapete felpudo, uma parede espelhada e seu closet. E os fundos eram em geral locais exclusivos, acompanhados de hashtags que sugerem que ela precisa de férias (#precisavadisso), como se a maratona de procedimentos estéticos, aulas de ginástica e baladas fossem acabar com ela. Seus leais seguidores, muitos recebendo salários baixos e em sistema de flexibilização das leis trabalhistas, reagiam com empatia e elogiavam a sua sensata prioridade de autocuidado.

Ela alternava fotos de férias com posts patrocinados que se pareciam com o resto de seu feed. Eram anúncios que em tese te mostravam como ficar um pouco mais parecida com ela: kits de clareamento dental, vestidos finos para pronta entrega, um anel folheado com as iniciais que ela achava "um *must*". Esse tipo de coisa é engolida pela manada do Instagram, ávida por pertencimento, desesperada para que lhe digam o que é bom, o que funciona, o que vai distraí-los de suas vidas, mas é tudo um truque. Bryony estava rindo deles. Ou estaria se tivesse sido capaz de extrair alegria de qualquer coisa na vida. Talvez rindo não, mas apreciando com sarcasmo. Porque, se minha meia-irmã quisesse dentes mais brancos, iria ao melhor dentista de Harley Street. E, quando precisava de um vestido novo, gastava mil libras e mandava entregá-lo via *courier* em uma caixa revestida de tecido. As joias dela nunca deixariam uma mancha verde no dedo: era tudo da Cartier. As coisas que ela promovia em seu perfil eram fotografadas, postadas e depois descartadas. Talvez ela desse à empregada, talvez fossem direto para o lixo.

Seu estilo de vida me enojava e me fascinava ao mesmo tempo. Não, isso não é bem verdade. Era mais fascínio mesmo. Passei horas percorrendo a curadoria de sua vida on-line, vendo seus vídeos chatos de maquiagem e entrando em suas sessões de perguntas e respostas ao vivo, nas quais ela passava quinze minutos às 19h respondendo perguntas difíceis de fãs tipo "como seu cabelo é tão brilhante" (ao que ela respondia com a intensidade e seriedade de alguém testemunhando em um tribunal de crimes de guerra). A internet é um lugar para se aproximar de seus heróis, mas é também um lugar para acompanhar com ódio as pessoas que você evitaria ao vivo. Sempre tentei me convencer de que era uma pesquisa valiosa, mas consumir aquilo por muito tempo me dava uma sensação de sujeira. É como ficar puxando a casquinha de um machucado o tempo todo e depois me perguntar por que a cicatriz ficou tão feia.

Chegar em Bryony pelas redes sociais me dava muitas opções. Eu tinha *dezenas*. Acabei me enredando em planos tão complexos que, em um determinado momento, cheguei a pesquisar o quão rapidamente eu poderia obter licença para pilotar um helicóptero. Precisei colocar os pés no chão. Embora nem todos os meus planos anteriores tenham sido elegantes, eram definitivamente eficazes. Mas às vezes, a falta de estilo me incomodava um pouco. Afinal, quem não quer despachar alguém com um plano brilhante? Mas seria o auge da vaidade fragilizar a minha estratégia em prol de estilo. E a vaidade pode fazer com que você seja pego. Pergunte aos assassinos que acabaram na prisão porque ficaram passeando pela cena do crime para admirar o trabalho e, obviamente, atraíram a atenção da polícia.

Acontece que o plano que bolei tinha um elemento de humor. Há mais uma coisa que eu sabia sobre Bryony e, a princípio, quase achei que fosse exagero dela. Todos os influenciadores das redes sociais tentam mostrar alguma vulnerabilidade de menor importância. Ajuda a marca. Alguns fingem que têm uma doença mental palatável. Ansiedade funciona, psicose não. Alguns falam de problemas como a doença de Lyme ou uma dor crônica tão vaga que ninguém pode refutá-la. Bryony lançou sua rede para pescar algo novo. Um tempo atrás, ela fez um vídeo muito pessoal (dava para saber que era sério, porque ela usava uma blusa preta simples e um mínimo de maquiagem) sobre um diagnóstico recente que a deixara abaladíssima. Trêmula, ela falou olhando diretamente para a câmera, explicando que depois de um jantar no Vardo (um restaurante recém-inaugurado em Chelsea), tinha desmaiado e parado de respirar. Depois de uma bateria de exames, haviam descoberto o culpado e ela nunca mais poderia comer um pêssego. Ela contou tudo isso chorando, pois pêssegos eram sua fruta favorita. Quando vi esse relato emocionado de tragédia, ignorei e segui em frente, mas ela continuou a postar alertas sobre os perigos de frutas com caroço. A Associação Nacional de Alergia Alimentar entrou em contato com ela, e Bryony achou uma causa que a fazia parecer uma cidadã séria. Chegou mesmo a organizar uma festa de gala para arrecadar dinheiro para pesquisas, convencendo estilistas a doarem roupas para a passarela do evento, onde ela e seus amigos desfilariam em uma sala no Museu Britânico, em torno de estátuas de mármore e posando ao lado antigos sarcófagos (se os faraós não tivessem deixado maldições, deixariam agora). De vez em quando, ela dizia aos seus seguidores para cuidarem de seus amigos com alergias, uma causa no mínimo duvidosa pelo fato de ela ter se juntado a uma empresa particular de testes de alergia e recomendado um kit de 79 libras para que você também pudesse testar a mortalidade de frutas inocentes. #PUBLI.

Seu feed logo se encheu de fotos de roupas de alta costura e poentes e eu me esqueci completamente da sua cruzada contra frutas até uma noite em que ela fez uma *live* de dentro do pronto-socorro. Para ser justa, mesmo com um filtro ela parecia de fato horrível, olhos inchados, pele manchada, com a respiração áspera enquanto sussurrava para a câmera como precisou tomar três injeções de adrenalina depois de ficar sem ar em uma balada. Alguém tinha lhe dado um coquetel, garantindo-lhe que não continha pêssego, e ela havia bebido, antes de reconhecer imediatamente o sabor amargo e correr em pânico para a saída. Como seus amigos eram idiotas, ou em um sentido mais trágico, talvez porque não a conhecessem de fato, ninguém juntou dois mais dois e percebeu que ela estava tendo uma crise alérgica grave. Em vez disso, um segurança pensou que ela estava tendo um ataque de pânico e o outro suspeitou que estava apenas bêbada. Foi só quando ela ficou roxa e caiu no chão que chamaram uma ambulância. Será que a experiência no hospital público foi mais traumática do que a crise alérgica para Bryony? Ela estava em uma ala pública, com apenas uma cortina lhe dando privacidade, enquanto sussurrava para a câmera sobre o quanto estava assustada. Não por quase ter morrido, mas porque um bêbado coberto de sangue na cama ao lado dela não parava de cantar uma música do Bowie. Ela não sabia que era uma canção do Bowie: imagino que teria chamado Bowie de esquisitão. Prioridades, sempre.

Você já sabe aonde quero chegar, não sabe? Deveria, porque é incrivelmente óbvio. Não quero ter que segurar a sua mão enquanto você lê isso. Foi uma inspiração e tanto, se quer saber. Não que a ideia não me tenha sido entregue de bandeja. Deus enviou-me o barco e todo o resto. Cerca de dez pessoas morrem por ano de anafilaxia induzida por alimentos. Mesmo com todo o dinheiro e privilégios, por que ela não seria uma delas? E é difícil culpar um inimigo invisível por uma intolerância fatal ao pêssego.

Mas por que essa não seria fácil? Algumas dessas mortes exigiram um planejamento adequado — não nos esqueçamos das semanas de trabalho árduo com sapos e do mergulho profundo nas festas de sexo londrinas. Passei meses descobrindo o quanto conseguia manipular um garoto na internet para chegar até Janine. É difícil quando você tem um emprego em tempo integral e uma obsessão cada vez maior por corridas de longa distância (Lady Macbeth tinha ataques de sonambulismo, tentando limpar o sangue imaginário que manchava suas mãos; eu corria longos quilômetros para ficar longe dos meus crimes e não, não precisa de nenhum diploma de psicologia para sacar isso). Além disso, uma predisposição para a ansiedade não é falha de caráter, mas também não ajuda quando você está sobrecarregada de responsabilidades.

Nunca soube se Bryony era próxima ou não dos pais. Com tudo o que estudei sobre a família, ou descobri fazendo amizade com funcionários, eles pareciam estar em outro mundo, um a que eu nunca teria acesso, por mais alto que subisse ou por mais de perto que os stalkeasse. O que eu sabia com certeza — que ela era filha única, que ainda vivia na casa da família, que nunca mencionava os pais nas redes sociais — estava misturado com o resto. Sua mãe passava a maior parte do tempo em Mônaco (ninguém faz isso a menos que esteja muito interessado em evitar impostos), vivendo lá por pelo menos oito meses do ano. Simon ia e voltava de avião, mas parecia estar aqui o tempo inteiro. Bryony, como todas as outras garotas de seu mundo, frequentava St. Tropez, mas não batia ponto *chez Maman* muitas vezes. A última visita oficial (oficial quer dizer postada no Instagram) tinha sido dois anos antes de Janine e seu infeliz acidente. Mesmo após a morte da mãe, não houve menção alguma nas redes sociais de Bryony. Ela fez uma pausa de três semanas de posts e então voltou com uma imagem de sua silhueta contra um sol poente, completo com um emoji de coração, e postou um conteúdo patrocinado dois dias depois. Janine foi enterrada na Inglaterra, e a residência em Mônaco ficara vazia desde então. Não imagino que tenha sido por motivos sentimentais, mas porque a casa era onde as empresas estavam registradas.

Fora isso, o resto era total suposição. Suspeitava que Simon e Janine tivessem tido vidas completamente separadas, talvez durante muito tempo. Isso não só por causa da situação de Mônaco (embora tenha reforçado a teoria: quem passa a maior parte do ano longe de seu parceiro sem necessidade?). A fofoca era que Janine tinha se cansado das infidelidades constantes de Simon e finalmente tomado providências para se proteger e manter sua participação nos negócios. O boato (apoiado por Tina, que o reiterou em um sussurro animado, quando a encontrei um dia para beber algo depois do trabalho) foi de que a gota d'água veio quando, durante as férias da família, Janine descobriu que Simon estava mantendo outro iate para a amante e usando uma lancha para transportá-lo de um iate a outro.

Ameaçando se divorciar e levar metade do dinheiro, Janine jogou um verde e de alguma forma conseguiu (com a ajuda de um monte de contadores que ela deve ter pagado generosamente) persuadir Simon de que havia uma opção. Sem divórcio ou perda de bens, mas ele precisava entregar o negócio. Simon deve ter feito as contas, percebido que o acordo o mantinha prisioneiro de Janine e ainda assinou os papéis. É melhor ser um prisioneiro rico do que sofrer a indignidade de ter sua vida particular revirada pelos tabloides e ainda perder dinheiro. Havia uma vantagem em Janine viver em Mônaco: significava que ele não ia mais pagar impostos. Os ricos encaram os impostos como certas pessoas encaram as mudanças climáticas: uma questão de justiça social pela qual vale a pena protestar. Os muito ricos vivem sob a impressão de que eles fizeram por merecer o dinheiro que ganharam. Eles não têm tempo para qualquer discussão teórica sobre se é realmente viável que alguém mereça tal acúmulo individual de riqueza: uma vez milionários, parecem o Gollum, protegendo ferozmente seus preciosos bens.

Então Janine tinha vivido muito bem em Mônaco — onde almoços levavam semanas de planejamento e havia muitas queixas a serem feitas sobre as responsabilidades dos empregados — e Simon era livre para fazer o que quisesse em Londres. Bryony não estava na equação. Era filha deles, na medida em que herdava o nome da família e fazia a ponte entre os pais, mas não devia passar o Natal jogando Banco Imobiliário com eles na frente da lareira. Não aparentavam ser um tipo reconhecível de família, funcional ou disfuncional. Em vez disso, eram uma unidade que podia até parecer invejável de longe, mas sem as emoções que pudessem de fato os tornar motivo de inveja.

Talvez eu estivesse errada. O problema de orquestrar tudo isso mantendo distância era que jamais realmente conhecer aquelas pessoas e seus pensamentos mais íntimos. Mas, pensando bem, eu julgava conhecer Jimmy em seu íntimo. E ele me surpreendeu. Sua traição o tornou pelo menos cinco por cento mais interessante. Talvez Janine e Simon amassem Bryony em um sentido muito profundo e real. Eu só podia acreditar no que via. Não que importasse: eu não estava arrependida ou esperava que perder a filha não fosse magoar Simon. Se eu quisesse evitar o sofrimento dele, ele teria sido a primeira vítima. Não, a sequência em que assassinei seus entes queridos era crucial. Por isso que ele ficou por último. Ele tinha que vivenciar tudo. A revelação seria o elemento que o destruiria.

* * *

Eu sabia que era um tiro no escuro. Não podia confiar em uma abordagem tão pouco consistente. Ainda assim, algo em mim não queria desistir sem sequer tentar, embora com pequenos ajustes no plano inicial. Eu não perderia tempo elaborando demais: era uma oportunidade única e precisava ser executada com rapidez, sem muita reflexão. Tirei a hora do almoço para comprar seis produtos de beleza de luxo, em dinheiro, em lojas de departamentos diferentes. Comprei uma variedade de cremes faciais, um com extrato de caroço de pêssego. Quando voltei para o escritório, me fechei no banheiro acessível, espalhei os produtos no chão e comecei o trabalho. O pote mais caro continha uma máscara facial feita de pérolas (há alguma coisa agora que as marcas não acrescentem a um produto de beleza para torná-lo mais desejável?

Mais cedo ou mais tarde, um diretor de marketing vai sugerir antimatéria em um sérum noturno, e as mulheres ricas de Londres, Moscou e Nova York vão cair matando), e eu tinha o palpite de que Bryony teria, caso abrisse a caixa, um faro para coisas caras. Era nesse pote que eu apostava minhas fichas. Precisava disfarçar, por isso adicionei os outros produtos em uma caixa chique. Só coisa boa, mas ela já teria testado a maior parte. E não há nada tão atraente para uma influenciadora vaidosa do Instagram como um novo produto que prometia um nível de luminosidade nunca visto antes.

A máscara facial e o creme que continha o extrato de caroço de pêssego eram feitos pela mesma empresa. Isso era importante para qualquer investigação futura. Os outros produtos eram uma mistura de marcas. Decantei quatro gotas do creme no frasco da máscara com uma pipeta que tinha comprado em uma loja veterinária havia algumas semanas (para o estado lastimável dos olhos do meu cão. Os amantes de animais adoram falar sobre doenças, e tive que me esforçar para explicar o olho lacrimejante do cão fictício para a enfermeira que parecia fascinada por aquele quadro clínico) e sacudi o frasco vigorosamente. Abri outra vez e cheirei. Se cheirasse a pêssego, eu estaria em apuros. Cheirava a loção facial genérica. Doce, mas não reconhecidamente frutado. Apesar disso, precisava de um pouco mais de segurança e adicionei uma gota da essência de amêndoa que se adiciona aos bolos, para garantir. Isso supera qualquer outra coisa em uma receita. Mais uma sacudida e cheirei outra vez. Sucesso. O líquido me lembrava agora uma padaria, quente e reconfortante, o que, dada a minha intenção, era um tanto inapropriado e muito divertido.

Limpei cuidadosamente o frasco com um lenço de bebê e joguei o creme de extrato de pêssego no lixo. Os produtos, em seguida, foram para uma caixa de papelão branco simples forrada com papel de embrulho. Um cartão anexado dizia apenas: "Bryony, esperamos que você aproveite. A máscara de pérolas é um sonho! Bjs". Quis muito dizer que era *de morrer*, mas não podia ser tão óbvia. Embrulhei, escondi a caixa em um saco embaixo da mesa e tentei esquecê-la enquanto o dia de trabalho se arrastava.

Normalmente, eu não era alguém que saía às 17h30 em ponto. As pessoas que fazem isso costumam ser os colegas mais chatos e irritantes. Do tipo que prolonga sem parar as reuniões inconsequentes e insiste em um sistema adequado para a geladeira comunitária, mas se recusa a participar de um trabalho significativo. Eles também são os funcionários menos passíveis de demissão, uma vez que leram seus requisitos de contrato por completo e sabem exatamente do que podem escapar. E, não que importe, mas esse tipo de colega em particular nunca é atraente nem carismático. Não estão indo embora para trocar de roupa e seguir para uma festa legal.

Mas, às 17h30 em ponto, arrumei minhas coisas e fui embora, mencionando vagamente uma consulta médica caso alguém parecesse intrigado. Ninguém pareceu. As pessoas iam e vinham de consultas toda hora, e não era incomum alguns funcionários da equipe fazerem "horas de autocuidado" em que se esquivavam do escritório para clarear os dentes ou tingir as sobrancelhas. "É ótimo para a interface com o cliente", diria minha chefe. Uma desculpa vazia, mas vai lá, querida, injetar Botox no horário de trabalho.

Consegui chegar ao *courier* cinco minutos antes de fechar. Enviei o pacote com rastreio, presumindo que a governanta dos Artemis assinaria, e não dei detalhes de remetente. Não era necessário: pessoas como Bryony recebem cem caixas por semana. Quando saí na mortiça luz de outono, o sininho da loja tocou ao fechar da porta. Tomei como um sinal. Não ia checar os perfis de Bryony nas redes sociais na esperança de que ela tivesse sucumbido. A tentativa fora feita e agora não estava mais nas minhas mãos.

* * *

Passei o mês seguinte ocupada no trabalho. A época das liquidações se aproximava, e eu estava organizando as campanhas nas redes sociais e me certificando de que os e-mails com desconto fossem enviados a clientes que tinham se inscrito para recebê-los. Eu sabia pela pesquisa que 95 por cento dessas mensagens não eram lidas, direcionadas para caixas de spam assim que chegavam. Era uma tarefa inútil, mas os dados são inestimáveis, dizem. O tom das mensagens que enviávamos seria suficiente para transformar até o cliente mais entusiasmado em um anticonsumista de passeata. A palavra "sextou" era usada em um e-mail antes de eu o fechar. Quando não estava tentando preservar minha língua materna e a minha dignidade no escritório, estava buscando novas formas de matar Bryony.

Como com todas as mortes anteriores, pareceu importante que o fim trágico se desse enquanto Bryony estivesse fazendo algo normal para *ela*. Dava mais credibilidade ao cenário de acidente e exigia um planejamento menos elaborado. Queria essas mortes bem-feitas, sim, mas não era uma entusiasta de homicídios e não ficava pesquisando as formas mais fascinantes e horrendas de matar alguém. Há certa arte em um bom homicídio. Admito que fiquei impressionada com o que algumas pessoas faziam, mas não queria ficar refém de planos cada vez mais engenhosos, dependurada em uma tirolesa no centro de Londres para decapitar alguém com uma espada em prol de uma certa teatralidade.

Depois de muitos falsos começos, me deparei com uma oportunidade em potencial. Há um homem, alguns de vocês devem conhecê-lo, que se tornou um bastião na indústria do bem-estar. Seu nome é Russell Chan, e ele ganhou milhões com um programa de nutrição chamado "Manifestar e Manter". Caso não tenha ouvido falar desse disparate, vou evitar que perca tempo tentando adivinhar e contar de uma vez o que a empresa fazia. Sua marca, ou "inovação", como ele a chamou em seu TED Talk — a que eu assisti três minutos antes de decidir que era melhor morrer — consiste em dois elementos principais. O primeiro é fazer você copiar afirmações positivas e colar pela casa em Post-its especiais em tons pastel que ele envia aos inscritos no programa. O segundo é te dizer para fazer exercício durante oitenta minutos por dia e tomar sucos diferentes todas as manhãs. A criatividade gasta em inventar diferentes misturas de frutas e legumes 365 dias por ano (você não deve tirar folga nem no Natal) é impressionante. E por impressionante quero dizer um desperdício de diploma de nutricionista. Os Post-its escamoteiam o fato de ser apenas mais uma dieta. O aplicativo MM custa 8,99 libras para baixar e mais 4 libras por mês pelo resto da vida. As pessoas tentaram cancelar as assinaturas, mas nunca conheci quem tenha conseguido. A maioria não consegue, porque idiotas adoram Russell Chan. Parecem incrédulos quando perdem peso, como se fosse uma ciência secreta recém-descoberta e não um método banal de substituição de refeições que elimina todas as opções calóricas. Um blá-blá-blá sem fim sobre a confiança que ganharam com as citações inspiradoras (imagino que geradas por computador) que colam por suas casas sem livros, disputando espaço na decoração com placas de madeira reciclada que formam a palavra "Love" e cachepôs rosados.

Admiro Chan. É um verdadeiro monstro, mas só atinge os que permitem. Escapou do mercado financeiro antes do *crash*, há alguns anos, e entrou diretamente no mercado de bem-estar usando seu cérebro de banqueiro para especular sobre o desejo das massas em tempos de insegurança financeira. Supôs que a manada gostaria de se fazer agradinhos, encontrar paz de espírito em banalidades e — o X da questão — melhorar a aparência. E isso lhe rendeu milhões. Você não consegue mais fazer uma hipoteca hoje em dia, mas pode usar leggings vistosas com sua autoconfiança novinha em folha.

A ideologia do MM está disponível para as massas, mas precisa parecer exclusiva. Chan sabia desde o início que o esquema só funcionaria se fosse representado por pessoas bonitas. Todos os anos, por volta do mês de maio, ele convida algumas das pessoas mais influentes das mídias sociais para o seu retiro particular em Ibiza, onde organiza um fim de semana de ginástica, oficinas de suco e palestras de positividade. Todos os anos, o *Daily Mail* e outras publicações de celebridades rastreiam sem parar as contas do Instagram dos ditos "influenciadores", caçando imagens de pessoas bonitas fazendo poses de ioga diante de uma piscina infinita, abraçando uns aos outros em uma massa de membros bronzeados e, em geral, falando sobre o que aprenderam a respeito de sua alma na viagem de três dias. Há uma festa na última noite, na qual, de acordo com uma moça que conheço que trabalha com publicidade no setor de beleza, fartas doses de álcool e drogas misturam-se nas batidas de fruta, todo mundo enche a cara e celulares são proibidos. Imagino que sirva como compensação pelas caminhadas entediantes que foram obrigados a fazer nos dias anteriores.

Adivinha quem ia ao próximo retiro?

Descobri os planos de Bryony porque minha conta sem graça de mãe no Instagram segue quase todo mundo que ela segue e eu fico de olho. Meses antes, Chan já estava ocupado atiçando seus milhões de seguidores com fotos do grande fim de semana em Ibiza, usando a duvidosa hashtag #hedonismoclean em fotos de tapetes de ioga sob o sol e vídeos de funcionários cortando a grama. Abaixo de uma imagem de balões de neon amarrados a uma árvore, Bryony tinha postado um comentário: *Mal posso esperar para me juntar à minha família da alma.*

Fiquei atenta. Não dava para eu participar do fim de semana em si, mas a confraternização no último dia podia ser uma alternativa. Pesquisei para descobrir quem organizava a festa. Não é uma tarefa impossível, uma vez que todos marcam todos nas redes sociais para ganhar desconto. E, na mosca, o evento era organizado por uma empresa com sede em Watford chamada "Encontros Exclusivos". No melhor estilo das Ilhas Baleares. Fui garçonete em muitos eventos aos vinte e poucos anos; tinha certeza de que poderia passar despercebida servindo um bando de modelos chapadas. Havia um formulário de inscrição no site, e eu preenchi, destacando as muitas festas exclusivas (e imaginárias) em que eu tinha trabalhado. Deixei bem claro que estaria em Ibiza no período da festa, explicando que ficara sabendo que havia clientes na ilha e que estava à procura de turnos extras. Alguém chamada Sasha respondeu por e-mail em poucas horas, pedindo uma videoconferência, que presumi que era para se certificar se eu era atraente para a festa. Por mim, tudo bem: um nome falso me encobriria, e eu não mandaria jamais uma foto que pudesse ser usada contra mim.

Me maquiei para a conversa, escurecendo as sobrancelhas e aplicando batom vermelho: duas coisas que mudam o rosto de modo sutil, mas eficaz. Sasha ligou noventa minutos depois do combinado, o que significa que tive de sair do ônibus e ir a uma cafeteria para atender a chamada. Ela foi brusca e objetiva, me pedindo para fazer alguns turnos em Londres na semana seguinte para ter certeza da contratação. A chamada demorou menos de cinco minutos, e eu tinha razão sobre a aparência ser o principal objetivo. Concordamos que eu ia trabalhar em um evento no The Shard na terça-feira seguinte. Os detalhes eram vagos, mas era um evento para alguma youtuber que estava lançando um bronzeador. Eu deveria chegar lá às 17h e usar calça preta. Eles me dariam a camisa.

"Não olhe para os convidados a não ser que esteja enchendo taças vazias. Ninguém quer uma garçonete assustadora que persegue famosos", disse Sasha enquanto escrevia em seu teclado, seguindo o próprio conselho sobre o contato visual.

Deu tudo certo com o evento. Tive que sair correndo do trabalho, mais um dia saindo mais cedo, mas o que eu podia fazer? A sala estava banhada em luz rosada, com arranjos florais pontilhados sobre o espaço, sacolas de brinde e biscoitos empilhados com o logo da marca em cima das mesas. Não estava nem de longe lotado, mas todos tiravam selfies ansiosamente com a anfitriã, que parecia satisfeita que os convidados exibissem a parede de balões. Servi champanhe e mantive a cabeça baixa. Não que tenha reconhecido uma única dessas pessoas. A previsão de Andy Warhol sobre o futuro da fama foi completamente subestimada pela ascensão de personalidades da internet. Quinze minutos parecem estranhamente antiquados quando vemos esses garotos e garotas de cabeça vazia tentando viralizar todos os dias.

É óbvio que o feedback satisfez Sasha, e fui convocada para mais três eventos em Londres. O pagamento era em dinheiro, o que era um alívio, e geralmente acabavam em menos de duas horas: jovens londrinos não se divertem muito, preferindo ir para casa aplicar uma máscara facial enquanto assistem à última novidade da Netflix.

Um mês depois, recebi uma mensagem da Sasha me dizendo que tinha três eventos em Ibiza em que eu podia trabalhar. Ela anexou as datas, uma delas bem na última noite do retiro. Não havia mais informações, mas eu estava bastante confiante de que não haveria duas festas na mesma noite, ambas feitas por eles. Respondi na hora, confirmando a minha disponibilidade, e reservei voos e acomodações para a minha estadia em Ibiza naquela noite. Não era tão longe da minha ideia original. Bryony gostava de uma bebida, e uma festa tão hedonista quanto a da MM provavelmente ficaria caótica bem rápido. Nada como uma dieta exclusiva de sucos por três dias para te embebedar com um só coquetel. Umas gotas de purê de pêssego em um copo e ela acabaria caída na pista de dança em minutos. Um bando de obcecados por saúde ao redor, e, no entanto, eu apostaria a minha vida que nenhum deles tinha treinamento médico adequado para ajudar. Eu precisava esperar seis semanas.

Só que no fim não foi necessário. Porque Bryony morreu mais tarde naquela mesma noite.

* * *

Eu só soube na noite seguinte. Por mais que sejamos bombardeados com notícias o dia todo, se desligar de tudo é fácil quando se você esquece de algo básico como carregar o celular. Eu estava fora do escritório naquela quarta-feira, em um dia de treinamento projetado para "capacitar as mulheres nos negócios". Era obrigatório, o que me levou a suspeitar que tinha mais a ver com melhorar a recente onda de alegações de assédio contra um líder de equipe do que com a promoção de mulheres no negócio. Depois de oito horas em workshops, onde quatorze de nós nos sentamos em um círculo e encaramos situações desafiadoras no escritório umas com as outras, eu dispensei o café e bolo no final e fui direto para o metrô. Meu celular estava sem bateria, por isso passei a viagem vendo um jovem casal discutir se o seu sucesso em manter uma planta viva significava que já estavam prontos para ter um cachorro. Ela revirava muito os olhos, e ele desviava ainda mais o olhar. Me preocupei com o cão imaginário. Até suspirei pela planta.

Quando saí da estação de metrô, peguei um *Evening Standard* e o enrolei, enfiando-o na bolsa. Vinte minutos depois, eu estava em casa e comecei a guardar as compras que tinha feito no mercadinho local de comida saudável e liguei o aquecimento. Só então peguei o jornal e me sentei à mesa da cozinha. A história principal era algo tipicamente monótono sobre o déficit de moradia social, algo em que passei os olhos superficialmente, porque todo mundo sabe que o *Standard* só começa com isso para que o resto do jornal possa ser preenchido com a cobertura de uma nova loja de sorvetes que custam 10 libras, em Kensington, ou um artigo explicitamente parcial sobre uma aula fitness onde os alunos usam halteres de ouro. Ao lado estava uma pequena foto de uma garota, uma selfie tirada de um certo ângulo, 75 por cento boca. A descarga familiar de adrenalina começou a dominar minhas veias. A adrenalina aumenta os níveis de energia até cem, mas também congela seu corpo. Tudo fica devagar, torna-se frouxo, as reações param. Eu sabia instintivamente para quem estava olhando, mas o nevoeiro que tinha envolvido meu cérebro me impediu de registrar a totalidade do que estava acontecendo. "Herdeira morta aos 27 anos." Abri o jornal, e lá, na página 3, havia outra foto dela, dessa vez muito mais jovem, entre seus pais, em um evento.

Bryony.

Os detalhes eram escassos. Fora encontrada inconsciente dentro do quarto às 7h30 por uma das funcionárias da família (leia-se, camareira). Os paramédicos foram chamados, mas Bryony foi declarada morta no local. O artigo mencionava a trágica morte de sua mãe poucos meses antes, sugerindo o suicídio como possibilidade. Eu sabia que era um disparate. Bryony não teria se suicidado em um momento de sofrimento por luto. Ela não mergulhava nesses níveis emocionais: tudo era tédio, zombaria ou desejo para ela. Coisas de nível raso. O porta-voz da família tinha pedido privacidade naquele momento difícil e, além das coisas básicas sobre Simon e sua vida de sonhos, não havia mais nenhuma informação.

Passei uma hora frenética vendo o Instagram, sites de notícias e blogs de fofoca. Seu último post tinha sido às 16h: uma selfie em um tapete olhando para um cachorro salsicha (espero que apenas emprestado, #ONDEESTAFENDI) sentado ao seu lado. A legenda dizia: "Quando o #mozão quer amor". Portanto, nada de dicas úteis para a imprensa que os ajudasse com a trágica narrativa da menina rica. Em outros lugares, alguns amigos do Instagram demonstraram seu choque com emojis de mão de oração e rostos chorosos. O "descanse em paz" aparecia muito, uma expressão que sempre odiei. Não importava o quanto uma pessoa fosse animada, engraçada ou apaixonada pela vida. A morta as limitava ao descanso. Um comentário genérico e inútil, mas não havia novos detalhes, nada para entender. Onde estava Simon? Em casa ou tinha saído com uma nova amante? Jantando em um bar exclusivo, fechando um negócio? Como teria ficado sabendo? Um telefonema da empregada? Ou a polícia? Agora, estava sozinho: sem a esposa, sem a filha, sua única filha legítima, os pais mortos. O irmão morto. Será que já tinha uma ideia do que estava acontecendo? Provavelmente não. Ignorara minha existência tal como tinha se encarregara de todos os detalhes problemáticos da sua vida privilegiada.

Mas eu também estava sozinha. Com todas as outras mortes, eu tinha feito acontecer, estivera lá para o último suspiro, senti que estava no controle. Aqui, eu era como todo mundo que havia lido o jornal. Não sabia de nada e não podia contar a ninguém. Pela primeira vez em muito tempo, eu queria minha mãe. Queria que ela soubesse que a filha dela era a única que estava viva, que eu estava fazendo isso por ela, que nunca deixaria que a vida dela fosse descartada e esquecida por essas pessoas, mas eu não ia ser uma daquelas pessoas que pensavam que podiam sentir seus entes queridos mortos sorrindo para eles, nem teria autocomiseração. Abri uma garrafa de vinho e tomei banho. Bryony estava morta, os detalhes podiam esperar. A morte dela significava muito mais do que riscar outra pessoa da minha lista. Significava que a lista estava quase completa. Faltava só mais uma. Querido papai, estou chegando.

COMO MATEI MINHA ~~QUERIDA~~ FAMÍLIA

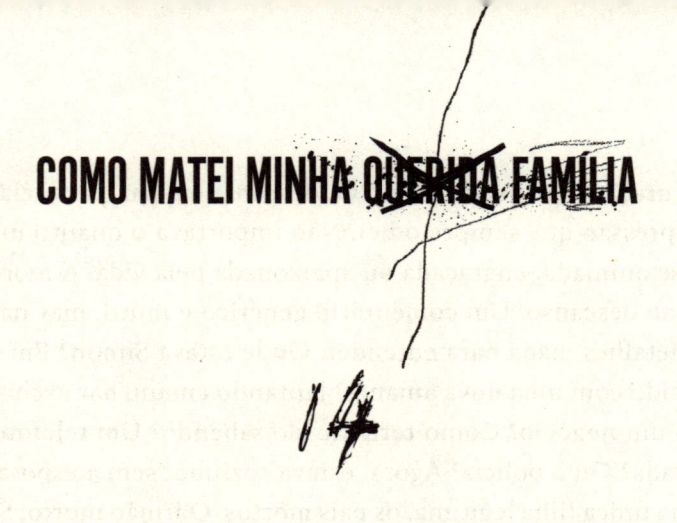

Escrever isso tudo me fez rir. A narrativa deixou um gancho bem manipulador, mas eu tinha terminado o relato da morte de Bryony às 2h, em total silêncio e escuridão. Nem Kelly roncava. Eu estava ligada até o fim, lembrando o momento em que percebi que só tinha um alvo. Estava tão perto e tudo parecia monumental. Aqui no confinamento desta cela, eu gostaria de ter aproveitado um pouco mais aqueles momentos. Deveria ter ido dançar depois de cada homicídio, ou ter comprado joias preciosas para cada alvo que risquei da lista. Eu tinha uma lista, eu mencionei isso? Uma lista física, quero dizer. Estava escrito a lápis na parte de trás de uma foto minha e da minha mãe. Os Latimer tinham me dado de Natal, pouco depois de eu ter mudado para casa deles. Não foi uma grande surpresa, visto que era a minha foto, mas Sophie encontrou na minha gaveta e levou para emoldurar, para ficar a vista, como merecia.

"Você deve olhar para isso todo dia, minha querida", disse ela quando abri. "Sua mãe amava tanto você." Eu sabia disso, claro, e não precisava que Sophie me dissesse. Além disso, não sei se Sophie chegara a conversar de verdade com a minha mãe, além de breves arranjos sobre eu ser convidada para brincar na casa dos Latimer, como sempre ("muito mais fácil para as crianças com todo esse espaço", ela dizia a Marie). Então, sua insistência em me lembrar do amor da minha mãe era um pouco irritante. Jimmy costumava suspirar de enfado quando Sophie falava do orgulho que Marie teria dos resultados das minhas provas ou dos meus cupcakes "excelentes". Obrigada aos céus pelo Jimmy.

Mas a foto tinha uma bela moldura, e eu a pendurei perto da cama, na casa dos Latimer. Quando me mudava, sempre a pendurava em algum lugar onde pudesse vê-la ao acordar. Quando estava planejando como matar Kathleen e Jeremy, tirei-a da parede e segurei, olhando para o rosto de Marie, me perguntando o que ela pensaria das minhas intenções. Provavelmente, teria ficado horrorizada e aflita, arrasada por eu ter decidido desperdiçar minha vida tentando vingar a dela, mas ela não estava aqui para me dizer isso, portanto eu não tinha que dar muita importância à sua opinião. Além disso, eu também estava fazendo por mim. Marie estava morta e enterrada. Em vida, ela nunca quis corrigir os erros que cometeram com ela, mas também nunca quis corrigir os erros que cometeram comigo. Ambas sofremos porque ela era fraca demais para exigir justiça. Acabei indo parar como figurante em uma família que não era minha, sem segurança ou rede de apoio. Com o baque de perder minha mãe, seguido do golpe de ver meu pai desfilar com a família legítima pela cidade. Se eu quisesse reestabelecer o equilíbrio, ela não tinha como impedir.

Antes de voltar a pôr a foto na parede, eu tinha pegado o lápis e escrito atrás da moldura os nomes de todos os integrantes da família Artemis que achei que teria que matar. As marcas eram leves o suficiente para que mal fossem notadas, a não ser que você estivesse mesmo observando, mas sempre que riscava um dos nomes, eu pressionava o lápis, arrastando a ponta por todas as letras até serem completamente obliteradas. Era algo pequeno, mas significante. Mas eu podia ter comprado umas boas joias como recompensa também.

Depois de terminar de contar a história de Bryony e sua triste jornada com o sérum de pêssego, adormeci, mas acordei em pânico quando a campainha da manhã soou. Eu ainda estava segurando meu bloco de notas, e Kelly estava para lá e para cá na cela, fazendo um cover hedionda de uma música do One Direction. Imagino que a original já fosse medonha, mas o tom de Kelly deixava tudo pior. Coloquei o papel entre o colchão e a moldura da cama e dei bom-dia. Foi um erro estúpido e descuidado correr o risco de deixar Kelly ver o meu trabalho. Eu a observei escovar os dentes e passar uma base escura demais para sua pele. Fiquei surpresa ao ver quantas mulheres faziam um esforço para ficarem bonitas quando cheguei aqui, mas agora entendo melhor. A prisão tenta dominar cada parte de você se não tiver cuidado. De coisas prosaicas como quantos pares de meias você pode ter, até as mais íntimas, como mudar os seus sonhos. Antes de vir para cá, eu tinha sonhos vívidos e surreais quase todas as noites. Agora sonho com apenas uma coisa. Correr na beira do rio, o vento atrás de mim e o céu à volta. Não preciso de Freud para analisar isso. Então, se um pouco de maquiagem te acalma, eu entendo, mas espalhe melhor, Kelly, por favor.

Estava confiante de que ela não tinha visto o bloco de notas. Seu olhar era alegre e vazio como sempre, e ela resmungava sobre uma visita que viria mais tarde naquele dia. "Um amigo", disse ela, enquanto aplicava uma camada grossa de rímel após a outra, "mas talvez ele queira mais. Não posso culpá-lo." Kelly olhou para mim pelo espelho, e vi que a garota estava desesperada para que eu lhe perguntasse mais sobre essa visita, mas eu não estava com disposição para ouvir um monólogo um pouco delirante sobre como Kelly era desejável para o sexo oposto, e então puxei meu macacão, disse a ela que torcia para que desse tudo certo e fui para a biblioteca.

Eu deveria acabar de explicar o que aconteceu com a Caro, já que é por isso que estou aqui, usando um agasalho de poliéster em vez de algo bonito da MaxMara. É por isso que Kelly é a pessoa mais próxima de mim, já que Jimmy não responde às minhas cartas e percebi que tenho poucos amigos. Eu sempre soube, já que não passava meu tempo cultivando relações próximas antes de tudo isso. Eu estava obcecada, agora vejo. Me concentrei apenas no plano de destruir a família Artemis e nem sequer tive a preocupação de construir uma vida que estaria à minha espera quando tudo estivesse encerrado. Estupidez, é claro. Confiei no Jimmy para estar lá quando acabasse, pensando que ele seria suficiente e que o resto viria logo depois. E a maioria das pessoas é terrível. Burra, chata ou uma combinação hedionda de ambos. Eu nunca poderia tolerar isso e nunca tentei. Minha situação atual não tinha me dissuadido dessa ideia.

Mas Jimmy não era a constante na minha vida que eu pensava que seria. Dois dias depois de Gemma Adebayo ter dito que eu estava livre para ir, fui acordada mais cedo por uma batida forte na porta da frente.

Abri na hora e fui presa pelo homicídio de Caro Morton. Fui levada de volta para a delegacia, dessa vez com menos preocupação pelo meu conforto ou bem-estar, e acusada formalmente. Enquanto eu falava com os detetives durante várias horas naquele dia, tudo começou a vir à tona. Jimmy disse à polícia que achava que era um homicídio, gritou que eu odiava Caro. Meu ciúme, sugeriu, me fez empurrá-la violentamente da varanda e forjar um acidente trágico. A outra moça que tinha sobrado na festa fez uma declaração dizendo que discuti com Jimmy sobre o noivado dele e depois pedi que Caro fosse fumar comigo lá fora. Essa garota estranha, que descobri mais tarde se chamar Angelica e ser menos burra do que a aparência sugeria, foi crucial na acusação contra mim. Quem diria que a moça com uma coleção completa de arcos de cabelo tinha esse potencial?

Me recusaram fiança depois de argumentarem que eu era um risco para a sociedade, o que me fez cair na risada e xingar em voz alta, coisa de que o juiz não gostou. O advogado designado para mim — um sujeito que tinha reprovado na pós-graduação e nem sequer tinha lido meu depoimento antes de entrar no tribunal — não fez nada para contestar essa decisão e foi despedido no momento em que saí do edifício e fui detida.

Foi então que tive meu primeiro contato com a prisão. Foi um choque horrível, a princípio. O centro para onde fui enviada era um bloco de cimento sombrio atrás de um muro enorme no sul de Londres. Fui revistada, privada dos meus bens e enviada para uma cela. Estava um frio de rachar e passei três dias obcecada com o que tinha deixado no meu apartamento, se é que tinha deixado alguma coisa, que pudesse direcionar a polícia aos meus crimes de verdade. Visualizei todos os cantos da minha casa, andando mentalmente pelo apartamento para tentar me lembrar de qualquer coisa que o desleixo pudesse ter deixado a vista. Não conseguia dormir, minha mente tentando me fazer pensar, focando e desfocando, chorando de desespero. No terceiro dia, eu estava mais calma, depois de uma hora de exercícios de respiração. Nessa altura, estava confiante de que nada apontaria para as mortes dos Artemis. Isso foi reforçado quando soube que a polícia não estava à procura de nada que não estivesse ligado a Caro, e ninguém sabia da minha ligação com os homicídios. No que lhes diz respeito, só empurrei do nada uma rival amorosa por ciúmes. A menos que esperassem que eu fosse o tipo de pessoa que tinha um diário confessional, qualquer prova disso seria escassa. Que ridículo que eu só tenha decidido começar um diário confessional quando eu estivesse realmente nas entranhas do sistema de justiça criminal.

Contratei uma nova advogada, Victoria Herbert, e rezei para que ela fosse a rottweiler que prometia ser. Uma rottweiler com echarpes Hermès e sapatos Louboutin. Do jeito que eu gostava. Ela estava muito otimista em relação às minhas chances de ser absolvida. Não havia provas forenses, além de algum contato que Caro e eu tínhamos tido durante a noite, e a maior parte do caso era baseado nos testemunhos de Angelica Saunders e Jimmy. Jimmy, testemunhando contra mim. Jimmy, a única pessoa de quem eu gostava de verdade, dizendo ao tribunal que ele acreditava que eu tinha empurrado a noiva dele de uma varanda, sem olhar para mim uma única vez durante o julgamento. Jimmy, retratado no *The Sun* uma sexta-feira, caminhando de mãos dadas no tribunal com Angelica. Ela com uma saia lápis e sapatilhas horrorosas, com um ar orgulhoso. Jimmy pode ter me largado no lixo, mas comecei a admirar o empenho de Angelica.

O júri deliberou durante seis horas. Victoria se sentou comigo durante aquela espera, que pareceu um ano. Quando nos disseram que o júri estava pronto para dar um veredicto, ela estava em ebulição, me assegurando que uma rápida reviravolta era definitivamente um bom sinal. Apesar de toda a sua arrogância, ela estava completamente errada. Culpada. Culpada. Culpada. A palavra ecoou pelo tribunal enquanto as pessoas entravam em choque e um homem gritou algo com raiva da galeria. Fiquei ali, com a mão tentando alcançar o pescoço, sem conseguir respirar. Olhei para Jimmy, que estava sentado com a cabeça no ombro de Sophie enquanto John dava tapinhas mecanicamente em seu braço. Só a irmã do Jimmy, Annabelle, retribuiu o meu olhar, inclinando a cabeça como se me observasse pela primeira vez.

E foi isso. Fui sentenciada a dezesseis anos e levada a Limehouse uma semana depois. Perdi o prazo para protocolar um recurso, paralisada pelo choque e incapaz de saber o que fazer a seguir, mas depois veio George Thorpe, um homem branco de meia-idade, para salvar o dia, como ele achava que tinha nascido para fazer. Ele teve um recurso concedido, argumentando que havia mais testemunhas oculares que não tinham sido procuradas pela polícia na época.

Contratei Thorpe por uma fortuna depois que cheguei aqui, percebendo que Victoria Herbert estava muito mais interessada em se promover como um cão feroz glamoroso do que realmente ser um. Ela apareceu na revista *Grazia* por conta do meu caso, quase não conseguindo ignorar os elogios e usando em excesso a palavra "empoderada". Os honorários astronômicos que meu novo advogado cobrou só eram possíveis porque ele disse que eu poderia pagar depois. Eu enxergava sua lógica: ele queria publicidade, e eu poderia lhe proporcionar isso em abundância. Imagino que ele estivesse em busca de uma nomeação no sistema judiciário e sentiu que um caso de homicídio de alto interesse popular poderia reforçar suas chances. Era um grande ator. Nos muitos julgamentos importantes em que ele atuou, a mídia reportou seus argumentos, sua linguagem floreada, seu hábito de bater na mesa quando fazia uma defesa passional de seus clientes. Thorpe tinha uma excelente taxa de sucesso, o que me tranquilizava em relação aos gastos. O que quer que acontecesse, eu teria dinheiro suficiente para pagá-lo para ficar à minha disposição assim que eu tivesse reivindicado o império Artemis. Para ser justa com Thorpe, ele de fato expôs todas as possíveis falhas no julgamento e usou a imprensa para realçá-las, sabendo que publicariam qualquer história sobre a assassina do caso Morton. Durante o julgamento, eles me pintaram como uma menina amarga e perturbada apaixonada pelo meio-irmão (o que ele não era, é claro, só que os tabloides adoram um pseudoincesto), mas depois da sentença, foi necessário um rebranding. Agora eu era perturbada, mas não mais amarga. Minha fragilidade foi usada no jogo — "ela não tinha ninguém de verdade, exceto Jimmy" —, e publicaram fotos em que eu parecia tímida e vulnerável, não dura e arrogante. Essas fotos foram fornecidas por antigos colegas de trabalho, a julgar pelas roupas que eu usava, e só estou nelas porque eram obrigatórias. É incrível como você pode julgar alguém só por uma foto. Thorpe pediu a uma velha amiga de escola que trabalhava com assessoria de imprensa para dar início a algumas histórias sobre os problemas de saúde mental de Caro. Indícios sobre seu distúrbio alimentar, seu entusiasmo por uma boa festa (leia-se drogas) e seu temperamento. Táticas horríveis, na verdade, mas não estamos em uma discussão sobre ética midiática, e, além do mais, eu teria incentivado centenas de histórias que acabassem com Caro se ajudassem no meu caso. Eu as leria mesmo que não ajudassem.

Há quatorze meses estou apodrecendo aqui, à espera do recurso por quase metade desse tempo. Quando o contratei, ligava para George Thorpe todo dia e escrevia longas cartas pedindo que vasculhasse de novo a varanda ou forçasse a terapeuta de Caro a falar sobre o estado mental dela. Eu estava desesperada para sair em dias, não semanas, e ficava furiosa sempre que o advogado me dizia para ter paciência. Quando se tornou claro que eu ficaria aqui por um tempo, caí em depressão. Não sou de ficar deprimida. Às vezes sinto um pânico crescente na garganta e uma necessidade de fugir, mas nunca tinha entendido pessoas que ficam tão tristes a ponto de acabarem com sua vida. Talvez a prisão nos torne mais empáticos, ou talvez seja natural ficarmos deprimidos em um lugar que tem iluminação fluorescente e chuveiros comunitários. Comecei a dormir mais e por um tempo senti como se meu cérebro estivesse flutuando em melaço. Meus pensamentos abrandaram, parei de me exercitar e, em um dia particularmente ruim, vi *Emmerdale* até o fim com Kelly me falando quem era quem, sem nem mesmo bater com a cabeça na parede.

Um dia, oito meses depois, acordei e fiz quinhentas flexões. Eu estava farta desse humor alienígena e tive medo de ficar com ele para sempre se não me obrigasse a sair dele. Então comecei um regime rigoroso, acordando à mesma hora todos os dias, forçando meu corpo cada vez mais com exercícios na minha cela e caminhando pelo pátio. Passei horas na biblioteca lendo qualquer coisa que me desse uma folga deste lugar e atormentei o meu advogado novamente, mas dessa vez com mais foco.

E agora estou perto da decisão de recurso, escrevendo minha história para não ficar pensando nisso. Estou confiante que serei solta e já escrevi um discurso para ler sobre os degraus do tribunal. Acho que acertei no tom — ferida, mas magnânima — e vou usar maquiagem suficiente para parecer atraente, mas não tanto a ponto de parecer ter passado meses me divertindo. Quero que sejam capazes de ver minhas olheiras e entender que quase fui derrotada (mas só quase!) pela situação. Vou falar sobre como devemos lembrar de que, apesar do trauma de ser encarcerada, há outra vítima em tudo isso. Caro, vou dizer, olhando diretamente para as câmeras. Perdi quase dois anos da minha vida por esta injustiça, mas nunca devemos esquecer que Caro perdeu a vida naquela noite. Talvez eu termine em grande estilo anunciando que vou fundar um esquema de orientação para mulheres prisioneiras com distúrbios alimentares em seu nome, na esperança de poder ajudar pelo menos uma mulher vulnerável. Ela detestaria que a chamassem de vulnerável.

A propósito, não acho que a minha confiança em ser solta seja indevida. A polícia, com a ajuda da desonesta Angelica, só decidiu que tinha sido um homicídio e não fez nada para testar a hipótese. Não posso afirmar ser uma inocente perfeita em todas as áreas da minha vida, mas nisso sou verdadeiramente vítima de um enorme erro judicial. Que corda bamba para se andar. George Thorpe viu de cara como a ação tinha sido malfeita e expôs falhas em praticamente todas as partes do processo. Tudo isso pode ser suficiente, e sem dúvida foi para garantir que concedessem um recurso, mas não era nenhuma solução milagrosa. Isso só veio duas semanas antes, mas é o suficiente para quase garantir que a minha condenação seja anulada. Thorpe tinha vindo me ver para uma atualização, e eu não esperava novidades, mas percebi logo quando ele entrou que algo importante tinha acontecido. Seu pescoço estava vermelho, a mancha subia pelo seu rosto enquanto ele caminhava na minha direção na sala de visitas, passando impacientemente por outras pessoas, seu casaco comprido de lã voando atrás dele. Tinha sido, disse ele, o resultado de dois meses de escavação incansável por sua equipe.

"Na noite em que a sra. Morton teve a sua infeliz queda, a polícia fez perguntas em todos os outros apartamentos da mansão." Ele me mostrou uma lista das outras unidades do edifício. "Há cinco apartamentos em cada andar, organizados quase como um pentágono, mas apenas três ficam de frente para os jardins, enquanto os outros dois estão virados para a rua. O apartamento da sra. Morton ficava no meio das três unidades viradas para o jardim. Seus vizinhos à direita são um casal de sessenta e poucos anos que estão no bloco há trinta anos... muito antes de os profissionais de alta renda começarem a comprar em Clapham... e eles estavam em casa na noite do incidente." Thorpe nunca usava a palavra morte quando uma descrição mais educada poderia ser usada.

"Estavam muito habituados às festas da srta. Morton e mostraram uma falta de empatia com seu incidente, talvez por isso mesmo. Eles foram muito claros sobre não ver ou ouvir nada, porque foram dormir às 22h, armados com tampões de ouvidos." Thorpe arqueou as sobrancelhas aqui, mas pude entender como deve ter sido irritante viver ao lado daquela garota. "A polícia tentou fazer perguntas no apartamento à esquerda do apartamento da srta. Morton, o número 22, mas não houve resposta naquela manhã ou mais tarde naquele dia. Eles investigaram ainda mais o apartamento e seus proprietários, mas foram informados pela administradora do edifício que os proprietários moravam no exterior e nunca estavam no país, então a polícia deixou isso pra lá." Ele usou sua caneta de ouro para atingir o jornal à sua frente. "Isso foi um GRANDE descuido, mas infelizmente típico da nossa força policial. A razão pela qual não investigamos isso antes foi porque o relatório sugeriu que haviam feito contato com os proprietários e que havia garantias de que eles estavam fora do país. Não tínhamos razões para duvidar de que sua advogada anterior havia investigado isso minuciosamente, mas um cara inteligente no meu escritório analisou os relatórios da noite em questão e descobriu que ela não tinha averiguado o apartamento ao lado." Pensei mais uma vez nos saltos altos vertiginosos de Victoria Herbert e torci para que ela ficasse presa em uma escada rolante com eles. Talvez eu ajudasse a fazer isso acontecer quando saísse daqui. Thorpe olhou para mim de forma estranha, e voltei a prestar atenção. "Foi aqui que ficou interessante. Esse homem da minha equipe, como falei, pesquisou um pouco e descobriu que o apartamento está registado em uma empresa com sede nas Ilhas Cayman. Sabe o que é uma empresa *offshore*, Grace?" Eu revirei os olhos e logo dei um sorriso doce enquanto assegurava que sim. Paternalista. "Bem, de acordo com a atual lei do Reino

Unido, entidades estrangeiras podem comprar propriedades aqui sem revelar quem são. É escandaloso, é claro, e um sistema que permite todo o tipo de negócios desonestos... principalmente lavagem de dinheiro, é claro. O governo está planejando forçar esses proprietários anônimos a se revelarem, mas é complicado e é provável que demore algum tempo."

Eu o interrompi. "Acho que já ouvi o suficiente sobre as leis de propriedade. O que é que ele encontrou, esse seu homem?"

Ele limpou a garganta e parecia chateado, mas podia ser apenas a expressão padrão de homens chiques, então era difícil de dizer.

"Bem, tem sido um trabalho duro, como falei. Uma teia emaranhada. David, esse é o nome do meu funcionário, passou dois meses nisso, tentando contatar a empresa, mas um número de celular das Ilhas Cayman e que não funciona não é muito para continuar a história. Muitas vezes essas empresas nem sequer têm um escritório sério lá fora, só alugam uma sala para ter o endereço. Finalmente, ele contratou um investigador que lida com esse tipo de coisa para descobrir quem é o dono da empresa e onde eles estão."

Eu estava ficando impaciente e o horário da visita ia passando. "Com todo o respeito, George, contratei você para lidar com tudo e parece que está fazendo um trabalho maravilhoso, mas às vezes as pessoas não querem saber o processo, e tenho tratamentos de spa marcados para hoje, sabe?"

"Certo, sim, desculpa. Bem. *Bem*. David finalmente, depois de um monte de caminhos errados e desvios, encontrou os proprietários do apartamento. Vivem em Moscou e não estão muito interessados em responder aos e-mails. Então ele foi lá na semana passada e fez contato com eles na quinta-feira. Explicou a sua situação e perguntou se havia alguma maneira de eles ajudarem: uma empregada que pode ter estado no apartamento, por exemplo, ou uma câmera de vigilância. Foi um tiro no escuro, claro, mas valeu a pena tentar. E quem diria?" Thorpe estava alegre como um menino. "Contaram para o David que tinham câmeras de vigilância até a bunda! Disseram que era padrão em todas as suas propriedades. David mal conseguiu conter a alegria quando disseram que tinham uma na varanda, oculta por um arbusto. E eles guardavam as fitas?, perguntou David. Sim, disseram os russos. Eles guardavam tudo em uma base de dados, claro. Era melhor, embora não tenham explicado exatamente por quê." Ele parou para respirar enquanto eu prendia o ar. "David tem uma cópia, Grace. Ele as viu, e elas estarão no escritório assim que as imagens forem verificadas por um perito. Não mostra a varanda inteira, mas mostra o suficiente. Você não está nas filmagens quando a Caro cai."

Quase caí no chão de alívio. Era a sensação do sol tocando o meu corpo no primeiro dia de verão, e agarrei na mão do Thorpe sem pensar no que estava fazendo.

"Obrigada. Obrigada. Não sei o que posso dizer, mas obrigada. E ao David. E aos russos. Obrigada."

Ele parecia satisfeito, o rubor voltando para o rosto de novo.

"Fizemos o nosso trabalho e são boas notícias. Não posso tirar você daqui hoje, infelizmente, mas você só tem mais algumas semanas e não há dúvida de que essa filmagem vai te livrar completamente." Uma sineta tocou, ele olhou para o relógio e recolheu os documentos. "Entrarei em contato assim que tivermos notícias. Enquanto isso, aguente firme. E mantenha isso tudo isso em segredo até ser oficial." Agradeci de novo e apertei sua mão. Quando se virou para ir embora, George Thorpe olhou de volta para mim e disse, com algum constrangimento: "Eles têm mesmo um spa aqui?".

* * *

E, como se diz, foi isso. Voltei para minha cela, com os punhos apertados de animação, mal conseguindo me concentrar. Kelly estava sentada no beliche de baixo, usando um pedaço de linha para depilar as sobrancelhas e cantando canções da Beyoncé em um tom que duvido que a própria conhecesse.

"Você está branca como um fantasma, amiga", disse ela, quando olhou para mim. "Más notícias do advogado?"

Contei a ela o que Thorpe tinha dito. Eu estava animada demais para me conter, toda a minha fachada habitual se fora. É burrice contar qualquer coisa para Kelly, mas que mal poderia fazer agora? Ela foi doce, segurando minha mão e oferecendo para me apresentar a um amigo dela que alugava quartos sem necessidade de referência. Eu tinha conseguido manter meu apartamento enquanto fiquei presa: fora um desafio, mas para mim era importante saber que havia algo à minha espera quando saísse. Mesmo que não fosse continuar sendo a minha casa por muito mais tempo. Assim que o dinheiro chegasse, eu faria um *upgrade*. E, mesmo que não chegasse, não havia chance de eu alugar um quarto de um amigo duvidoso da Kelly. Não estava tão desesperada assim. Ela pegou seu celular secreto e começou a escrever, talvez procurando alertar seu amigo para uma possível nova inquilina, antes de eu convencê-la a desistir. Esperava que a oferta não significasse que ela fosse achar que continuaríamos nossa amizade no mundo exterior. Era difícil evitar Kelly aqui, mas com a liberdade de ir e vir e um celular, seria impossível. Tive visões dela surgindo na minha casa com máscaras faciais e uma garrafa de vinho barato. Não é bem a vida nova que eu tinha imaginado.

    Ah, preciso recuar um pouco na história. O tempo é estranho na prisão. Passa tão devagar que eu pensei de verdade que iria enlouquecer no início, e então a escrita ganhou força e, de repente, estou correndo na pressa de terminar esta história e começar a viver uma vida nova, não dominada por coisas desagradáveis, mas necessárias, como homicídio.

    Assim que minha condenação foi anulada, Jimmy entrou em contato. Na verdade, o Ministério Público da Coroa tinha entrado em contato com ele uma semana antes da decisão final para informá-lo das novas provas. Ele escrevera uma carta para Thorpe me entregar quase imediatamente. Não vou relatar tudo, eram três páginas cheias. Jimmy não é um escritor nato. Seu contínuo — e acho que intencional — uso indevido da gramática sempre dificultou a leitura de seus e-mails e mensagens. Acho que o *Guardian* é mais relaxado com erros gramaticais do que outras publicações. Um dilúvio de pequenos erros lotava uma carta que, de outra forma, poderia ter sido bem comovente. Da forma como estava, eu estremecia a cada linha. Basta dizer que ele estava cheio de remorso. Ele havia me decepcionado de forma monumental, o que era verdade, e mal tinha dormido desde a minha condenação, o que eu sabia que era uma mentira descarada. O cara tem um dom para adormecer nos momentos mais difíceis, mas eu entendia o sentimento. Depois de desculpas intermináveis, ele falou que tinha voltado para casa dos pais e tirado dois meses de licença do trabalho para viver o luto da morte de Caro. Não houve menção a Angelica, que presumo ter sido descartada quando se tornou óbvio que ela era uma cobra tentando entrar nas calças dele. Presumo que tenha chegado a essa área antes de ser desmascarada, mas dizem que a dor faz coisas engraçadas às pessoas. Além disso, Jim estava canalizando sua tristeza em uma direção diferente. Um curso de estofado, tão improvável quanto parece. Suspeito que isso signifique que vamos todos receber poltronas ligeiramente tortas no Natal. Ou seja, a morte de Caro não tinha sido em vão. Mesmo sem a mobília grátis, a morte dela não tinha sido em vão. Significava "chega de Caro". O que era uma bênção em si.

Ele terminou a carta com uma passagem clichê sobre como não esperava que eu o perdoasse (não sei por que as pessoas dizem isso, já que só o fato de entrarem em contato significa que esperam perdão), mas ele passaria o resto da vida tentando me recompensar e estaria na prisão no dia da minha libertação. Amo você, Gray, vou te ajudar a dormir de novo em breve, ele assinou. Me perguntei se Sophie insistiria em vir junto, desesperada para fazer da minha história a sua própria narrativa, assim como fez quando eu era mais nova. Talvez pudéssemos ir todos à confeitaria local para um café da manhã de comemoração. Jimmy esqueceria a carteira, claro, e Sophie pagaria para a gente, sacudindo a cabeça em exasperação e dizendo ao sofrido dono da cafeteria que os filhos eram, suas palavras favoritas, uns avoados. Eu já estava presa havia muito tempo, porque, ao pensar nisso, senti um pouco de conforto. Era um fac-símile de uma família, mas era o que eu tinha.

Desde a carta, voltamos à nossa antiga relação com uma estranha facilidade. Liguei para ele dois dias depois de ler, deixando-o entrar em pânico por alguns instantes. Falamos em todas as oportunidades desde então. Fui magnânima. Ele estava atormentado pela culpa e tinha feito planos para que eu fosse morar com ele no seu apartamento, me ajudar a voltar à vida, como se eu estivesse havia quatorze meses em uma colônia de leprosos, e não apodrecendo na prisão porque ele me acusara de matar sua noiva ridícula. Rejeitei a ideia. Eu queria estar no meu lugar de sempre para planejar o futuro, e Jimmy me trazendo chá ia dificultar um pouco. Haveria tempo para uma coabitação mais tarde, quando poderíamos viver em uma casa grande o bastante para passarmos um tempo saudável longe um do outro.

Thorpe também atendia chamadas da mídia, em especial dos tabloides, que tinham dado uma virada de 180 graus no meu caso com tanta velocidade que os repórteres devem ter retorcido os músculos. A narrativa da "assassina de Morton" estava prestes a ser substituída por algo igualmente terrível, pelo menos na minha mente. Especulei sobre o meu novo apelido. Se tivesse acesso a um bolão de apostas, teria apostado em "Cheia de Grace" em pelo menos uma manchete, incluindo uma imagem de mim lendo uma declaração. Composta, sofredora, digna. A jogada era muito fácil. Eu não falaria com nenhum deles logo de cara, é claro. Não era uma novata desesperada que não percebia como isso funcionava e aceitava o primeiro cheque. Minha narrativa seria minha. Além disso, a atenção da imprensa poderia esperar até que eu me revelasse não só uma vítima inocente, mas também uma filha de luto. É um interesse humano de alta classe, do tipo que garante que o seu nome será conhecido por décadas vindouras.

Assim que a poeira assentar um pouco, farei algumas aberturas iniciais para Thorpe em relação ao meu pai e à sua propriedade. Claro que não vou ser tão direta. Vou apenas dizer que essa experiência me fez reavaliar minha vida e explicar que quero aprofundar a ligação com esse lado da família. É tarde demais para conhecer o meu pai, direi ao secar os olhos, mas quero saber de onde venho e quem ele era. Não há mais ninguém naquela família, exceto Lara. E Lara nem sequer é parente de sangue. Ela é uma esposa distante, e uma que eu graciosamente poupei. Desde o momento em que decidi não matá-la, soube que seria minha porta de entrada. Vou me aproximar dela com tanto charme e graça (haha) que ela vai ficar do meu lado desde o início. Duas mulheres injustiçadas pelos homens Artemis, ambas tentando viver longe do fardo da presença deles. Mulheres apoiando mulheres, é o que gostamos de ver. Talvez até nos tornemos amigas, embora um elo embasado apenas em termos sido prejudicadas por eles pareça uma base pouco saudável para um vínculo duradouro. Por outro lado, forjar um vínculo no ódio pode ser mais forte do que qualquer outra coisa. Mais forte do que um vínculo no amor à cerâmica ou a paixão por ópera de vanguarda. Teríamos uma ligação muito mais forte. O dinheiro é importante, mas o objetivo sempre foi a aniquilação da família. No entanto, não significa que eu não me contentaria com nada. E, se ela não se alinhasse, havia opções. Ela havia sido poupada, mas isso sempre foi negociável. E agora você sabe a história toda.

Passei mais oito dias em Limehouse e ainda tenho mais um. Hoje uma guarda desconhecida (a rotatividade de pessoal é alta, provavelmente porque quem, em sã consciência, quer lidar com um monte de mulheres com raiva doze horas por dia em troca de um salário mínimo quando você pode trabalhar em um Starbucks e lidar com mulheres um pouco menos raivosas e *lattes* grátis?) disse que eu deveria esperar para ser liberada à 15h em ponto de amanhã. Como a guarda não se importava com a minha privacidade, anunciou isso na frente de Kelly, que agora insistia em dar uma espécie de festa essa noite, na sala de jogos. Como parte da preparação, ela me fez ir para a cela da sua amiga Dionne fazer maquiagem, algo contra que protestei veementemente, mas fui ignorada.

Encerro isso aqui na minha cela, incapaz de dormir. Consigo lembrar dessa alegria na infância, quando Marie atravessava a sala na véspera de Natal com uma meia para mim. Como toda criança, eu tentava ficar acordada, esperando que o Papai Noel trouxesse meus presentes. Ao contrário da maioria das crianças, saquei o golpe desde o início. Não me incomodou muito. Ainda tinha os presentes, apesar do subterfúgio. Amanhã vou passar a manhã me preparando para manter a calma e conservar minha energia, mas essa noite estou com os pensamentos descontrolados, a adrenalina alta. Como imaginei, minha transformação foi uma experiência que não vou repetir. Saí da cela da Dionne depois de vinte minutos intensos com uma cara que se assemelhava vagamente a uma boneca inflável e com o cabelo desfiado até o último fio. A única desculpa que tenho para permitir isso é que estava chapada com minha liberdade e sabia que não poderia haver fotografias da noite em questão.

Apesar do meu completo sucesso em fazer zero amigas durante a minha estadia, um bom número de mulheres apareceu na festa, atraídas pela distração e pela promessa de refrigerantes e bolo. Não teve bolo, no fim das contas, mas durou 45 minutos de qualquer maneira, quando Kelly disse a todas o quanto ela ia sentir a minha falta, e eu fiz questão de não retribuir o elogio. Duvido que ela tenha captado a mensagem, Kelly tem a sofisticação de uma cópia barata de uma bolsa Birkin. Quando voltei para a minha cela, deitei e fingi ter adormecido às 20h30. Escrevo isso debaixo dos lençóis. Mesmo com poucas horas até eu sair, não posso correr o risco de Kelly tentar uma última conversa profunda e significativa. Amanhã de manhã vou arrumar meus pertences e me preparar para retornar ao mundo. Um mundo que será muito diferente para mim a partir de agora.

COMO MATEI MINHA ~~QUERIDA~~ FAMÍLIA

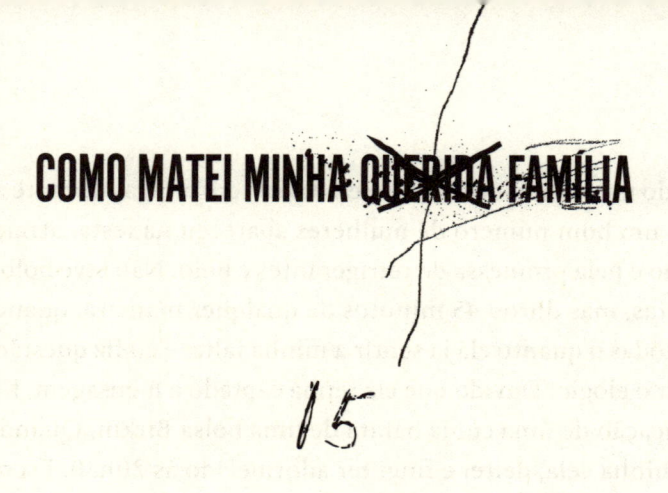

15

Sonhei com a minha mãe ontem à noite. Não foi um sonho agradável, não costumo ter sonhos agradáveis. Também nunca tenho pesadelos assustadores. Em geral, sou transportada para momentos difíceis ou tristes da minha vida e tenho que revivê-los até acordar. Acho que não tenho muita imaginação, mas respeito o meu cérebro prático por não me desviar com aventuras noturnas. Não vou te aborrecer com a lembrança que minha mente adormecida desenterrou, mas acordei com mais saudade de Marie do que nunca e me sentindo mais distante dela do que o normal. Todos os planos e assassinatos me mantinham ligada a ela, como se ela estivesse ao meu lado, mas ela não está aqui comigo. Não que eu a culpe. Aqui não é um lugar para almas penadas. Um fantasma olharia para Limehouse e atravessaria a parede em um segundo. Se Marie está pairando por aí, presa entre este mundo e outro, espero que esteja assombrando uma loja de departamentos chique ou passeando por uma boutique de luxo e reorganizando os manequins.

A propósito, não acredito em toda essa bobagem. Não há fantasmas por esses corredores, e minha mãe não sussurrou ao vento enquanto eu a vingava, mas a memória dela estava fresca na minha raiva, e, agora que tudo acabou, me vejo pensando menos nela. Seu rosto está desfocado e parece desvanecer. Talvez um terapeuta chamasse isso de encerramento. Suponho que matar pessoas e escapar impune *seja* uma espécie de conclusão, mas possivelmente não uma que um profissional de saúde possa recomendar em sã consciência.

Tenho que explicar como Simon morreu. Sei que a morte final é normalmente a cereja do bolo nos romances, a mais importante e mais dramática. Em parte, é por isso que tenho adiado escrever tudo. Porque isto não é um romance. Não organizei meu relato para que a morte dele fosse a mais chocante. Não o empurrei de um balão de ar quente nem o atirei da ponte Waterloo ao pôr do sol. Talvez eu devesse ter tentado um plano desses, apenas para o toque dramático adicional, mas nunca fui de acrobacias desnecessárias.

Assim que o último membro importante da família de Simon foi despachado, minha urgência diminuiu. Como um maratonista que sabe que há apenas mais um quilômetro a percorrer, decidi desfrutar do trajeto por um tempo. Isso significava ver como Simon estava. Dadas as circunstâncias, o funeral da Bryony foi o melhor lugar para observar. Era arriscado tentar ir, e eu tinha pensado nisso por vários dias antes de decidir que haveria um punhado de mulheres chorosas da minha idade por lá para que eu passasse despercebida. Não havia melhor ocasião para ver o sofrimento de Simon em sua forma mais pungente, e de perto. Só precisava desempenhar bem o meu papel. No dia anterior ao funeral, saqueei o armário da empresa, que guardava roupas e acessórios prontos a serem emprestados a clientes importantes para eventos. O conjunto de peças que guardávamos nesse espaço obscuro eram sapatos de marca enfiados um em cima do outro e bolsas que custavam mais de 2 mil libras largadas no chão. Acima deles havia vestidos com paetês e macacões coloridos em uma prateleira, ao lado de uma plaquinha que dizia: "Quanto mais alto o salto, mais perto de Deus". Se os olhos fossem capazes de sangrar, as placas que eu tinha que ver todos os dias no escritório seriam as responsáveis.

Eu sabia me vestir para esse tipo de evento. Passei minha vida adulta toda aprendendo a me misturar em qualquer situação. No trabalho isso significa usar roupas que seguem a linha da monotonia, mas evitam o tédio. No mundo mais amplo, significa idas regulares à Zara como qualquer outra mulher da minha idade para adquirir a armadura básica de calça jeans, blusas de tricô grandes demais e botas de solado grosso, mas, em uma multidão de influenciadoras ricas demais, se encaixar significava algo completamente diferente. Aquelas moças não gastavam apenas quantias obscenas de dinheiro em roupas: qualquer rico pode fazer isso. Desça a Bond Street e ria dos idiotas que acham que sapatos Gucci com pelo e jaquetas acolchoadas com gola revestida de pele são a epítome do estilo e você vai entender o que quero dizer. Não, essas mulheres tinham olhos afiados, eram muito criteriosas com o que vestiam, e ai de você se errasse. Não bastaria ter uma bolsa Prada qualquer, teria que ser aquela que certa estrela italiana do Instagram foi vista usando três meses antes de chegar às lojas. Não me importava com o julgamento delas, claro, mas não queria levantar suspeitas ou causar qualquer objeção em relação à minha presença. Então, peguei um terninho de seda novinho em folha feito por um estilista italiano que eu sabia que era um queridinho da *Vogue* ultimamente e uma *clutch* Celine de pele de cobra cuja ausência, se notada, sem dúvida me faria ser demitida. Em relação aos sapatos, fui com um par de *mules* amarelos de couro e passei o resto do dia torcendo para que o funeral da Bryony não fosse daqueles em que todos usassem luto fechado.

O enterro foi um evento privado, e nem cogitei que me deixassem entrar, mas o velório foi aberto ao público, coberto pelo *Evening Standard* como se fosse a abertura de um novo bar. Nada como uma triste ocasião de luto pela perda de uma jovem para fotos de *paparazzi*. E talvez uma lágrima performativa para seus seguidores verem no final do dia. O local era uma enorme igreja antiga na Marylebone Road, mas não havia nada de sagrado nesse espaço. Anos atrás, tinha sido transformada em um local exclusivo para membros que poderia ser alugado por dezenas de milhares de libras e tinha visto de tudo, desde casamentos de subcelebridades até a festa de 21º aniversário da filha de um oligarca ucraniano, que teve que acabar depois que os organizadores permitiram que ela entrasse com um cavalo pintado de rosa. Nem os nossos amigos equinos conseguem escapar à proliferação do rosa *millennial*.

Entrei na igreja em meio a uma multidão, com óculos escuros refletindo um mar de óculos escuros, diamantes brilhando ao sol e lançando sombras em forma de joia no chão de pedra. A cerimônia foi interminável. Noventa minutos de leituras, canções e até uma apresentação dos momentos mais memoráveis de Bryony, se é que um bando de selfies pode contar como memórias. O verdadeiro ponto baixo foi quando uma moça muito magra, com um vestido transparente exibindo a roupa de baixo em neon, foi até o púlpito e começou a ler um excerto do livro favorito de Bryony: *O Segredo*. A entonação quase acabou comigo. A leitura seguinte foi o poema "eu carrego seu coração comigo (eu carrego no meu coração)", de E. E. Cummings, o patrono de meninas que querem parecer mais profundas, mas não conhecem quaisquer outros poetas. Por sorte, acabou depressa depois disso. Um coro gospel cantou "Stand By Me" lindamente, enquanto enlutados se abraçavam. Não havia muitas lágrimas reais, percebi. Expressões tristes, mas cuidadosamente secas.

Meu foco ali foi procurar Simon. O mestre de cerimônias (não é o termo certo para uma ocasião tão solene, mas o homem usava um terno com adornos dourados e parecia um locutor de bingo, então serve) anunciou no início que, se alguém ficasse emocionado demais, poderia ir ao jardim tomar um ar. O resultado foi um fluxo de pessoas saindo durante toda a cerimônia e voltando com cheiro de cigarro. O vaivém constante fez com que Simon só ficasse visível metade do tempo. Consegui um bom ângulo durante a apresentação de uma música da Adele, enquanto seus ombros sacudiam e ele agarrava de um jeito bem agressivo o pescoço de um jovem sentado ao seu lado, o que fazia o outro homem parecer um tanto desconfortável. O clichê é real: sofrimento não faz bem para a pele. Ele parecia mesmo dez anos mais velho. Só consigo encarar Simon com distanciamento, não há uma verdadeira ligação humana entre nós, mas quase tive um pouco de empatia por ele. Mesmo assim, vê-lo desmoronar com a perda de um ente querido também provocou em mim um novo sentimento de fúria. Os homens muitas vezes dizem que são feministas só depois de ter uma filha e serem forçados a ver as mulheres como seres humanos iguais. Simon só podia sentir tristeza e vulnerabilidade quando alguém que amava tinha sido tirado dele. Minha mãe morreu, e ele sabia que eu tinha sido deixada sozinha no mundo. Para mim, não havia nada. Ele teve o luxo de escolher quem queria manter por perto. Bem, agora não tinha mais.

Uma semana depois, eu estava em casa lendo os jornais enquanto beliscava um doce de massa folhada. Um por semana, uma regra estúpida que iniciei para testar os meus limites de abnegação. Abri o jornal e encontrei uma nota sobre Simon, relatando a preocupação de amigos a respeito de sua saúde mental. Saúde mental. A cláusula de saída para todos os maus comportamentos. Os amigos não tinham nome, claro, mas as citações eram reveladoras. Simon estava "paranoico e recluso, murmurando sobre inimigos em seu encalço". Ele não estava errado, mas a declaração de fato o fazia parecer louco. Ao que parece, ele continuava dizendo às pessoas que tinha certeza de que a filha fora assassinada, apesar dos policiais terem garantido que fora um trágico acidente. Como deve ser aterrador saber no fundo da alma que todos à sua volta estavam sendo assassinados um a um e perceber que, pelo andar da carruagem, você devia ser o próximo. Pior ainda, ninguém parecia acreditar nele. Uma verdadeira calamidade para um homem branco poderoso. Eu não tinha me preparado para saborear a constatação de que Simon começaria a temer pela própria segurança. Sempre me concentrei na tristeza que ele sentiria quando eu matasse os seus entes queridos. Essa paranoia e esse pânico eram um bônus. Me fez pensar se o egoísmo arraigado tornava o medo mais forte do que o luto em si. Refletindo um pouco mais, concluí que sim. Um homem como o meu pai sentiria a perda da família, mas ficaria abalado com a perspectiva de sua vida estar em perigo. Uma esposa e uma filha podiam ser substituídas — ele estava longe de ser o primeiro homem de cinquenta e poucos anos a começar outra família na meia-idade —, mas era a primeira vez que seu senso de segurança estava sendo posto à prova z. Fiquei tão feliz com essa constatação que comi um segundo doce para comemorar.

* * *

A essa altura, pensei viver o meu momento de glória. Agora, olho para trás e vejo como tudo estava prestes a virar um caos. Eu tinha riscado seis nomes da minha lista. Seis já foram, faltava um. A pressão tinha diminuído, e comecei a tentar ter uma vida. Aumentei a frequência das minhas corridas, tive tempo para ler alguns dos livros empilhados na mesa de cabeceira e até fui a alguns encontros. Não tive grandes progressos nesta área, porque quem quer continuar a sair com um homem que tem posteres vintage da *Playboy* na sala? As pessoas pensam que comprar algo e chamar de vintage traz dignidade, mas *Playboys* antigas ainda são revistas para se masturbar, só que desbotadas. E prefiro continuar passando longe de homens que pedem dirty martínis.

De qualquer forma, os encontros não foram o ponto alto desse período. A parte boa foi a sensação de um peso saindo das minhas costas. Sou teimosa. É bom admitir nossas falhas. E essa teimosia significava que um plano concebido na infância era o plano que jurei levar até a idade adulta, sacrificando todo o resto. Se não tivesse decidido que a vingança era um caminho que precisava percorrer, sei que a minha vida teria sido completamente diferente. Impensável, cogitar o que poderia ter sido era doloroso. Denota um pouco de fraqueza admitir isso, mas é verdade. Sendo assim, nunca pensei muito a respeito. Nunca pensei na carreira que poderia ter tido. Eu quis ser jornalista durante uma época, o que imagino que acabaria me dando uma vida semelhante à que tenho agora: enganar os outros e beber álcool. Nunca pensei na possibilidade de Jimmy e eu construirmos uma vida juntos sem mantê-lo a distância enquanto eu me dedicava à minha busca particular. Nunca pensei em como a minha vida tinha sido deliberadamente pequena, sempre cheia de raiva dirigida a pessoas que nunca perderam tempo pensando em mim.

Mesmo sabendo disso, a raiva me consumia. Transbordava cada vez que eu passava pelos portões da mansão de Simon (e eu fazia muito isso quando adolescente; a casa ficava a apenas quinze minutos e um mundo inteiro de distância do enclave Latimer), cada vez que via um alerta do Google dizendo que Bryony estava na coluna da vergonha no *Daily Mail*, sempre que Janine organizava um evento beneficente com cobertura de alguma publicação sobre a alta sociedade. Cada vez que eles eram projetados para o meu mundo, sentia um novo impulso, como se outra mola tivesse disparado a tensão.

No entanto, durante esse interlúdio, senti a raiva murchar. Não de todo, sabe, não ia desistir nem nada, mas Caro tinha acabado de chegar, e eu estava lidando com ela. Minha perda de foco me fez perceber que passava muito menos tempo pensando nos Artemis e seu clã (talvez seja maldade dizer isso, já que não havia mais clã nenhum) e mais tempo pensando sobre o mundo em um contexto mais amplo e o que eu poderia fazer nele.

O plano vago que sempre tive na cabeça era algo assim:

- Matar minha família
- Reivindicar a fortuna da família (isso não estava muito claro na minha mente: eu não queria todo o império tóxico, apenas alguns milhões de libras para viver como bem quisesse)
- Ficar com o Jimmy (claro que Caro trouxe problemas, mas sua morte útil e minha sentença injusta colocavam esse item de volta nas possibilidades)
- Comprar uma casa, viajar, fazer alguns amigos, adotar um cão
- Conseguir todos os itens anteriores.

Era o esquema de uma criança, uma criança metida e tola, sem nenhuma especificação ou redes de segurança embasando os planos. O dinheiro era um extra que eu acreditava cada vez mais estar ao meu alcance, mas o plano, que se formou quando eu sequer entendia a riqueza em si, era todo relativo à vingança. Eu o mantive alinhado mesmo nos momentos em que admiti ser uma obsessão prejudicial. Mas, seja como for, eu o segui fielmente. Avós, bem fácil; Andrew, doloroso, mas bem executado; Lee, pfff; Janine e Bryony, um triunfo; e eu tinha a certeza de que seria capaz de levá-lo até o fim. Essa sensação, após anos de adrenalina, foi entorpecente. Por isso, em vez de me esforçar e acabar com tudo de uma vez, passei horas em sites de imobiliárias vendo casas. St. John's Wood era muito vistosa, cheia de casas bonitas, habitadas por pessoas asquerosas que achavam corrimões cromados o auge da elegância. Primrose Hill era a mesma coisa, mas as pessoas que moravam lá compravam tralha vintage cara e pensavam que eram melhores do que cromo. Kensington é um lugar terrível, e eu nunca consideraria viver em Clapham ou Dulwich ou em qualquer outro lugar em que carrinhos de bebê superem o número de adultos. Levei três dias para escolher Bloomsbury para a minha nova casa dos sonhos e mais dois dias até perceber que estava perdendo o foco.

Tinha caído na zona de perigo da complacência e estava me afundando nela aos poucos. Conversei seriamente comigo mesma, deletei apps de namoro, guardei livros, esmaltes e tudo o que pudesse me distrair, limpando o apartamento até deixar tudo em ordem. Depois colei uma folha de papel A3 na parede do meu quarto e voltei ao plano.

Uma hora depois, escrevi dez ideias e eram todas ridículas. Essa parte do plano, de repente, parecia a mais cansativa, quando sempre achei que seria a melhor. Mate os mais irrelevantes da família para chegar a Simon. Passe pelas entradas para chegar ao prato principal, mas, em vez disso, parecia que eu estava me arrastando. Então vesti minha roupa de corrida e parti para Hampstead, seguindo um caminho que conhecia como a palma da mão. Acabei nos portões dos Artemis à espera de inspiração. A rua estava tranquila, exceto por um segurança particular que passou por mim fumando um cigarro. Ele mal me olhou, o que confirmou minha longa suspeita de que os seguranças estão lá para dar uma falsa sensação de segurança a pessoas ricas paranoicas, mas não conseguiriam desarmar um ladrão com mais desenvoltura do que sua avó. Dependendo da avó, ela podia até ter mais chances.

Fiquei fora do alcance da câmara do circuito interno ligada ao portão e olhei para a casa, afastada da rua e quase escondida por um jardim ao redor da propriedade.

As persianas estavam fechadas em todas as janelas, encerrando o mundo do lado de fora. A porta da frente, parcialmente oculta por um enorme Range Rover, estava firmemente fechada. Não era apenas uma casa em luto, as casas dos ultrarricos muitas vezes parecem desabitadas. E, muitas vezes, são. Quando você tem quatro ou cinco casas, não fica muito em um só lugar. Se Simon decidisse fugir para o seu buraco barbadiano ou passar meses vagando pela cobertura em Mônaco com saudade de Janine, eu estaria em apuros. Essa última opção era menos provável, já que ele não parecia ter passado muito tempo de luto pela mulher. Também não consigo imaginar que quisesse dar um tempo no lugar onde ela teve uma morte tão grotesca. Foi então que os portões começaram a se abrir, e um carro esportivo apareceu, conduzido por um jovem que imaginei ser um assistente. Isso deve significar que Simon estava em casa e senti uma pontada de esperança.

Na minha casa, risquei todos os planos que tinha na cabeça para ele ao longo dos anos. Alguns eram tolos, fantasiosos, impraticáveis. O plano inicial de aparecer como tripulação no avião particular dele me causou vergonha. Quanto tempo eu teria que treinar para chegar a esse ponto? Francamente, Grace. Alguns eram mais realistas, e cheguei a levar em consideração a ideia de enviar um presente de condolências para o escritório dele, que podia ou não conter uma substância letal. Experimentei uma sensação de desespero, achando que tinha feito tudo errado, que devia tê-lo matado antes do resto da sua família horrorosa. Eu o tinha deixado paranoico e recluso. Na minha euforia e insistência em pegar ritmo, tinha tornado o alvo final quase impossível de alcançar.

Minha tristeza infectou a minha confiança e me fez recuar de todos os planos parciais que tinha delineado. Depois, as coisas ficaram infinitamente piores quando o Jimmy ficou noivo da Caro, prejudicando meu humor, e eu acordava à noite suando. Tinha uma sensação da catástrofe, como se as coisas estivessem correndo à minha revelia, já fora do meu alcance. Eu não conseguia controlar nada.

E eu estava, infelizmente, muito certa. Você olhou para o começo deste texto e viu que matei seis membros da minha família? Notou que parece que já atingimos esse número mágico? Bem, sem prêmios para seus olhos de lince. Não seja presunçoso, ou pense que sou tola. Já passei meses lidando com o meu fracasso, tentando me livrar da sensação de que foi tudo em vão. Para aqueles com um processo cognitivo mais lento, vou soletrar. Eu não matei Simon Artemis. Meu único objetivo na vida, e eu nunca o alcançarei. E por que não? Porque ele está morto. Morto, mas devido a um terrível acidente e não pelas minhas mãos.

Preferia que ele vivesse mais anos em ócio e tristeza do que morresse por uma droga de um acidente. Que piada cruel.

Três dias depois de eu ter sido presa pelo assassinato de Caro Morton, Simon foi dado como desaparecido pelo *The Times*. A princípio, não foi notícia de primeira página; tomou a metade da página 3 (minha prisão só chegou à página 6), mas, no dia seguinte, o rosto dele estampava todos os jornais. Por que não estamparia? A história tinha tudo: dinheiro, poder, morte, escândalo e um mistério intrigante. A mídia revisitou suas reportagens sobre o ano trágico na família Artemis. Lee, cuja morte havia sido silenciada com algum sucesso na época, foi exposto como um depravado sexual. Um repórter de tabloide conseguiu entrar no apartamento vazio de Janine e tirar fotos da sauna, acompanhadas por uma legenda que dizia "Queimada viva: Simon tirou a própria vida após a morte horrível da esposa?". Antes que houvesse sequer certeza de que ele estava morto, os amigos de Bryony usaram a história como desculpa para postar fotos dela com a hashtag #unidosnoparaiso. Se o céu recebesse magnatas desprezíveis e arrogantes, então algo tinha corrido muito mal no departamento de RH dos Campos Elísios.

Simon tinha desaparecido no mar. Isso o faz parecer um marinheiro antigo quando, na realidade, saíra bêbado de lancha, apesar dos avisos da tripulação. Ao que tudo indica, estava escapando para sua casa em St. Tropez. Eu nem sabia que ele tinha uma casa lá, uma vez que fica perto da costa de Mônaco, mas talvez Janine quisesse uma casa de campo para seu merecidíssimo descanso. Os ricos são inteligentes. Nenhuma dessas propriedades está em nome de milionários. É para isso que servem os fundos *offshore* anônimos. Um assistente foi com ele, porque estava preocupado que ele pudesse fazer alguma loucura, que foi o que aconteceu.

De acordo com ele, Simon estava pilotando muito rápido, virando a lancha de lado. Alarmado, o assistente tentou assumir o controle, e, enquanto passava por ele, meu pai bêbado caiu pela borda. A lancha estava a toda, e o homem levou um tempo para descobrir como controlá-la. Quando conseguiu desacelerar e voltar, Simon já tinha afundado. O assistente rodou pela água por meia hora, procurando em vão qualquer sinal de seu empregador antes de retornar ao iate para pedir ajuda. A Guarda Costeira foi chamada e executou uma busca, mas o céu escuro e a vastidão do mar foram desafios incontornáveis. E, sendo assim, Simon Artemis foi dado como morto. Dado como morto significa morto, não? Eles não tinham encontrado o seu cadáver inchado mordiscado por criaturas marinhas, mas talvez fosse apenas uma questão de tempo. Ou talvez o corpo dele tenha afundado, desintegrando rapidamente, para nunca mais ressurgir. Dava na mesma. E, enquanto escrevo isto, as autoridades ainda não encontraram nenhum vestígio dele. Nem sequer uma abotoadura monogramado. Ele se foi. Ele nunca soube o que eu fiz.

Chorei. Chorei dois dias inteiros. A tristeza que sentia era pior do que quando minha mãe morreu. Não pelo Simon, mas por tudo o que eu tinha feito para matá-lo com minhas próprias mãos. A morte que daria algum sentido para a minha vida. Eu vingaria Marie e provaria que poderia superar minhas dificuldades. Eu faria justiça. Agora, tudo o que eu tinha era a certeza de ter matado com sucesso alguns aposentados, afogado um rapaz simpático que queria ajudar anfíbios, seduzido meu tio para um clube de sexo letal e matado duas mulheres mimadas de quem o mundo nunca sentiria falta. Não era bem a vitória gloriosa que eu tinha em mente.

Nem sequer tive a oportunidade de beber vinho do gargalo e andar pelo meu apartamento ouvindo The Cure nas entranhas da tristeza. Não deu tempo para nenhuma diversão. Logo fui acusada pelo homicídio de Caro Morton e detida. Parecia uma piada esdrúxula ter que enfrentar julgamento por um homicídio que não cometi. Eu tinha sido derrotada pelo universo e, se você acredita em carma — coisa que eu não acredito, visto que é para pessoas que também adoram cristais — dá para achar que tinham esfregado uma torta de carma na minha cara.

Comentei que caí em um estado depressivo no início da minha estadia na prisão. Talvez seja um pouco mais óbvio agora por que isso me atingiu com tanta força. Faltava sentido para lutar contra a acusação, porque não sabia que tipo de vida me aguardava, se era o bastante para me dar esperança. Quando lembro dessa época, vejo uma sombra vacilante de mim mesma. Estava completamente frouxa. Por sorte, o choque passou. Em parte, a rotina ficou menos insuportável. A gente se acostuma bem rápido com a cadeia. Comecei a achar mais chato do que assustador e, à medida que o meu cérebro diminuía o nível de ameaça, comecei a pensar em outras coisas além de como respirar normalmente quando as portas se trancavam à noite. Isso significava me interessar pelo meu caso e despertar para suas brechas. Atravessei o julgamento como um zumbi, mal me envolvi com o processo, destruída pelos meus fracassos, mas comecei a ver como o meu veredicto podia ser contestado. Foi quando contratei George Thorpe. Assim como acontece em tantas searas da vida britânica, se você quer ser ouvida, levada a sério e tratada com respeito, contrate um homem branco elegante para falar em seu nome. Melhor ainda se for de meia-idade. É o ápice do privilégio.

Thorpe me fez ver que eu não tinha que considerar a decisão do júri como definitiva.

"Grace, os jurados nem sempre são o tipo de pessoas que temos que ouvir. Às vezes estão errados, em grande parte motivados pelos próprios julgamentos pessoais, além de terem uma compreensão muito básica dos fatos. Há muitas opções à nossa disposição, por isso vamos ver o veredicto deles como uma mera oferta inicial, está bem?" Eu podia ter beijado o homem se ele não estivesse usando suspensórios por baixo do paletó.

O que realmente mudou minha atitude foi ler que Lara tinha anunciado que ia abrir a Fundação Artemis para ajudar crianças imigrantes. Gostei muito disso, imaginando que seria seu *foda-se* final para uma família pouco propensa a se preocupar com a situação das crianças, mas também fiquei alarmada. Até que ponto Lara pretendia ser boa? Se o dinheiro estivesse prestes a ser investido em fundos de caridade, eu teria dificuldade em acessar qualquer parte. Talvez não seja um grande endosso do meu caráter que eu tenha sido impulsionada pela preocupação de que meu dinheiro seria dado a crianças refugiadas, mas nós somos quem somos. Matei seis pessoas: a essa altura, não faz sentido me inquietar com a minha ética. Comecei a trabalhar, então, combatendo qualquer depressão persistente. Até consegui reformular os meus fracassos. Não consegui matar Simon, não adiantava tentar suavizar o golpe, mas despachei seis membros da família dele em sucessão rápida, provocando sentimentos de terror, confusão e tristeza que o seguiram até seus momentos finais. Gosto de pensar que, se não fosse por mim, ele nunca estaria bêbado e alucinado em uma lancha. Assim sendo, desempenhei um papel vital na sua morte, mesmo sem estar lá para testemunhar o momento glorioso. Não gosto muito de barcos, então talvez tenha sido melhor assim. Eu tinha boas cartas na mão, mesmo que não fosse o Royal Flush que eu esperava.

COMO MATEI MINHA ~~QUERIDA~~ FAMÍLIA

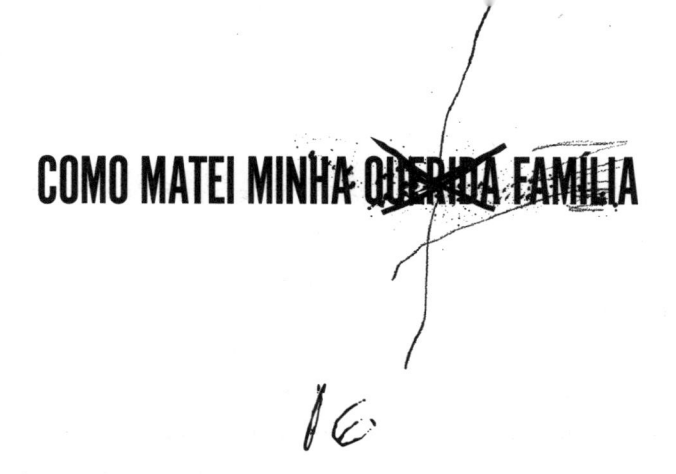

Acho que devo começar pelas apresentações, caso contrário, isso será ainda mais estranho para você do que já é. Me chamo Harry e sou seu irmão. Nossa, que começo bobo, não acha? Parece que estou fazendo uma péssima imitação do Darth Vader, mas, mesmo assim, é verdade. Não da mesma mãe, claro, isso seria um absurdo. Mesmo pai, óbvio. Desculpa, não sei bem como explicar direito.

Talvez eu deva começar pelo princípio. Só descobri quem era o meu pai aos 23 anos. Bem, não exatamente. Passei esse tempo de vida com um pai adorável. Christopher era um cara fantástico, sempre pronto para me levar no treino de rúgbi, me ensinou a atirar quando eu mal tinha idade para segurar uma arma. Ele costumava subir quando a babá me dava banho e colocava o pijama em mim. Segurando um copo de uísque, ele se sentava na minha cama e lia uma história todas as noites. Ele não era fã de livros infantis modernos, preferindo histórias de Arthur Ransom e John Buchan. Tinha uma voz baixa e profunda e costumava gesticular com as mãos enquanto lia para mim, o gelo em sua bebida tilintando. É um som de que gosto até hoje.

Meus pais tiveram duas filhas depois de mim. Havia uma sensível diferença de idade entre nós, cinco anos entre mim e a Molly, e mais dois entre a Molly e a Belle. Meus pais me disseram que era porque me dedicavam toda a atenção. Isso foi uma coisa que eu usava muito contra minhas irmãs, aliás. É divertido ter irmãos, mesmo com a diferença de idade. Você foi filha única, não foi? Não consigo imaginar não ter cúmplices por perto o tempo todo.

Sempre alguém com quem brigar. Sempre alguém com quem brincar. Minha mãe era do tipo nervosa, mas uma mulher adorável, apesar de tudo. Ela trabalhava antes de eu nascer, era professora primária, mas acho que o que ela queria mesmo era criar uma família e viver no campo. Sei que já não é moda, mas funcionou muito bem para a nossa família. E meu pai ficou feliz em poder proporcionar isso. Acho que a mamãe não era forte o bastante para trabalhar. Provavelmente você acha isso ridículo. Sei como é forte. Também deve achar isso ridículo, já que nunca nos conhecemos bem, mas tenho razão, não tenho?

Céus, eu divaguei, não foi? Como estava dizendo, só descobri quem era o meu pai verdadeiro quando era adulto. Me formei em Exeter com um diploma em Ciências Políticas e Econômicas e me mudei para Londres para trabalhar na cidade e me divertir. Crescer em Surrey significava que Londres parecia visceral e empolgante para mim. Na verdade, ainda parece. Você nasceu lá, não foi? Imagino que esteja cansada da cidade, acostumada. Sorte a sua! Mas, mais do que tudo, eu queria ganhar dinheiro. Vivíamos bem, certamente, mas eu via o que os outros garotos tinham na minha escola e sempre senti um desejo real de conseguir as coisas. Christopher era o diretor de uma empresa de contabilidade de porte médio e ganhava muito bem. Foi sempre o suficiente. Até que, um dia, não foi. Foi nesse dia que um garoto da minha turma veio para um chá durante as férias, quando eu tinha cerca de 8 anos, e perguntou se o nosso motorista poderia levá-lo para casa mais tarde. Mamãe sorriu e disse que o acompanharia, mas ele ficou confuso. Foi quando eu soube o que estava perdendo. Engraçado, perceber aos 8 anos que se quer um motorista. Imagino que a maioria das crianças de 8 anos queira um Xbox.

Treinar para ser corretor de investimentos foi cansativo. Dezoito meses depois, durante um almoço, recebi um telefonema enquanto tentava enfiar o sanduíche na boca e ler as notícias do dia. Era mamãe, o nome dela é Charlotte, aliás, todos na família a chamam de Lottie. Meu pai teve um ataque cardíaco, e ela estava no Royal Surrey Hospital com as minhas irmãs. Chamei um táxi em Liverpool Street e disse ao motorista para me levar lá o mais rápido possível, mas era tarde demais. Ele morreu antes de eu chegar. Sei que você entende como me senti naquele dia, tendo perdido sua mãe tão jovem. Estávamos todos inconsoláveis. Tirei três dias de folga para ficar com a minha mãe e as minhas irmãs, embora a minha mãe tenha ficado na cama sem falar muito nessa época, porém tive que voltar ao trabalho e consegui fazer a vovó vir de York para ficar com elas. O funeral foi uma semana depois. A igreja estava cheia de amigos do Christopher, os que ele tinha na feita escola em Eton, os do trabalho e todos entre uma época e outra. O coro cantou "Jerusalem", e todos disseram que meu pai era um verdadeiro cavalheiro. Minha mãe tomou um calmante leve para dar conta, e as minhas irmãs choraram muito, mas foi uma despedida digna, um belo dia, apesar da tristeza. Ou pelo menos estava sendo, até as 17h. O velório aconteceu na nossa casa. Tínhamos recebido a comida, mamãe não estava disposta a organizar nada. Assim, tudo o que havia a fazer era ficar plantado e aceitar palavras educadas das pessoas que tinham comparecido. Minha mãe tinha se retirado para o quarto meia hora antes e eu tentava falar com o máximo de pessoas. As meninas estavam sentadas na sala com a vovó. Pareciam esgotadas. Era o meu dever agora. Quando me livrei de um homem chato de terno cinzento que trabalhava com meu pai e fui ao banheiro, senti um tapinha no ombro. Era a minha tia Jean. Eu a chamo de tia, mas, na verdade, ela é a amiga mais antiga da minha mãe. São próximas como irmãs, e ela é uma presença constante desde a minha infância, embora eu não a tivesse visto muito nos últimos anos. Ela parecia velha agora, com grandes olheiras escuras e profundas abaixo dos olhos e uma estranha mão ossuda que agarrou a minha.

"Sinto muito pelo querido Christopher", disse ela, suspirando. Eu murmurei "obrigado" e conversamos brevemente sobre o dia. "Ele sempre te tratou como um filho. Sempre. Ele era um homem maravilhoso." Você me tomaria por um tolo por não entender de cara, mas assim que as palavras saíram, ela vacilou, soltou minha mão e seus olhos se arregalaram. Só por um segundo, sabe, mas vi que estava assustada. Jean começou a se despedir, tinha que ir, era uma longa viagem. Assenti com a cabeça, dei-lhe um abraço e disse que me despediria da mamãe por ela. Entrei no banheiro do andar de baixo e vasculhei no bolso do casaco atrás do maço de cigarros que me certifiquei de manter por perto caso precisasse de um momento para mim naquele dia. Sei que você também faz isso, não é? Nem sempre, você não é o tipo de garota que toma o café da manhã fumando um cigarro. Só às vezes, quando precisa dar um tempo do mundo. Uma vez, pedi seu isqueiro emprestado no pub da esquina do seu escritório. É uma boa tática se quiser passar um segundo ou dois observando alguém sem que a pessoa se preocupe ou se assuste. Saí pela porta lateral e entrei no jardim da cozinha, onde não havia convidados. Agachado, de costas contra a parede, repassei o comentário de Jean na minha mente sem parar. Um comentário feito por uma mulher triste que normalmente eu teria reduzido a um momento de desvario, mas ela parecia tão apavorada quando disse aquilo. Não havia dúvida. Acho que sou uma pessoa racional, Grace. Me orgulho de ignorar o que não presta e descartar abnegação. Então, a única conclusão sensata, por mais dolorosa que pudesse ser, foi de que Christopher não era o meu verdadeiro pai.

Esperei até que o último convidado tivesse ido embora, me certifiquei de que as minhas irmãs estavam distraídas em frente à televisão e subi a escadas estreita até o quarto da minha mãe. A sua mãe era fraca, Grace? Imagino que sim. Aposto que ela era bem parecida com a minha em muitos aspectos. A única diferença é que a minha mãe tinha um marido para protegê-la do mundo, e a sua, não. Eu não queria fazer com que ela sofresse um golpe duro naquele dia. Mas, de repente, me senti cansado demais de pisar em ovos perto dela para que não tivesse que enfrentar nenhum estresse ou desagrado, como ela costumava dizer. Eu queria ser direto dessa vez. Então eu fui.

Lottie não estava dormindo. Estava deitada na semiescuridão, abraçando uma almofada como se fosse um animal de estimação adormecido. Ela parecia pequena, com o cabelo loiro espalhado pelas almofadas como se fosse de uma criança. Sentei do outro lado da cama e disse a ela que sabia que Christopher não era o meu verdadeiro pai. Não valia a pena deixá-la ter a menor oportunidade de mentir. Se achei que ela fosse ceder e pedir perdão, eu estava errado. Ela agiu com uma energia que eu nunca tinha visto. Era uma energia que eu não sabia que ela cultivava dentro de si, para ser sincero.

Demoramos dez minutos para passar pela indignação, com ela se mostrando incrédula com a minha suspeita. Foram vinte minutos para superarmos o choro e a insistência de dizer que não poderíamos falar sobre isso bem naquele dia. Em meia hora, Lottie estava me abraçando, dizendo que o Christopher era meu pai, não importava o que dissessem. Dez minutos depois, ela começou a contar a verdade.

Minha mãe cresceu em um ambiente bastante protegido em Somerset, com uma família que tinha uma boa casinha e um nome respeitado. Não havia muito dinheiro para ela posto que o primogênito era um filho valioso, mas ela estava contente. Foi para Londres aos 20 anos, aparentemente para trabalhar em uma galeria de arte em Savile Row, mas principalmente, ela me contou, para viver uma aventura. Para minha mãe, isso significava muitas baladas, discotecas e festas no sul da França com amigos ricos. Eu sabia que ela morara em Londres antes de eu nascer, mas fiquei um pouco surpreso com a vida desregrada que ela me relatava agora. Minha mãe usou cardigãs e galochas todos os dias da minha vida. Ainda é difícil imaginá-la indo a algumas casas noturnas que frequento na cidade. Ela já conhecia Christopher, mas eles eram apenas amigos. Ele era tímido, algo que eu sabia que tinha sido por toda a vida, e ela não o notava muito quando estava em grupo.

Uma noite, na boate Vanessa's, ela estava sentada à mesa com um grupo de amigas quando um garçom trouxe uma taça de champanhe e disse que era uma cortesia do cavalheiro no bar. Quando ela olhou, viu que era um homem de cabelo escuro, de calça e camiseta preta, olhando-a com intensidade. Entre respirações entrecortadas, minha mãe explicou que ficou intrigada. A maioria dos homens que ela conhecia já eram fac-símiles dos seus pais. Certinhos e reservados, à procura do tipo ideal de esposa. Esse homem era diferente, e as amigas dela fizeram um grande alarde por causa da abordagem, incitando-a a ir falar com ele. E foi o que ela fez. Minha mãe ansiosa, que sempre vai para a cama quando a vida a oprime, se aproximou de um estranho e iniciou uma conversa.

Não preciso contar o resto, certo, Grace? Porque você já sabe. Não é sua história, mas é. Quando Lottie descobriu que estava grávida, esse homem já tinha ido embora. E ela não era forte como a sua mãe. Aterrorizada com o que os pais pensariam, ela entrou em negação. Até que um dia, o meu pai apareceu no apartamento que ela dividia com amigos, perto da King's Road, e disse que sabia o que tinha acontecido. Não sei se ele tinha adivinhado ou não, Lottie estava chorando quando me contou, e eu não queria abusar, mas ele foi muito gentil e falou que deviam se casar. Isso me faz sorrir. Um ato de heroísmo vitoriano do velho. Eram os anos 1990, pelo amor de Deus! Mas os meus avós eram antiquados, e tenho certeza de que odiariam qualquer fofoca da sociedade. Assim como a minha mãe, aliás. Há uma parte da classe alta britânica que gosta de escândalos, ou pelo menos acha tudo uma piada. Minha família, apesar da nossa boa sorte, não estava nesse nível. Minha mãe sorriu quando se lembrou de sua reação a essa proposta, ainda abraçando a almofada junto ao corpo. Não sei se Lottie amava Christopher com uma paixão romântica naquela altura. Talvez nunca o tenha amado assim, mas eles eram felizes, Grace. Contentes. E isso parece significar mais do que os fogos de artifício e a paixão que os homens acham que as mulheres querem. O príncipe Charles, que parece ser um cara decente, ficou todo atrapalhado quando uma repórter perguntou se ele estava apaixonado por Diana e respondeu dizendo: "Seja lá qual for o significado de 'apaixonado'".

    Eu não sabia o que fazer naquela noite. Ver minha mãe chorar foi uma coisa horrível. Então a abracei, dei o calmante que o médico da nossa família receitou e a deixei dormir. O resto se desenrolou nas semanas seguintes. Voltei ao trabalho e ia para casa da minha mãe todas as noites de sextas-feiras, levando o cachorro para passear e andando quilômetros com as minhas irmãs, me certificando de que minha mãe se alimentasse (ela tem tendência a se esquecer de comer quando está ansiosa). Às vezes, eu fazia umas perguntas sobre o meu pai, e ela corava. Às vezes respondia, outras não, ou não podia, mas não consegui esquecer. Eu olhava para as minhas irmãs e, de repente, via como seus traços não eram como os meus. Me perguntava quais partes de mim eram da minha mãe e quais não eram. Meu temperamento sempre foi assunto na minha família — posso explodir de uma forma que mais ninguém explode. Christopher era muito tranquilo; Lottie, mansa demais. Agora eu sabia que vinha de outra pessoa. A origem é importante para mim, Grace. Não de um jeito pomposo, de sangue azul, como alguns dos rapazes com quem andei na escola que procuravam saber quais eram as terras da família nos anos 1500, mas porque te diz coisas a seu respeito que mais nada pode dizer.

Pensei que eu era filho de Christopher e Lottie Hawthorne e sabia o que isso significava. Eu sabia quem eu era e quem eu seria. E agora eu tinha que descobrir como eu estava errado sobre tudo isso.

Ela revelou o nome do meu pai em um domingo, quando estava colocando as bagagens no carro para voltar a Londres. Quando ergui a última mala, ela veio até mim, passando os braços em torno do corpo como se estivesse se protegendo de mim, e beijou minha bochecha.

"Simon. Simon Artemis", sussurrou ela, ao se afastar de mim e caminhar com propósito de volta para a cozinha onde minhas irmãs faziam bolos.

Não sou versado no mundo das celebridades. Me pergunte sobre as Kardashian, e eu digo com orgulho que pensei que fossem uma dinastia do Oriente Médio até dois anos atrás, mas conheço o mundo dos negócios e aquele nome me atingiu com tudo. Durante toda a viagem para casa, vasculhei na mente todos os detalhes que tinha sobre ele. Seus pais eram de classe média confortável padrão — e orgulhosos do status recentemente alcançado —, mas Simon queria muito mais para si. Ele tinha aquela mente agressiva de negócios desde o início. Começou com uma banca vendendo eletrônicos usados na rua principal local, mas passou a vender roupas vintage em um bairro chique no oeste de Londres, quando percebeu que o valor de revenda era maior em um poncho velho sujo se você pudesse criar uma história sobre como Jane Birkin poderia tê-lo usado nos anos 1960. Ele comprou sua primeira loja aos 19 anos, que encheu com tralha velha comprada em mercados de pulgas. Os produtos não pareciam tão sujos quando vestidos em manequins finos e banhados por luzes de neon frias. Com a segurança das finanças da própria família, Simon geria o mini-império enquanto frequentava a universidade. Grande parte de sua imagem de "empreendedor" é apenas isso. Imagem, mas ajudou muito com sua reputação.

Mas roupa não era o principal interesse comercial do Simon. O dinheiro dele de verdade veio de investimento e de imóveis, mas a marca da moda foi o estopim. Desde então, o império Artemis só tinha crescido, tornando-o consolidado entre os ricos. Simon Artemis era um conselheiro do governo na pasta do Comércio, um papel simbólico, na verdade, mas deu-lhe um verniz de respeitabilidade que, para ser sincero, ele não merecia.

Eu não sei o quanto você sabe (ou se importa) sobre os negócios dele, mas Simon era um golpista desde o início e não mudou muito ao longo das décadas. Seu negócio de moda funcionou quando tantos outros fracassaram porque ele manteve um olho feroz nas margens e explorou todas as lacunas disponíveis. Comprou a Sassy Girl com dinheiro de investidores privados e depois pagou com ativos que tirou do negócio. Não lhe custou um tostão! Ele passou a produzir roupas novas quando descobriu fábricas em países distantes onde as leis trabalhistas eram inexistentes. Isso mudou quando houve um protesto sobre as condições de trabalho nas fábricas em meados dos anos 1990, mas ele apenas trocou as operações para outro país mais ávido em fechar os olhos e mais capaz de manter jornalistas e ativistas a distância. Simon empregou uma equipe de advogados e contadores para garantir que ele pagasse o mínimo imposto possível no Reino Unido, e ele manteve contratos muito duvidosos com os funcionários, que muitas vezes eram encerrados antes que ele tivesse que pagar as férias. Os acordos de confidencialidade percorriam a empresa — Deus sabe o que encobriam. Houve pelo menos oito casos de mulheres demitidas quando engravidaram, e embora seus advogados tenham sido capazes de argumentar com sucesso que havia razões legítimas para as demissões, todos sabiam que a empresa Artemis era gerida por um time implacável.

A propósito, não tenho problema com nada disso. Penso que as empresas devem se autorregular e que a legislação destinada a proteger os trabalhadores asfixia exponencialmente a inovação e o crescimento. Amarre as mãos de uma empresa com força demais e não sobra alternativa senão mudar a sede para outro lugar, um desastre para a economia do Reino Unido. Simon jogava dentro da lei, e não o culpo por explorar os limites disso.

Achei difícil aceitar quem era o meu pai por uma razão diferente e estou ciente de que isso pode causar uma impressão ruim de mim, Grace, mas estou sendo totalmente honesto, e não é como se você pudesse fazer alguma coisa com isso, então vou ser direto. Minha principal reação quando descobri quem era o meu verdadeiro pai depois de anos foi de muita vergonha. Christopher era um homem que sabia qual galocha tinha o tom certo de verde para não ser vistosa demais. Ele usava ternos de lã simples e nunca teria usado um cartão de crédito gold por medo de parecer *gauche*. Eu cresci em uma família onde o gosto e a etiqueta eram natos, estavam na nossa formação, nunca eram discutidos, porque nunca precisávamos articular nada disso. Mas esse homem era o oposto de tudo o que eu entendia. Passei alguns dias na internet procurando todas as informações que encontrei sobre ele e todas as páginas em que cliquei me horrorizaram. Simon tinha uma frota de carros com placas personalizadas. Ele usava um anel no dedo mindinho com um brasão que tinha desenhado para a família e encomendado de um joalheiro que vendia principalmente para russos. Houve vários segmentos na *Hello!* mostrando a casa da família Artemis e a quantidade de creme e dourado me fez grunhir alto. Era tudo muito cafona. Era dinheiro novo, mobília nova, coisa de alpinista social. Tudo o que eu sabia que eu não era, sem nem mesmo ter que explicar o porquê.

Eu não entendia como Lottie podia ter sido seduzida por um tipo desse. Ela era fraca e jovem, claro, mas, meu Deus, aquele homem era a antítese de tudo o que ela conhecia. Fiquei enojado, verdade seja dita. Minhas irmãs nasceram em uma família feliz, onde a convenção e a tradição significavam muito. Pensei que eu também era assim. Mas eu tinha vindo parar aqui depois de a minha mãe ter sido tola o suficiente para se entregar por uma noite a um *playboy* que passava férias em Marbella e de vez em quando aparecia em um programa de TV sobre novas ideias de negócios chamado *Guerras de Magnatas*.

A classe importa, Grace. Eu sei que não é correto dizer isso, mas acho que é uma loucura negar uma verdade só porque é desconfortável. Não sei o que você achou do passado do Simon ou da afeição dele por relógios tão grandes que podiam ser um despertador, mas imagino que você tenha tido reservas semelhantes. Não quero dizer que foi pior para mim, mas, vá lá, foi pior para mim. Cresci no meio do rígido sistema de classes que os britânicos criaram há mil anos. É sempre pior para aqueles de nós que estão se equilibrando precariamente entre categorias — pelo menos você sabia onde estava na ordem.

Passei alguns meses saltando entre o trabalho e a casa de Lottie, tentando dar às minhas irmãs uma sensação de normalidade, e, para ser honesto, tentando me proporcionar o mesmo. Em Londres, eu progredia no escritório e ganhava um dinheiro decente, mas em Surrey tornava-se cada vez mais óbvio que Christopher não estava tão confortável como pensávamos. No testamento, ele deixou tudo para Lottie — a casa, o carro, os investimentos e a pensão —, mas ele tinha refeito a hipoteca em segredo três anos antes e usava a pensão para pagar despesas frívolas e a mensalidade escolar das meninas. Nada muito extravagante — Christopher não era um gastador —, mas, como eu digo, nosso círculo social tinha padrões muito exigentes, e meu pai estava claramente interessado em andar no mesmo ritmo de todo mundo. No nosso caso, o ritmo dos Guinness, dos Montefiore, dos Ascot.

Lottie preferiu enterrar a cabeça na areia, se distraindo de quaisquer problemas imediatos que a morte do marido tinha trazido, fazendo jardinagem quase obsessivamente do nascer do sol até o entardecer. Sempre que eu tentava tocar no assunto com ela, os brotos eram enfiados nas minhas mãos ou as ervas daninhas, atiradas em mim. Uma vez, ela atravessou uma sebe espinhosa só para fugir da conversa, mas eu tinha me debruçado nos números e sabia que precisávamos de uma injeção de dinheiro, e depressa. Perder a casa seria uma indignidade da qual nenhum de nós se recuperaria facilmente. Nossa família é tradicional, e agora eu era o chefe da casa, independentemente das tempos modernos. Lottie não podia ou não queria enfrentar os fatos, então assumi o fardo.

Sou prático, Grace. Fui muitas vezes repreendido pelo meu professor de inglês por não ter a imaginação necessária para entender obras de ficção. Eu não conseguia ver o cerne na maior parte delas; se vou ler um livro, quero que ele seja uma autobiografia. Focada em esportes, se possível. Nunca achei que isso fosse um impedimento na vida. Não sou um sonhador. Sei o que quero e do que preciso para uma vida boa e vou me esforçar para conseguir, mas não tive tempo suficiente para garantir o futuro da minha família enquanto estava em uma posição de estagiário na cidade. Por isso, tomei uma atitude diferente.

Consegue adivinhar o que há por vir? Acho que é bastante óbvio. Decidi que Simon seria a nossa salvação. O pensamento veio pela primeira vez uma noite no meu quarto quando revisava as notas do contador sobre a hipoteca, as despesas com a escola e com a casa. As despesas eram enormes e não havia nenhum rendimento futuro grande o suficiente para arcar com tudo. *Peça ao seu verdadeiro pai*, uma voz dentro do meu cérebro sussurrou. Quase ri. Eu, contatar aquele homem do nada, pedindo para financiar uma família desconhecida. Absurdo. E mesmo que pudesse, não queria me envolver com ele. Não por qualquer dúvida moral — dinheiro é dinheiro, e ele com certeza tinha bastante —, mas porque era tudo tão sujo. Um pai recém-descoberto, um homem fotografado com oligarcas em clubes exclusivos para sócios levemente suspeitos. Um motorista de Bentley.

Ignorei o pensamento, mas ele ficava voltando. Sempre que eu olhava para as finanças, o nome dele dançava à minha volta. Finalmente, depois de uma conversa um pouco dura com o contador, que explicou sem rodeios que, a menos que algo fosse feito, as meninas teriam que deixar a escola no final do ano, minha determinação desmoronou.

Não se manda e-mails a um homem como o Simon Artemis. Aprendi isso com poucos meses no mundo financeiro. Pessoas assim são importantes demais. Elas têm cinco assistentes e a caixa de entrada do e-mail é monitorada, peneirada; as mensagens são priorizadas e aceitas em minutos. Qualquer coisa que eu enviasse seria atribuída à pilha dos "doidos" e esquecida. Então, apareci no escritório dele. Foi uma jogada arriscada, mas achei que a abordagem direta me serviria bem. Ao ler as páginas financeiras todos os dias, soube que a empresa Artemis estava de olho em uma empresa de roupas menor chamada Re'belle, com pontos de excelente localização em Soho e Kensington. O antigo proprietário não cedeu, insistindo que a empresa seria sempre um negócio familiar. Usei o nome do filho dele na recepção e falei que estava lá para abrir um novo canal de comunicação. Tudo poderia ter dado errado, mas o assistente parecia saber quem eu dizia ser (suponho que Benny Fairstein seja um nome bastante memorável se você está no mundo da moda) e pegou o celular na hora. Só tive que esperar dez minutos antes de ser conduzido ao escritório do Simon. Os olhos dele estreitaram quando entrei, e eu sabia que só tinha um momento para explicar quem eu realmente era.

Grace, você é a única pessoa no mundo com quem quero dividir isso. Sei que vai achar fascinante, sem se interessar apenas pela fofoca em si. Fui direto, não me desculpei pelos falsos pretextos. Sentei-me em uma poltrona em frente a ele e, olhando nos olhos dele, disse que era seu filho.

Antes de dar mais explicações, preciso dizer que ele não pareceu muito surpreso. Talvez estivesse à espera de que aparecesse um ou dois filhos esquecidos. Sensato se assim for.

Falei para ele de Lottie, pedi que revisitasse o passado. Esperei. Ele examinou meu rosto com os olhos, e eu o examinei de volta. Notamos os nossos narizes idênticos ao mesmo tempo. Acho que em um filme esse momento teria uma música de fundo, mas ficamos sentados em silêncio. Depois ele perguntou o que eu queria. Bem, nos negócios, há duas maneiras de abordar essa questão. Você pode ofuscar, lisonjear e vomitar ideias vagas e sem conclusão, ou vai direto ao ponto. Não tenho tempo para a primeira opção. Falei que não tinha intenção de envergonhá-lo, que não queria ser o filho há muito perdido, ávido para se juntar ao seu novo império. Eu o respeitava, claro, mas tinha uma família para sustentar agora, e ele era o único que podia ajudar. Propus um acordo único, coloquei um valor em um envelope ao lado da mesa e esperei. Ele abriu e riu. Não tenho certeza do que eu estava esperando, mas uma risada não teria sido o meu melhor palpite. Olhando para trás, acho que aquilo o impressionou. Talvez ele achasse que era uma jogada de poder. Não era — eu só queria dinheiro simples e rápido —, mas talvez a vantagem que eu tinha fosse suficiente para me deixar ousado.

O estranho é que isso quebrou o gelo. Acho que, quando se é muito rico, você passa a vida achando que todos querem algo de você. Se uma pessoa confirmar isso, vocês podem seguir em frente juntos. Em vez de responder ao meu pedido, ele se esticou na cadeira e apertou o intercomunicador, dizendo ao assistente para cancelar a próxima reunião. Então, ele me perguntou sobre minha vida: onde eu vivia, o que eu fazia, para qual time de futebol eu torcia. A princípio, me pareceu um pouco estranho, mas concordei. Ele assentiu quando falei de Christopher e sorriu quando falei que estava trabalhando na cidade. Parece que ambos torcíamos para o Rangers e trocamos opiniões sobre o empresário por um tempo, ele zombando de mim por perder o último grande jogo. Para um estranho, pode ter parecido um encontro padrão entre pai e filho. Eu não parava de pensar nisso. Lembro de pensar que esse homem era meu pai. Um homem bronzeado e elegante em um terno cinzento que usava um relógio de ouro brilhante.

Deus, estou saindo pela tangente, desculpe, Grace, mas essa situação tem sido uma loucura para mim, e não sou do tipo que conta tudo a um terapeuta. É melhor continuar, é o que eu sempre penso. E tenho muito pouco de que me queixar. Uma boa família, um bom emprego, estabilidade financeira. Sim, tenho que confessar. Simon me deu o dinheiro. Foram necessárias algumas discussões, que foram surpreendentemente bem-humoradas. Minha quantia inicial foi rejeitada por completo, mas acabamos por arranjar uma bela soma de seis dígitos para a mamãe aguentar até eu estar em uma posição melhor para suportar o fardo. Veio sob a condição de um teste de DNA, que eu entendi, mas ainda assim ressenti em silêncio. Senti que a honra de Lottie estava sendo questionada, mas há pouca honra com homens como Simon, não é? Ambos sabemos disso.

Nas seis semanas que demorei negociando o acordo, encontrei-me com Simon algumas vezes. Muitas delas em seu escritório, mas de vez em quando em um clube exclusivo para sócios da Berkeley Square. Em uma ocasião, fomos a um jogo juntos, trocando o camarote dele pelas arquibancadas — suspeitei de que ele não queria me apresentar aos amigos, o que entendi. Como se apresenta o filho secreto a um bando de magnatas que adorariam usar esse tipo de vulnerabilidade enquanto se regalam com a comida de um buffet que você pagou? O Rangers ganhou de 2 a 1, e a nossa relação deu mais um passo. Não era preciso ser um gênio para ver que Simon gostava de ter um filho. Posso não ter sido um filho que ele criou, ou mesmo que ele conhecia muito bem, mas ele se divertia mesmo assim. Ele brincava comigo, ria do meu blazer, se ofereceu para me apresentar aos seus amigos da City, ou seja, do centro financeiro de Londres. Às vezes, ele combinava de se encontrar comigo sob o pretexto de rever os termos do nosso pequeno acordo, só para nunca tocar no assunto quando estávamos cara a cara, preferindo pagar uma bebida, falar sobre seu último negócio, me desafiar para um jogo de cartas.

Nosso querido pai tinha charme. Não era exatamente um encanto, mas um sorriso mordaz, uma confiança que impressionava os outros, um sentimento de que, se ele quisesse, tudo daria certo para você. O aperto de mão dele transmitia força, mas parecia um pouco artificial, como se ele tivesse lido um manual sobre como mostrar domínio com contato físico. Ele sabia os nomes dos porteiros, dos manobristas, dos faxineiros do escritório, e mais de uma vez o vi colocar notas em suas mãos com um galanteio. E, ainda assim, todos os que passavam por ele pareciam ter medo. Eu me sentia bem com ele, verdade seja dita. Respeito, foi o que me pareceu. As pessoas olhavam para mim como se eu também fosse alguém, já que fazia parte do círculo íntimo de Simon Artemis.

Mas, quando eu não estava deslumbrado pelo poder que exalava em carne e osso, eu me lembrava de que Simon não era tão respeitado quanto gostaria. As pessoas na City não viam com bons olhos as suas táticas de valentão. Ficou bem feio para ele quando *Evening Standard* fez outra denúncia de Simon estacionando em fila dupla seu mais recente supercarro na entrada de um hospital para que fazer uma massagem, ou repreendendo um garçom por não conseguir limpar pratos na velocidade que ele considerava justa. Nessa ocasião, uma mesa foi virada, se bem me lembro. O pior em seu comportamento era a propensão de mijar do topo do seu edifício de escritórios, sem ligar para o infeliz que poderia estar passando pela calçada lá embaixo. Felizmente, a imprensa nunca descobriu essa fofoca quente. Simon ligava para jornalistas que escreviam esses artigos, atormentando-os por escrever "bosta" e desmerecendo as histórias como inveja. Uma vez, depois que ele organizou o 50º aniversário para sua esposa no Coliseu (ele realmente alugou o maldito Coliseu, Grace), um tabloide publicou uma história revelando o valor de 500 mil libras, então ele enviou à jornalista uma passagem de primeira classe para Roma com um bilhete que dizia "desculpe, você vai ter que entrar na fila com o resto dos fodidos. Aposto que você queria ver o anoitecer com uma taça de champanhe na mão, como nós". Será que ela aceitou a oferta?

Ele queria fazer parte do *establishment*, mas não conseguia esconder sua origem. Uma vez olhei para as mãos dele enquanto ele falava e reparei que suas unhas eram brilhantes, quase como se tivesse feito manicure. Suponho que sim. Não sou metrossexual, mas sei que há caras que gostam dessas coisas, mas nunca fica bem na Velha Guarda, não é? Por outro lado, ele saberia disso e ainda assim manteria as aparências cafonas. Era como se entendesse que nunca se encaixaria e por isso cedeu. Ele ia a um jantar de caridade em um carro tão vistoso que faria as pessoas torcerem o nariz, mas depois gastava mais dinheiro do que qualquer um no leilão do jantar, sabendo que, assim, a alta sociedade seria forçada a falar com ele. Para lhe agradecer. Para gravar o nome dele em uma parede de galeria.

Meu Deus, estou divagando outra vez. Tudo isso é para tentar resumir como eu estava em conflito em relação a tudo. Ele era encantador e interessado por mim e admito que fui um pouco afetado por isso, mas nunca me senti totalmente confortável na companhia dele e fiquei aliviado quando as negociações estavam terminando. Do meu ponto de vista, ele pagaria pelos dezoito anos da minha criação, e eu poderia cuidar da minha família. Dito e feito. Nunca o teria chantageado nem nada sórdido. Se ele tivesse rejeitado meu pedido, eu teria ido embora. Sou muito orgulhoso e não teria implorado. Esperava que ele fosse um cavalheiro em relação a tudo, e até certo ponto, ele era, mas tinha de haver alguma vantagem. Você não pode ser assim tão rico sem um constante dar e receber em troca, acho. Eu pensava que o meu silêncio era vantajoso, mas eu estava completamente errado.

Depois que ele fez a transferência bancária (de seu contador para o meu, complementada com um acordo de confidencialidade tão rígido que dava vontade de chorar), ele apertou a minha mão e pediu uma rodada de bebida. Naquela noite, passamos quase seis horas juntos, em uma sala particular em um dos melhores restaurantes do Soho, onde o bife que ele pediu para mim custava 68 libras e os garçons não nos encaravam. Era como um encontro, e sempre que ele pedia outra garrafa, eu despertava para o absurdo de tudo aquilo. Continuei a tentar ir embora, mas o Simon rejeitava minhas tentativas com irritação. "Estamos nos conhecendo, filho! O que poderia ser mais importante?" Depois, mergulhava noutra história sobre sua estratégia de negócios inteligente ou explicava como fodia com um rival ao ser mais implacável. Cheguei em casa e fui dormir às 3h, sabendo que teria que me levantar dali a três horas. Acordei às 6h, a cabeça latejando de dor e as mãos tremendo. Peguei meu celular e vi que ele já tinha me enviado uma mensagem. *Futebol este fim de semana. Te vejo para um cafezinho antes.* Mesmo que minha mente estivesse enevoada, percebi que não haveria uma ruptura simples aqui. Simon tinha pagado e agora me queria no grupo. Era porque ele gostava de mim e estava contente por ter encontrado o filho havia muito perdido? Pode ter sido. O mais provável é que ele só queria controlar a situação, me controlar. Se ele tivesse que suportar ser colocado em uma posição vulnerável, ele iria extrair algo dela, qualquer coisa. Mesmo que eu não quisesse jogar. Especialmente se eu não quisesse.

Não sei o que eu teria feito se tivesse que continuar assim por anos, interpretando a versão de um filho que ele queria. Poucas semanas depois de entregar o dinheiro, já estava muito insuportável, Grace. O fascínio por mim passou rapidamente, e Simon começou a me tratar como tratava todos. Isso significava que eu devia atender quando ele chamasse. Ele ligava quando eu estava no escritório, e, se eu não atendesse, ele ligava de novo. Um dia deixei meu celular em modo avião por oito horas só para evitar ver a tela acender de esguelha. Quando desativei, tinha três mensagens dele, uma que me chamava "preguiçoso da porra". A mensagem estava no meio da sua conversinha habitual, mas era óbvio que ele falava sério.

Continuei a ir para casa o máximo possível. Minha mãe estava um pouco melhor, mas ainda concentrada na jardinagem. Não disse para ela que eu passava tanto tempo com Simon, claro. Não contei nada. As despesas da escola foram pagas, e a hipoteca, liquidada. Lottie não perguntou como é que eu tinha conseguido. Fiquei zangado por um instante. Tudo sempre era resolvido para ela, que nunca parou para refletir a que custo, mas isso foi pouco generoso da minha parte. Eu não podia esperar que minha mãe soubesse o que fiz para proteger a nossa família. Ela não era forte o suficiente. Talvez nunca viesse a ser.

Simon só mencionou a minha mãe uma vez na minha presença. Depois do nosso primeiro encontro, me perguntei se ele se lembrava mesmo dela. Ficou claro que ela não tinha sido a única mulher a receber o tratamento Artemis completo. Teria sido compreensível se ela fosse apenas um vago borrão na mente dele, mas ele olhou para o meu celular um dia, quando acendeu com um alerta de texto, e reparou na tela de bloqueio. "É sua mãe?", perguntou ele, os olhos focados em uma foto de Lottie abraçando minhas irmãs no gramado da nossa casa. Assenti, mas fiquei tenso, sem querer que ele visse fotos de nossa família e poluísse nosso ambiente. "Minha nossa, o tempo não é gentil com as mulheres", comentou ele. "Você dorme com uma gata e acorda ao lado de uma velha." Derrubei o banco do bar em um gesto dramático demais e fui embora. Simon me mandou uma caixa de vinho mais tarde naquela noite, meu colega Ben trouxe para o meu quarto e perguntou quem tinha me mandado 5 mil libras em álcool. Pelo menos era um bom vinho e não a porcaria que ele servia com o próprio rótulo. Seja como for, com ou sem vinho, já era tarde. Decidi que tinha encerrado essa história de pai tardio. Eu ia escrever uma carta explicando que estava grato pela ajuda dele, mas ia enfatizar que eu tinha passado 23 anos com um pai maravilhoso e não estava à procura de um substituto. Fiquei muito aliviado quando escrevi para ele naquela noite. O mundo dele era opressor, e eu queria voltar para o meu.

E poderia ter acabado ali. Ele teria ficado um pouco irritado, mas o que poderia fazer? Minha existência era uma granada em potencial na vida dele, e eu não conseguia ver isso mudando. Ele nunca contaria à mulher ou à filha sobre mim. E eu não queria que ele fizesse isso. Era melhor apertar as mãos e seguir caminhos separados: achei que um dia ele entenderia isso.

Mas, naquela noite, os pais do Simon morreram em um acidente de carro. Descobri quando ele me ligou chorando na manhã seguinte. Tinha a carta na mochila, pronta para enviar a caminho do escritório. Em vez disso, saí do trabalho (aleguei uma emergência familiar, o que não era de todo uma mentira) e fui para a casa de Simon em Hampstead. Sua esposa e sua filha estavam em Mônaco, disse ele. Será que eu poderia ir lá? Não sou um monstro, não podia deixar o homem chorando sozinho. Por isso, fiquei lá em sua mansão enquanto uma pequena mulher vietnamita nos servia chá gelado e oferecia bolinhos. Os bolinhos não foram consumidos, apesar de eu estar morrendo de fome. O chá foi rejeitado em troca de uma garrafa de uísque que Simon pegou, enchendo um copo de ouro no chão perto de seus pés. O próprio Simon se sentava em um sofá rodeado de almofadas enormes que ameaçavam envolvê-lo. Eu me posicionei em frente a ele, empoleirado em um pufe, querendo estar em qualquer outro lugar.

Entre telefonemas para o irmão, um advogado e a assistente, ele falou sobre como Kathleen e Jeremy eram "diamantes". Ofereci-lhe algumas palavras de condolências e disse a ele que sabia como era difícil perder um pai. Ele não gostou muito disso, dizendo que eu estava tentando fazê-lo se sentir mal. Então pedi desculpa, tentei desvalorizar a minha própria perda e, depois, me irritei por ter feito isso. O dia se arrastou, e fui deixado sozinho na sala de estar enquanto Simon recebia mais telefonemas e bebia mais uísque. Às 16h, ele murmurou algo sobre Bryony estar a caminho de casa, o que eu, agradavelmente, encarei como a minha deixa para partir. Enquanto eu fazia movimentos óbvios em direção à porta, Simon agarrou meu braço e me sentou em uma *chaise longue* pêssego do corredor. E então, de forma ligeiramente distorcida e não totalmente coerente, ele me disse algo que mudou o curso da minha vida. Ele me contou de você, Grace. Até aquele momento, acho que eu não tinha aventado a ideia de ele ter outra família. Simon era um meio para um fim — eu tinha minha família e não nutria nenhum desejo de conhecer Bryony ou sua mãe medonha. Não queria ter muito a ver com o estilo de vida deles e suspeitava que sentiriam o mesmo por mim se tivessem alguma ideia da minha existência, mas você era diferente. Era uma forasteira, alguém que também não tinha escolha. E enquanto Simon divagava sobre como não tinha cumprido os padrões estabelecidos pelos pais dele, vi as semelhanças nas nossas histórias. Ambos nascidos de mulheres jovens e tolas deslumbradas por aquele grande homem e depois descartadas quando ele ficou entediado. As duas se tornaram inconvenientes, mas acho que ter dois filhos ilegítimos de duas mulheres diferentes distorcia um pouco a palavra "inconveniente".

Não sei por que ele me contou de você, Grace. Ele estava bêbado, mas devia estar bêbado milhares de vezes e não contou às pessoas sobre a filha secreta. Só posso supor que foi o sofrimento. Ele faz coisas estranhas com as pessoas, não é? Como a minha velha tia Jean, disfarçando quem era o meu pai por anos e dizendo isso em um funeral como se não pudesse mais segurar. Ele disse que era jovem, que os pais mandaram ele resolver o problema e ele tinha medo de perder tudo. Conversa fiada, é claro. Um verdadeiro cavalheiro não abandonaria uma criança, que dirá duas, mas eu não podia dizer isso enquanto ele estava ali sentado bêbado e chorando. Falei que ele tinha feito o que julgava melhor enquanto fazia perguntas sobre você com o máximo de delicadeza possível.

Em seu estado meio acabado, a guarda dele estava baixa o bastante para me dar o suficiente para continuar. Vou ser franco com você. Ele não sabia muito. A tristeza dele por tudo isso foi muito performática e não imagino que ele tenha acompanhado sua vida. Espero que isso não te chateie. Pelo que sei de você, imagino que não. Ele sabia seu nome e onde tinha crescido. Ele até sabia que você trabalhava com moda, o que significava que "filho de peixe, peixinho é". Eu fiz cara de paisagem, não demonstrando que essa informação significava algo para mim, e meia hora depois me livrei dessa situação, enquanto ele gritava com o irmão no telefone sobre a casa da família em St. John's Wood. Ele esqueceu tudo o que tínhamos discutido, mas eu não. Passei as duas horas seguintes em um bar tentando descobrir o máximo que podia sobre você no Google. Devo dizer, Grace, que você tem uma presença mínima na internet. É tão pequena que até deixa alguém desconfiado. É quase como se estivesse se escondendo do mundo. Mesmo assim, não dá para evitar completamente, certo? Sempre tem um rastro, mesmo que você tenha renunciado às redes sociais e aparentemente nem sequer tenha entrado no LinkedIn. No que fez muito bem, é um antro de agentes imobiliários e um monte de caras vendendo merda.

Demorou um pouco, porque Simon não tinha dito seu sobrenome e perguntar seria óbvio, mas acabei por te encontrar, depois de passar horas vasculhando garotas chamadas Grace que trabalhavam em marketing de moda. Procurei informações sobre elas, a maioria suficiente para saber que não era você. Fotos felizes das suas famílias? Fora da lista. Idade errada, etnia errada, vivia em outro lugar? Riscada. Acabei por encontrar Grace Bernard. Não havia nenhuma foto no site da empresa, o que parecia um sinal já que todos os outros estavam felizes em posar. Com o sobrenome, peguei alguns caminhos errados, até encontrar um artigo sobre você na *Islington Gazette* de mais de uma década. Bem, na verdade não era sobre você. Uma mulher chamada Sophie estava protestando contra uma série de assaltos perto da escola local. Uma fotografia granulada mostrava ela segurando uma plaquinha que dizia: "Ruas seguras!", e atrás dela havia uma adolescente infeliz e um rapaz ligeiramente alegre da mesma idade. A foto, bem, foi aí que meu coração disparou. A legenda tinha seu nome. O rapaz chamava-se Jimmy. A mulher zangada referiu-se a vocês como filhos, o que me confundiu por um minuto. Simon disse que sua mãe tinha morrido. Desculpa, estou me intrometendo, mas havia lacunas que eu não conseguia preencher e a mente quer respostas! Não importa, descobri depois.

Seja como for, fui ao seu escritório. Tenho certeza de que deve parecer assustador, mas eu estava mais nervoso do que você ficaria se soubesse! Esperei por lá desde as cinco da tarde de uma sexta-feira, suspeitando que as garotas de marketing, como nós, rapazes da City, saíam mais cedo para beber. Um grupo de mulheres saiu às 17h15, formando uma corrente humana enquanto desciam a rua. Você saiu às 17h30. Soube logo que era você: era parecida comigo. Talvez isso não seja muito justo com você. Quebrei o nariz duas vezes em partidas de rúgbi e tenho mãos do tamanho de pratos, de acordo com a minha mãe, mas reconheci seu rosto. Foi como se já o tivesse visto um milhão de vezes. Você é pequena e tem a pele bem mais escura do que a minha, olhos verdes que nem eu nem as minhas irmãs partilhamos. Os meus são cinza-ardósia, o que sempre gostei, mas você era inegavelmente a Grace Bernard certa. Quase atravessei a rua para dizer "olá", como o otário que sou, mas me controlei. É difícil fazer uma apresentação dessas nas ruas!

Não sei o que queria de você naquela altura. Talvez só te ver em carne e osso? Acho que precisava de informação. Não saber da minha ascendência tinha me abalado e acredito firmemente que conhecimento é poder. Saber tudo sobre você me daria controle, algo que eu não sentia desde que Christopher tinha morrido. Então eu te segui. A propósito, não me orgulho disso. Não é bonito homens seguirem mulheres. Me senti sujo. Você se sentou no metrô à minha frente, olhando por cima do meu ombro para nada em especial. Tentei não olhar para seu rosto durante muito tempo, mas aguentei o máximo que pude. Calça preta, uma jaqueta de couro curta e um top estranho e peludo que presumo estar na moda. Sapatos de fivela, que imagino que você use para fazer homens como eu ficarem intimidados, o que funcionou. Caminhei atrás de você da estação até seu apartamento e olhei para o primeiro andar quando a luz se acendeu. Depois, tive uma conversa séria comigo mesmo e fui para casa. Loucura, na verdade. Sou um homem que não vai ao norte de Londres nem para um encontro promissor.

Não poderia deixar por isso mesmo. Eu queria, mas, nas semanas seguintes, dei por mim andando na sua rua a cada tempo livre que tinha, na esperança de te pegar saindo. Vendo se você me levaria a algum lugar que daria mais pistas sobre você. Algumas vezes te vi sair para correr, o que significava que eu tinha que usar tênis, só por precaução. Uma vez te segui até uma cafeteria local onde você pediu um café ridiculamente específico. Não gosta de socializar, né, Grace? Só um visitante em duas semanas: um homem que se parecia muito com o adolescente do jornal local.

Eu estava meio farto de tudo. Estava pronto para parar de te seguir e ponderar se deveria enviar um e-mail e explicar quem eu era. Nem tinha a certeza se queria abrir a caixa de Pandora, mas era certamente mais são do que andar por aí às escondidas, sem descobrir nada sobre você. Então, uma noite virou tudo de cabeça para baixo. E, se alguma vez cheguei a pensar que você era enfadonha, agora não pensava mais.

Você foi a um bar e bebeu com um grupo bem inusitado. Um jovem que parecia um hippie clichê. Um velho e uma moça comum que não era filha dele, mas definitivamente não era a namorada. Você também não parecia muito apegada ao hippie, mas passou a noite conversando com ele. Cuidei da minha cerveja e tentei sentar perto o suficiente para acompanhar a conversa. Não que valesse a pena ouvir. Sapos, Grace? Refleti sobre você com aquela conversa.

Você saiu sozinha, seguida pelo ripongo, e eu fiquei intrigado. Quando caminhou pela rua e entrou em um centro de vida selvagem, eu estava completamente confuso, mas segui sua trilha e saltei a cerca alguns minutos depois de entrar. Comecei a suspeitar que você estava à procura de um lugar para ficar a sós com o cara e me preocupei em pegar os dois em flagrante, por assim dizer, algo que um irmão nunca deveria ver uma irmã fazer. Então fiquei bem longe enquanto vocês dois desceram para o deque junto à água. Não o suficiente para ouvir o que foi dito, mas compenetrado, ao mesmo tempo. Algo estranho aconteceu quando ele segurou um fósforo no seu pé, mas não consegui enxergar muito no escuro. E então, assim que minhas pernas começaram a doer do agachamento e comecei a pensar se pedia um Uber que me buscasse em um centro remoto de vida selvagem, você o empurrou na água. Fiquei em choque, Grace. Você olhou em volta depressa, mas eu estava protegido pela escuridão. Não sabia o que fazer. Meu cérebro gritava para eu correr para a água e puxar o cara para fora, mas minhas pernas não se mexeram. Parecia tudo muito louco. Você estava dividindo uma garrafa de vinho com um homem inofensivo e depois o matou. Por quê? Enquanto você arrumava o espaço em torno de você (com uma calma impressionante, quando penso nisso), disquei o número de emergência, mas encerrei a ligação. Disse a mim mesmo que faria isso quando você fosse embora, mas, quando você foi, minha mente estava mais calma e eu sabia que não ia conseguir. Como explicar o que eu estava fazendo? Ah sim, policial, é tudo bem simples, eu estava seguindo minha irmã (que não sabe que é minha irmã) e espreitei atrás deste lindo arbusto enquanto ela afogava um sujeito. Depois vi ela lavar canecas e pegar um táxi. Nunca daria certo. Por melhores que fossem as minhas intenções, eu seria arrastado para uma história sórdida e Lottie e as meninas também seriam marcadas por ela. O que quer que você tenha feito era da sua conta, mas me fez perceber que talvez a vaga ideia que eu tinha de forjar uma relação com você estivesse condenada a fracassar. Você não pode ser muito próximo de uma mulher que anda por aí empurrando pessoas em lagos, não importa os laços de sangue.

Simon me contou quem você matou dois dias depois. Menos uísque e arrependimento dessa vez, ele obviamente não gostava muito do sobrinho, mas ainda assim um choque. Um acidente, disse ele. Andrew era perturbado e tinha tentado procurar uma nova vida, mas estava sempre com dificuldades. A família estava sendo o mais discreta possível com o assunto, e eu sabia que o potencial escândalo era a razão para essa privacidade. Isso só me fez sentir como se tivesse feito a escolha certa ao ficar calado.

Então você tinha matado nosso primo, mas por quê? Até onde sei, ele era um homem simpático, sem ligação com você. Não haveria benefício financeiro com a morte dele, e eu não conseguia ver o que você conseguiria com isso, do ponto de vista emocional. Revirei o assunto na cabeça, porque também não poderia falar com ninguém sobre ele.

Acho que um terapeuta que olhasse para mim naquela época diria que eu ainda estava processando a morte de Christopher, e, até onde sei, provavelmente estaria correto. Além disso, fui bombardeado por Simon, que tinha intensificado suas tentativas de contato e Lottie me pedia para ir para casa sempre que eu ligava. Me senti muito mal. Para me esquivar de tudo isso, continuei a seguir você, desesperado para descobrir, para saber por que você tinha feito aquilo. Fiquei bem obcecado. Durante um tempo, as coisas ficaram calmas, e quebrava a cabeça tentando entender por que você mataria nosso primo e depois deixaria tudo de lado. Comecei a correr, a seguir suas rotas, mas você nunca fez nada fora do normal. Porém, alguns meses depois, você começou a frequentar festas e bares sozinha. Eu também comecei a ir, sempre sentando um pouco longe, tomando o cuidado de tentar me misturar. Não é difícil fazer isso, Grace, quando se é um homem branco mediano em um estabelecimento chique. Parece que eu me misturo bem; você nunca pareceu se lembrar da minha cara, apesar de eu estar ao seu lado durante meses. Além disso, você não estava à minha procura. Estava à caça. Do nosso tio, aliás. Foi quando comecei a perceber o que estava acontecendo. Acho que seria de esperar que eu fosse um pouco lento na absorção dos fatos, mas meus sentimentos por Simon não eram nada em comparação aos seus: levei algum tempo para me pôr no seu lugar. Mesmo quando o fiz, não consegui reunir o ódio ardente que seria necessário para realizar esse plano. Te ver passar horas esperando nos bares e seus olhos brilhando quando Lee entrou, isso só pode ser algo que você havia planejado. Eu ainda não tinha a certeza. Por um tempo, pensei que você estava encenando um fetiche louco em que ia dormir com o próprio tio. Desculpa ter pensado nisso, mas você tem que admitir que é estranho ver alguém entrar em um clube de sexo com um parente. Na verdade, gostei dessa noite. Não é algo que eu faça normalmente, mas achei melhor entrar no personagem. Em uma orgia, um homem em calça de sarja provavelmente se destacaria mais do que um homem com uma calça que deixa a bunda de fora em uma reunião anual de orçamento. Usei uma máscara que me fez sentir como se eu estivesse encenando um papel e fiquei triste por ter saído mais cedo, quando você levou Lee ao fundo do corredor para um quarto privativo.

De qualquer forma, quando vi o que aconteceu, soube exatamente o que estava se passando. Esperei que você saísse do quarto, é claro, parado ali no corredor mal iluminado. Lembra que eu te olhei de cima a baixo, quando nossas mãos se tocaram de leve? Fiquei impressionado com a ousadia de matar um homem em uma festa lotada e um pouco horrorizado por você ter largado ele lá para alguém encontrar. No caso, eu. Eu também o larguei lá, é claro, mas suspeito que aquela cara inchada não vá deixar o meu cérebro por muito tempo.

Você estava matando a nossa família. Eu não tinha provas de que você havia chegado a Kathleen e Jeremy, mas não foi preciso muito para te imaginar em um voo para a Espanha, alugando um carro e tirando eles da estrada. Foi uma abordagem muito mais básica e direto ao ponto como principiante, não foi? Mas acho que você tinha a intenção de fazer com que cada morte parecesse um acidente, e dois idosos caindo de um penhasco no escuro é uma vitória inicial fácil.

Agora eu tinha que decidir o que fazer com essa informação. A família Artemis não era grande, e as únicas (que você não tinha eliminado) que tinham ligação com o dinheiro eram a esposa, a filha e a cunhada de Simon. Isso se *fosse* o dinheiro que te motivava. Se eu fosse chutar, diria que há mais. Pelo pouco que vi da sua vida, você viveu uma existência muito chata. Poucos amigos, nenhuma grande carreira (espero que isso não soe ofensivo para você) e um pequeno apartamento em uma rua sem graça. Quase como se estivesse pisando em ovos até... até o quê? Até livrar o mundo da sua família tóxica e poder seguir em frente e prosperar? Tenho muito pouco ressentimento com Simon porque tive uma vida maravilhosa com Lottie, Christopher e as minhas irmãs. Se não fosse por Jean, eu teria continuado feliz porque tinha essa base. E ainda continuo tendo. Mas você não. E talvez isso tenha te tornado obcecada pela injustiça de tudo. Na verdade *é* injusto, Grace. De todos nós envolvidos nessa confusão, você era o lado mais fraco da corda, não foi?

Depois de alguns dias revirando os acontecimentos na mente e de uma conversa com Simon, que envolveu ele gritar comigo por eu não estar disponível para ir ao escritório dele às onze da manhã de uma quarta-feira, decidi que deixaria o que quer que você estivesse fazendo acontecer. Em parte, achei que devia ser permitido corrigir os erros que tinham sido cometidos com você. Em parte, já que estou sendo sincero, porque ponderei o que era melhor para mim e percebi que você poderia estar me fazendo um favor. Duas coisas tomaram a minha decisão por mim. Uma é que eu queria Simon fora da minha vida. Eu vislumbrava o futuro, e isso envolvia passar tempo com ele sempre que ele exigisse. O dinheiro que ele tinha me dado o fazia se sentir merecedor, e eu não conseguia suportar a ideia de ser absorvido pela família dele, andar por aí no Bentley e passar os verões em

Marbella. A outra coisa era, se você conseguisse acabar com todos eles, é que eu estava na fila por receber uma parte da fortuna. Sabe, Grace, não ligo de ser hipócrita. Não queria ter muito a ver com o querido papai, mas ficaria bem à vontade em receber alguns benefícios. Dinheiro é dinheiro, não importa como você o consiga. E eu usaria de uma forma diferente de Simon. Sem excessos nem torneiras de ouro. Eu estava destinado a ter dinheiro, ou assim sempre pensei. Acho que eu seria muito bom nisso. E seu plano podia me fazer chegar lá mais depressa do que o trabalho duro.

Eu nunca teria sequer pensado em fazer o que você fez se não tivesse visto as coisas acontecerem. Mesmo que eu tivesse sido injustiçado da forma como você sentiu que foi. Mas isso não significava que eu não podia tirar algum proveito da situação. Acho que em uma escala de moralidade eu estaria no meio. Penso que a maioria das pessoas olharia para minha situação e chegaria à mesma decisão que eu se fossem sinceras, mas é difícil ser sincero, e é por essa razão que contar tudo isso tem sido tão libertador. Sei que você nunca vai poder mostrar a ninguém. É confiança forçada, o que é provavelmente melhor do que a normal.

Estou cansado de escrever tudo, por isso vou tentar acabar logo. Você já sabe a maior parte da minha história. Ou o que precisa saber. Vi você seguir com o plano. Janine foi um pouco longe demais, se não se importa que eu diga — a descrição da morte dela me deixou nauseado. Mais uma vez, eu não estava lá (você sumiu de repente e eu não podia tirar férias do trabalho tão em cima da hora), mas descobri logo pelo assistente de Simon. Continuo sem entender por que você poupou Lara. Era um peixe pequeno demais? Eu não estava lá para Bryony, claro, mas gostei muito de como você executou o plano (bem, *a* executou). Engraçado e eficaz, mas foi aí que Simon começou a desmoronar. Ele amava Bryony. Acho que estava farto da Janine fazia anos. Somos o resultado disso, suponho, mas Bryony era a sua única filha. Sua única filha *verdadeira*. Ele é estranhamente antiquado para um produto do mundo moderno. Casamento, filhos, uma reputação importava muito para Simon. E não importa o quanto ela possa ter parecido intragável para mim ou para você, ele amava a filha dele. Além da dor de perdê-la, ele também começou a ficar paranoico, mas acho que não é paranoia se alguém está mesmo no seu encalço. Ele me chamava para a casa dele e sentava no sofá com as cortinas fechadas, de vez em quando se levantando para andar pela sala. Dizia sem parar que alguém estava matando sua família. Tinha ido à polícia, contratado seguranças, tudo. Ninguém acreditou nele, o que acho que você pode tomar como um elogio. Todos pensavam que era apenas uma série de coincidências azaradas. O *Daily Mail* publicou uma página dupla sobre "O Infortúnio do Magnata", listando toda a má sorte que tinha se abatido sobre a família Artemis. Apesar disso, o fato de ninguém levar o sujeito a sério tornou Simon ainda mais insistente. Ele achou que fosse alguém que ele tinha ferrado nos negócios. Ele não disse quem, mas claramente tinha alguém em mente, porque estava assustado.

Assumi o papel de filho obediente nesse momento. Dormi na casa de Hampstead e era acordado por Simon com frequência, várias vezes por noite. Ele gostava de apontar mais maneiras pelas quais alguém poderia estar tentando matá-lo. Eram sempre bobagens: um homem que ele achava que estava parado no portão, ou um carro estacionado muito perto da entrada do escritório. Ele só estava procurando sinais. Cada vez que uma janela se mexia, o homem desmoronava. Não que as janelas da casa dele se mexessem: as originais tinham sido arrancadas e substituídas por vidros duplos robustos.

Ficamos próximos, à medida que eu me inclinava para minha nova posição como parente direto próximo e confidente, esperançoso de que fosse um papel de curta duração com a sua ajuda, Grace. Ajudei a organizar todas as coisas lúgubres que precisam ser feitas quando alguém morre. E ouvi quando ele queria gritar sem parar sobre tudo, o que era frequente. Ficou cada vez mais insuportável com o passar das semanas e, pelo que pude ver, você não estava muito ativa. Às vezes, eu te via na frente dos portões dele. Você não foi muito sutil, Grace, devo dizer. Mesmo que tivesse um grande plano, comecei a me desesperar com o fato de que você nunca se aproximaria de Simon. A segurança dele já era intensa, rodeado de homens fortes que teriam te quebrado como um graveto se você estivesse a menos de dois metros dele.

Comecei a ficar furioso com você, o que é uma loucura, não é? Mas senti que tinha finalmente descoberto como me libertar daquela situação terrível e comecei a imaginar que estávamos agindo em conjunto e com um prazo, mas você não estava jogando. Eu mal tinha tempo de te seguir muito naquela época, já que Simon estava ficando mais agressivo, mais errático, mais dependente de mim; mas, quando dava, eu te via sair para jantares ou longas corridas, seguindo em frente como se não tivesse mais um alvo para atacar, e fiquei confuso com sua falta de impulso.

Eu estava trabalhando pessimamente, porque Simon ligava de cinco em cinco minutos, choroso, bêbado ou ambos. Eu desligava o celular, e ele mandava um e-mail. Comecei a hesitar sempre que olhava minha caixa de entrada. Eu me orgulho de ser um profissional dedicado, realmente acho que o trabalho dignifica o homem e estava furioso comigo mesmo por entregar um trabalho ruim quando eu deveria aproveitar a chance de subir na carreira. A época do bônus estava chegando e eu já via o meu encolher cada vez que o meu chefe me pegava no celular.

Olhando para trás, minha saúde mental estava deteriorando, algo que eu nunca tinha pensado antes. Meu sono foi afetado, perdi peso de forma assustadora, independentemente do que eu comesse. Eu estava encurralado, como uma raposa em um buraco. Agora que faço a analogia, nem quero mais saber de caçar. Mais uma coisa que Simon arruinou para mim. Mas ele não me deixava em paz, e sua vontade era avassaladora. Por fim, fui até lá e falei que ele não podia continuar desse jeito. Fui firme, mas calmo. Disse que o comportamento dele era horrível e que ele não podia me tratar como um de seus assistentes. Continuei falando enquanto ele chorava de novo, mas não me abalei. As lágrimas secaram muito depressa quando ele percebeu que eu não o confortaria, e ele se sentou à mesa. Continuei listando as formas como ele tinha me irritado, tão absorto que nem prestei atenção ao que ele estava fazendo até ele me apresentar um cheque. De mil libras. Isso me freou, confesso. Minha boca ficou entreaberta enquanto ele empurrava o papel para mim e me dizia que, se eu fosse com ele a St. Tropez, faria valer a pena.

"Preciso ficar fora do país por uns dias, manter a cabeça baixa, filho. E não quero ir sozinho. Não me diga que isso não ajudaria sua mãe. E aquelas meninas, Harry? Elas precisam disso. É só uma semana mais ou menos."

Fiquei em silêncio, pesando tudo, e ele me observando de olhos estreitos. "Você está negociando comigo, é isso? Não há evidência mais clara de que você é meu filho. Vou tornar isso oficial. Deixar uma herança. É o que você quer, não é? É o que todos querem no final." Ele não estava errado, mas eu não conseguia ver que o dinheiro era a única moeda de troca que ele tinha em sua vida solitária.

Simon não disse por que precisava deixar o país, mas, pelo que descobri, ficou evidente que algum tipo de investigação sobre sua empresa estava em curso e que seus conselheiros tinham sugerido que ele ficasse indisponível por um tempo. Eu me perguntava qual parte da empresa era provavelmente a mais duvidosa (a companhia aérea parecia uma boa candidata), mas, para ser sincero, Grace, tendo visto como ele trabalhava, poderia ser qualquer uma delas. Era óbvio que essa merda estava prestes a ser jogada no ventilador, mas eu não podia me preocupar com isso. Não ficaria mais preso ao seu mundo de vilões. Era assim que eu o enxergava agora. Uma vida miserável e desagradável que eu tinha vergonha de ter procurado, mas esse dinheiro era impossível de ignorar, e eu seria um tolo se fizesse isso. E é por esse motivo que, nem seis horas depois, desci de um jatinho particular para o ar quente francês. Se soubesse o que ia acontecer, teria pedido um cheque com mais zeros no fim.

COMO MATEI MINHA ~~QUERIDA~~ FAMÍLIA

17

12h

Acabou. Os últimos quatorze meses estão prestes a se tornar uma estranha nota de rodapé na história da minha vida. Kelly me desejou sorte antes de eu partir para à audiência.

"Vou sentir sua falta, Gracinha, vem me visitar um dia desses. Vou te dar uma colher da próxima aula, haha." Ela me abraçou com força, cravando as unhas nas minhas costas. Deixei-a ficar assim por cinco segundos, antes de cruzar a porta sem olhar para trás. George Thorpe, com a cara cheia de orgulho, me encontrou na sala de visitas em Limehouse, depois de ter ido ao tribunal e acompanhado a minha acusação ser completamente anulada. Eu tinha assistido por videoconferência, o que me privou de um momento dramático na frente do juiz e do inevitável escrutínio da mídia fora do tribunal. Melhor assim, apesar do ligeiro anticlímax. Posso trabalhar no meu próprio ritmo agora. Em vez disso, recebi um abraço estranho do meu advogado, um compromisso de pôr a conversa em dia dentro de algumas semanas para rever tudo e um convite para jantar, que obviamente não será aceito. Até recebi os parabéns do oficial que supervisionou a nossa conversa. Não foi propriamente um desfecho cinematográfico, mas foi grandioso. Fiz o que tinha planejado fazer pela Marie. Agora estou livre.

16h

Estou em casa! Fui liberada bem depressa, o que me surpreendeu, porque me habituei a um sistema que levava meses para tomar as menores decisões. Acho que estavam desesperados por uma cela livre. Imagino que Kelly vai contar para sua nova colega de quarto tudo sobre a última ocupante, sentada muito perto no beliche fino. Tive que arrumar as minhas coisas e sair ao meio-dia, o que significava que Jimmy não estaria lá para me encontrar, mas não me importei — sobretudo quando me dei conta de que a saída mais cedo era para evitar fotógrafos esperançosos. Fiquei grata, uma vez que meses na prisão não são muito favoráveis para se sair bem nas fotos. Peguei um táxi para casa, passando pelas ruas de Londres sob um raro sol brilhante, olhando pela janela e sorrindo o caminho todo. O apartamento estava tranquilo e quente quando abri a porta, tudo no seu devido lugar. Sophie até enviara sua faxineira, e havia uma garrafa de Brunello e um *tiramisu* do restaurante local à minha espera na mesa. Levei ambos para a banheira e me embebi de óleo da Le Labo durante duas horas. Uma experiência gloriosa; eu estava eufórica de alegria. Vou verificar a minha correspondência e depois encontrar o Jimmy para o que espero que seja um jantar com tudo o que tenho direito na Brasserie du Balon. A vida parece finalmente estar desabrochando para mim.

COMO MATEI MINHA ~~QUERIDA~~ FAMÍLIA

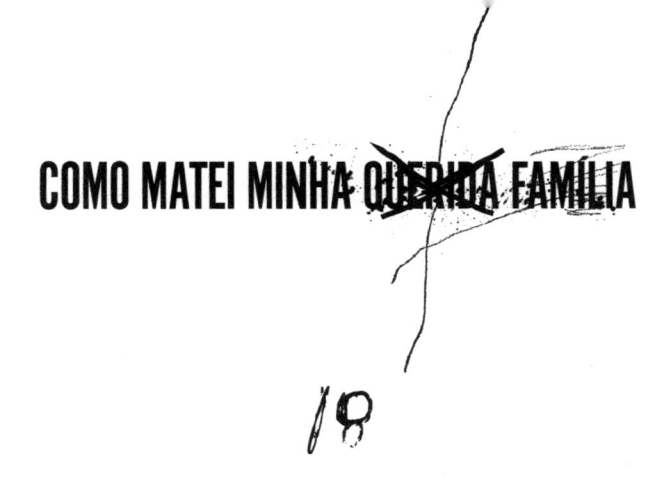

Meu Deus, que confusão, Grace. Que bela confusão. Tudo se transformou em uma espécie de farsa hedionda, só que ninguém se lembrou de rir. No nosso primeiro dia na França, Simon despencou em um sofá na sala de jogos, e eu fugi para a varanda e pedi um café a um membro tímido da equipe. Me alonguei ao sol e tentei me esquecer da terrível hipótese de ele acordar e me encontrar. Durante alguns minutos, olhei para o mar, maravilhado com o pouco que eu podia desfrutar daquele belo lugar. Dizem que é um lugar ao sol para pessoas das trevas. Então, por hábito, peguei meu celular e vasculhei o site de notícias da BBC. Passando pela guerra e por notícias de um deputado Tory sem relevância ter transado com a assistente, meus olhos se depararam com a foto de uma jovem bonita, que recebia "homenagens". Fora empurrada de uma varanda, e você tinha feito isso. Meu rosto gelou, apesar do calor que fazia, e um ruído alto disparou em meus ouvidos e seguiu até minha cabeça. Senti que não te entendia, apesar de todo o tempo que passei tentando fazer isso. Você devia ser uma vingadora fria e calculista, não uma assassina impulsiva. Por que desperdiçaria todo o seu trabalho duro para derrubar uma rival amorosa de uma varanda? Que estupidez. Não quero arriscar ser chamado de sexista, mas essa reação emocional foi difícil de enxergar em qualquer outra lente. Como você chegaria a Simon agora?

Depois de algumas horas tentando descobrir mais sobre a sua prisão, ouvi Simon gritar meu nome da sala de estar e tive que desistir da busca. Não me preocupava que ele visse as notícias, já que ele estava praticamente em outro planeta de paranoia e raiva. Em seu estado, era mais provável que estivesse assistindo a vídeos do YouTube sobre alienígenas do que checando as manchetes. Passei dois dias horríveis com o nosso pai na *villa*, onde ele enfiou uma quantidade exorbitante de cocaína pelo nariz e se recusou a abrir as cortinas, com medo de estar sendo observado. Os seguranças ficaram lá fora, desconfiados das suas explosões, e a pobre governanta, que não tinha sido avisada de que vínhamos, fugiu para o quarto dela depois que ele atirou um vaso na cabeça da mulher ao descobrir que as camas não estavam feitas. Éramos só eu e ele. Sempre que eu tentava me retirar para outra parte da casa, ele me seguia, dizendo que havia uma conspiração e insistindo que "temos que parar esses malditos". Continuei a dizer a mim mesmo: *Tenha paciência, Harry, mais uns dias e você vai ter meio milhão de libras para a família*, mas parecia distante demais. Na terceira manhã, acordei e vi Simon em cima da minha cama, com os olhos esbugalhados e a camisa rasgada. Tinha passado a noite acordado e cheirava a uísque.

"Vamos sair daqui. Há câmeras. O iate está pronto, arrume suas coisas, filho." Estremeci ao ser chamado de filho, pensando no meu querido Christopher com tristeza, mas Simon já tinha saído, pegando sua mala e batendo portas.

O iate era uma monstruosidade. Nunca vi nada assim na vida e espero nunca mais voltar a ver. Parecia uma caravana flutuante, toda cromada e revestida de vidro, em nada parecida com um barco de verdade. Felizmente, uma vez a bordo, Simon pareceu relaxar e desmaiou no sofá o dia todo, acordando só na hora do jantar. Nós comemos em um quase silêncio, enquanto ele virava uma taça de vinho — "Chic Chablis", de sua própria produção, ele me disse enquanto eu disfarçava o nojo de meu rosto. Como se alguma coisa pudesse dizer mais sobre uma pessoa, certo, Grace? Minha mão começou a tremer enquanto comíamos a sobremesa, e tentei estabilizá-la, alarmado com aquele novo efeito colateral. Simon reparou e riu. Riu e disse-me que eu era delicado demais para um homem já feito. Não respondi nada, meu coração batendo forte e meus ouvidos zumbindo. Quando acabamos de jantar, e ele estava bem bêbado, Simon gritou para o capitão e mandou o sujeito preparar a lancha. O homem, sentindo que Simon claramente não estava em condição de discutir, saiu às pressas sem dizer mais nada, mas um garçom que limpava as mesas ergueu a sobrancelha para mim. Tentei distrair nosso pai, dizendo que não estava com vontade de sair em uma excursão, mas ele balançou a cabeça, irritado. "Você está aqui às minhas custas, jovem Harry. Vamos dar uma volta."

E assim fizemos. Ele colocou uma garrafa fresca de Chic Chablis debaixo do braço e cambaleou pelas escadas até a lancha auxiliar, enquanto eu andava atrás dele, um tanto nauseado. Saímos na direção da escuridão a distância, eu me segurando no assento para não cair, ele gritando para o vento enquanto segurava a garrafa entre os joelhos. Após cerca de quinze minutos, ele diminuiu a velocidade e o barco parou. Ele se virou para mim e riu da minha expressão. Admito que estava enjoado. Barcos nunca foram a minha praia e o fato de ele estar fazendo manobras em mar aberto não ajudava. Basicamente, eu estava de saco cheio. Dele, do barco, da minha vida desde que o tinha conhecido.

Simon enfiou a cara dele na minha com um olhar de escárnio.

"Seja homem, Harry, este é um momento de vínculo familiar. Finge que está gostando, porra."

"Mas não estou gostando", respondi com a maior dignidade possível enquanto tentava não vomitar. "Não estou gostando. Quero voltar para o iate."

Ele franziu a cara e repetiu: "Quero voltar para o iate, papai, estou entediado. Como você se habituou depressa ao meu estilo de vida e ao meu dinheiro, filho. Podia ao menos fingir que está aqui pela minha companhia". Ele arrotou na minha cara e gargalhou. "Mas não pode, né? Você é igual à sua mãe. Ela fingia ser toda pura de coração também, mas estava à procura de um alvo rico para abrir as pernas."

Fiquei de pé, puxando-o junto comigo pela camisa e agarrei a garrafa de vinho nojenta ao lado dele. Tinha apenas um pensamento: eu queria desesperadamente que ele se calasse. Dei com a garrafa na cabeça dele com uma força que imagino que tenha vindo de toda a raiva reprimida que eu sentia. Um zumbido correu pelos meus ouvidos antes de ser substituído pelo baque de algo caindo na água. Dava para ver um braço na superfície e uma tentativa desesperada de tomar ar. Liguei a lanterna do celular e mirei ao lado do barco. Simon segurava o barco com dois dedos, mas o resto não se mexia. Tinha sangue escorrendo na cabeça, escorrendo pelo nariz até a boca. Era esse o som, um som horrível que ainda consigo ouvir quando lembro da cena. Ele estava tentando se manter à tona enquanto se engasgava com o próprio sangue. Fiquei ali observando, me preparando para tirá-lo de lá, mas depois aconteceu uma coisa estranha. Pensei em você, Grace. Pensei em tudo o que você tinha feito, o quanto tentou chegar àquele homem. Sabia como era improvável que você fosse bem-sucedida. Pensei nas nossas mães e no que sofreram nas mãos de Simon Artemis. E depois pensei no quanto eu estava sofrendo naquele momento. Se eu o tirasse de lá e o levasse para a segurança do iate, ele poderia me processar. Ou pior: ele podia me ameaçar com isso pelos próximos vinte anos, me mantendo por perto para sempre.

Foi um acidente. Eu nunca seria capaz de planejar algo tão hediondo ou executar um crime violento a sangue frio, mas eu tinha sido provocado e todos temos um limite, não é? Eu não sabia que o deixaria morrer, sério, eu não sabia. Tudo aconteceu de repente, como se eu estivesse observando de fora. Inclinei-me para ele e arranquei seus dedos da lateral do barco, antes de lhe dar um empurrãozinho para que ele se afastasse uns centímetros. Os olhos dele se alargaram, mas ele não conseguia falar. Depois eu me sentei.

"Se você tentar tocar no barco outra vez, vou embora. Então não faça isso. Só fica aí mais alguns minutos, e eu te puxo. Você precisa aprender a tratar as pessoas direito. Talvez só assim funcione", falei para ele enquanto esfregava uma mancha de sangue seco dos nós dos meus dedos. Ele não estava em posição sequer de tentar um salto para a lancha. Demorou três minutos para ele desaparecer, com o cabelo claro submergindo lentamente. Me sentei em silêncio e olhei para as estrelas. Quando vi que ele estava completamente submerso, quebrei a garrafa contra a lancha e a joguei na água, sem dúvida um destino adequado para o vinho Artemis. Depois, esperei um bom tempo para ter certeza de que ele não ia irromper de repente da água. Você deve lembrar que fez algo parecido com o nosso querido primo Andrew; sem dúvida, é complicado saber quanto tempo é o suficiente, não é? Quando tive certeza de que não havia mais chance, levei a lancha de volta para o iate. Sou um péssimo navegador e levei quase uma hora para voltar e alertar a tripulação. Expliquei que ele tinha perdido o controle quando acelerou e caiu ao mar. Sem sinal, fui forçado a revistar a área sozinho durante uma hora na esperança desesperada de achá-lo vivo, mas sem sucesso. O capitão não pareceu assim tão surpreso, até pelo fato de Simon estar totalmente bêbado quando partimos. A busca e o salvamento não encontraram qualquer vestígio dele nas horas seguintes, mas eu prendia a respiração sempre que eles avisavam por rádio.

E foi isso. Minha história foi aceita como um evangelho, e por que não seria? Fui mencionado como assistente nos jornais, mas consegui permanecer anônimo, o que foi um imenso alívio. Não quero aborrecer mamãe nem causar problemas às meninas na escola, mas Lara Artemis entrou em contato para me agradecer pela discrição e foi tão simpática que lhe contei minha verdadeira ligação com Simon. Ela não ficou surpresa, devo dizer. Suponho que o conhecesse há tempo suficiente para receber um filho ilegítimo sem sequer erguer a sobrancelha. E o teste de DNA do Simon era tudo de que eu precisava. Lara é uma mulher adorável, Grace, lamento que nunca vá conhecê-la. Ela está no comando da fortuna da família agora e tem sido incrivelmente generosa comigo. Mais do que poderia sonhar. Descontei o cheque, claro, e a minha família está muito melhor agora. Lara até veio almoçar algumas vezes. Nunca comentamos nada, mas acho que ela e a mamãe reconhecem o elo que compartilham. Fazem parte de um grupo seleto de mulheres que sobreviveram aos irmãos Artemis.

Então, por que estou te contando tudo isso? Você deve estar se perguntando. Em parte porque eu queria que você soubesse como ele morreu. Pensei que se sentiria menos fracassada se soubesse que não fiz feio e terminei o que você começou. De uma maneira estranha, fomos uma equipe. O *timing* foi perfeito. Dado todos os seus problemas recentes, você teria tido menos oportunidade de matá-lo, de qualquer forma. E, se formos totalmente sinceros, nunca teria conseguido. Sei que teve sucesso com os outros, e meus parabéns, mas Simon era outros quinhentos. Você precisaria de mais do que planos vagos e sorte. E me pareceu que era só com isso que estava contando. Estou errado, Grace?

Essa é a parte lisonjeira. Espero que goste. Mas, principalmente, escrevo para te dizer que isso tudo acaba agora. A vingança foi sua motivação, eu entendo, sério. E você a teve, com uma ajudinha deste que vos fala. Viva sua vida, se junte ao seu velho amigo Jimmy — há pessoas no mundo que querem te amar, Grace, se você permitir. Escreva um livro sobre o seu encarceramento angustiante — os editores vão adorar publicá-lo, mas todo o resto acaba aqui. Preciso proteger minha nova vida. E também uma parte considerável da fortuna da família: Lara me tornou diretor financeiro da nova fundação e vamos geri-la juntos. Ainda não foi anunciado, estamos nos preparando para isso, mas não deve demorar muito. Ela perdeu o interesse na vida selvagem, não é tão interessante quanto nosso próximo plano. Não vou dizer que sei muito sobre crianças refugiadas, mas estou aproveitando a oportunidade para organizar jantares beneficentes e convidar os ricos e famosos do mundo financeiro a abrir suas carteiras. Haverá ligações corporativas incríveis e trabalharemos em estreita colaboração com o mundo financeiro para tornar a fundação tão grande quanto a dos Rothschild e dos Guinness. Alcançaremos prestígio e ficaremos a um universo de distância de Simon. Certamente, nenhum Chic Chablis vai a leilão sob o novo reinado de Lara.

Apenas para ter certeza de que você não virá atrás de mim (eu respeito você demais para pensar que não iria), criei um pequeno esquema enquanto você estava na prisão. Espero que perdoe as táticas um pouco sujas, mas tenho certeza de que você compreenderá a necessidade de garantias aqui. Quando descobri que você tinha sido mandada para Limehouse, paguei um investigador barato para descobrir com quem você dividia a cela. Não foi difícil. Kelly, sei lá como, contou à metade de Islington que ela foi a sortuda escolhida para ficar com a notória Grace Bernard. Escrevi pedindo para a visitá-la e mencionei algum dinheiro, então ela aceitou. Claro que sim. Vi você na primeira visita, sentada com o seu advogado. Você me olhou várias vezes, talvez surpresa por ver a Kelly com alguém como eu. Devo dizer que ainda me surpreende que ela não tenha me achado familiar. De cabeça, acho que estive a menos de um metro de distância de você várias vezes. Fora do centro de vida selvagem, nos degraus da St. Paul's, no estranho clube de sexo (mas essa eu perdoo, eu estava de máscara), pedindo um isqueiro no Soho, na cafeteria do Museu Britânico, na sala de visitas. Acho que ter uma cara um pouco genérica tem suas vantagens. Você parecia um pouco magra, se não se importa que eu diga. Espero que aproveite ao máximo a sua recém-descoberta liberdade e desfrute de lautas refeições. Desculpa, onde é que eu estava?

Sim, Kelly. Não é o tipo de mulher com quem eu passaria meu tempo normalmente — não conseguia parar de olhar para as suas unhas brilhantes quando nos conhecemos —, mas achei-a uma moça adorável. Útil. Expliquei a ela que trabalhava para uma firma que investigava os seus crimes para um benfeitor particular e perguntei se ela estaria disposta a ficar de olho em você. Vou falar uma coisa sobre Kelly: foi incrível ver como ela exigiu pouquíssimos detalhes assim que soube que tinha dinheiro no esquema. Através de um contato dela, que me levou a uma parte insalubre do leste de Londres, consegui arranjar um celular. Tinha o imprescindível recurso da câmera — o que fazíamos antes dessa inovação, né? E a Kelly, sejamos justos, assumiu seu novo papel como uma investigadora de primeira. Ela te observava muito mais de perto do que provavelmente você imaginava e me enviou uma mensagem animadinha quando percebeu que você estava escrevendo sua história. Ela leu, é claro, e fico surpreso que você tenha sido tão descuidada. E ela fotografou cada página com um entusiasmo admirável. Então, só para ter certeza, ela tirou algumas páginas para colher impressões digitais e coisas do gênero. Eu nem tinha pensado nisso, mas acho que, quando se é uma veterana na área de chantagens, também se aprende a manter cópias físicas. Devo dizer que você a subestimou.

Como vê, sua jornada termina aqui. Você não pode me matar, porque a história dos seus crimes seria divulgada imediatamente, junto com uma carta dos meus advogados revelando em detalhes que qualquer acidente que eu possa vir a sofrer não seria *acidental*. Não entre em contato com a Lara, ou essa informação será entregue à polícia. Ambos passamos por muita coisa nas mãos da família Artemis, mas, cá entre nós, agora estamos livres. Pode não ser exatamente como você esperava, mas mesmo assim você venceu. Vencemos. Amanhã é provável que você seja solta, como diz a Kelly. Este e-mail estará na sua caixa de entrada quando você voltar ao seu pequeno apartamento. Foi sensato da sua parte mantê-lo, muito bem. E a mensagem expira depois de lida. Um pouco de tecnologia recomendada por nossa amiga em comum. Os chantagistas são espertos. Agora que já contei tudo, é melhor parar de escrever. Pode parecer que um homem se intrometeu na história e usurpou a sua vitória, mas não é nada disso. Eu só tinha cartas melhores. Te incentivo a aproveitar a vida. Dinheiro não é tudo, e você tem a sorte de estar livre. Boa sorte, Grace, pensarei sempre em você.

Seu irmão.

P.S.: Não se preocupe com a Kelly, paguei muito bem, por isso tenho certeza de que ela te vai te deixar em paz.

COMO MATEI MINHA ~~QUERIDA~~ FAMÍLIA

POSFÁCIO

Ei, amiga! É a Kel. Espero que o mundo externo esteja te tratando bem. Me liga, há coisas que precisamos discutir. Nem pense em me ignorar, eu sei onde você mora, LOL. P.S.: Minha mãe adorou a colher, só ficou confusa com as marcas, mas eu, não! Vou guardar segredo. Saudades! Beijos.

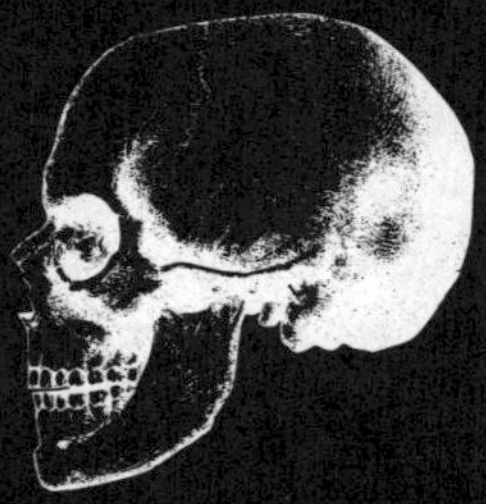

AGRADECIMENTOS

Agradeço a todos na The Borough Press por acreditarem no meu primeiro romance. Principalmente minha editora Ann Bissell, por pegar o rascunho quando já estava no meio do caminho, abraçá-lo por completo e editá-lo e por conhecer e entender os personagens assim como eu. Ann tolerou a minha relação displicente com prazos e lidou com os meus ataques de pânico ocasionais com bastante calma e gentileza. Ela fez com que a escrita durante a pandemia fosse agradável e tornou este livro melhor. Não podia ter pedido uma editora melhor.

Obrigada a Fliss, por levar o livro para as pessoas, por exibi-lo tão bem e por trabalhar tão duro para um bom lançamento, o que não foi fácil, dadas as circunstâncias do momento mais estranho em que vivemos.

Obrigada também a Abbie Salter, Caroline Young, Sarah Munro, Margot Gray, Lucy Stewart e Suzie Dooré. Que mulheres incríveis.

Obrigada ao meu agente Charlie Campbell, que ignora constantemente o horário comercial e tem estado lá para me ajudar a qualquer hora do dia ou da noite desde que tive a ideia para este livro. Não consigo imaginar ninguém mais comprometido, mais paciente e mais parceiro em tudo isso.

Obrigada a Aoife Rice, que tem lidado com o resto de meu trabalho, sabendo que o livro vinha primeiro.

Obrigada a Nicki Kennedy, Sam Edenborough, Jenny Robson, Katherine West e seus colegas da ila, por venderem o livro a outros países. Espero que signifique festivais literários regados a vinho em terras mais quentes daqui em diante.

Emily Hayward-Whitlock e Fern McCauley, muito obrigada por todo o seu trabalho no lado jurídico das coisas. Sei como se dedicam a isso.

Muito obrigada a Owen O'Torke, Nigel Urwin, David Hooper e Anthony Mosawi, por todos os conselhos e dicas.

Obrigada ao meu vizinho Robert, que me ofertou a dádiva do seu grande e detalhado conhecimento jurídico para me ajudar a passar por alguns dos pontos de enredo do romance. Também é um ótimo vizinho, aliás, sorte a nossa.

Obrigada a Max Van Cleek, por me ajudar a descobrir casas inteligentes e por levar a sério minhas perguntas ridículas sobre se era possível matar alguém com um controle remoto.

Josh Berger, você é um ótimo amigo. Obrigada pelo seu conselho.

Pandora Sykes, obrigada por ser a primeira pessoa a ler uma prova do romance e fornecer uma citação, foi muito gentil da sua parte.

Janine Gibson, você leu os primeiros capítulos e riu. Fazer você rir foi o incentivo que eu precisava para continuar.

Archie, Maya, Miranda, Nesrine, Ben, Benji, vocês são as melhores pessoas. Amo todos vocês.

Lizzie, minha querida irmã. Obrigada por ler o livro. Obrigada por suas anotações, que me ajudaram mais do que posso explicar. Você é incrível.

Linds e Alan, obrigada por literalmente tudo. Vocês foram a inspiração para este livro (da melhor forma possível).

Por fim, Greg. Todos os homens do meu livro são um lixo, e você é o oposto. Me disse que eu era escritora bem antes de eu me referir a mim mesma como tal. Tenho muita sorte em ter você ao meu lado.

Bella Mackie é uma escritora e jornalista britânica. Ela é autora de *Corra para Ser Feliz*, no qual compartilha sua experiência com a corrida e a saúde mental. Além disso, escreve artigos para diversos jornais e revistas, incluindo *The Guardian*, *Vogue* e *The Times*.